Querido John

Querido John

Nicholas Sparks

Tradução
Patricia de Cia

Editora Novo Conceito

Essa é uma obra de ficção. Os nomes, personagens, lugares e acontecimentos descritos são produtos da imaginação do autor. Qualquer semelhança com nomes, datas e acontecimentos reais é mera coincidência.

12ª Impressão – 2011

Produção Editorial
Equipe Novo Conceito

Tradução: Patricia de Cia
Preparação de Texto: Fábio Silvestre Cardoso
Revisão de Texto: Angela Vieira Echenique, Ivar Panazzolo Júnior e Maria Lúcia Alves de Oliveira
Diagramação: Spotlight
Capa: cortesia Sony Pictures Entertainment Inc.

Este livro segue as regras da Nova Ortografia da Língua Portuguesa

Dados Internacionais de Catalogação na Publicação (CIP)
(Câmara Brasileira do Livro, SP, Brasil)

Sparks, Nicholas
Querido John / Nicholas Sparks ; tradução Patricia de Cia . -- Ribeirão Preto, SP : Editora Novo Conceito , 2010 .

Título original: Dear John
ISBN 978-85-63219-02-2

1. Ficção norte-americana I. Título.

10-02380 CDD-813

Índice para catálogo sistemático:
1 . Ficção : Literatura norte-americana 813

Editora Novo Conceito

Rua Dr. Hugo Fortes, 1885 – Parque Industrial Lagoinha
14095-260 – Ribeirão Preto – SP
www.editoranovoconceito.com.br

Para Micah e Christine

Agradecimentos

Escrever este romance foi uma alegria e um desafio. Uma alegria, pois espero que os personagens espelhem a honra e a integridade das pessoas que servem nas Forças Armadas; e um desafio porque... Bem, para ser totalmente honesto, acho que todo romance que escrevo é um desafio. Existem aquelas pessoas, no entanto, que tornam esse desafio muito mais fácil; assim, sem mais delongas, gostaria de agradecer-lhes tudo.

Para Cat, minha esposa que vive comigo, com todo meu carinho. Obrigado por sua paciência, amor.

Para Miles, Ryan, Landon, Lexie e Savannah, meus filhos. Obrigado pelo seu entusiasmo inesgotável, crianças.

Para Theresa Park, minha agente. Obrigado por tudo.

Para Jamie Raab, meu editor. Obrigado por sua bondade e sabedoria.

Para David Young, o novo CEO da Hachette Book Group E.U.A., Maureen Egen, Jennifer Romanello, Harvey-Jane Kowal, Shannon O'Keefe, Sharon Krassney, Abby Koons, Denise DiNovi, Edna Farley, Howie Sanders, David Park, Bandeira, Scott Schwimer, Lynn Harris, Mark Johnson... Sou grato por sua amizade.

Aos meus colegas treinadores e atletas da equipe de atletismo New Bern Alta (que venceu o Campeonato Estadual da Carolina do Norte *indoor* e *outdoor*): Dave Simpson, Philemon Gray, Karjuan Williams, Darryl Reynolds, Anthony Hendrix, Eddie Armstrong, Andrew Hendrix, Mike Weir, Dan Castelow, Marques Moore, Raishad Dobie, Darryl Barnes, Jayr Whitfield, Kelvin Hardesty, Julian Carter e Brett Whitney. . . Que temporada, caras!

• • • • • • •

Querido John

Prólogo

Lenoir, 2006

O que significa amar verdadeiramente uma pessoa?

Houve um tempo em que eu achava saber a resposta: significa que eu iria pensar em Savannah mais do que em mim mesmo, e passaríamos o resto de nossas vidas juntos. Não seria difícil. Ela me disse, certa vez, que a chave para a felicidade é ter sonhos realizáveis, e os dela não eram nada fora do comum. Casamento, família... o básico. Isso significa que eu teria um emprego estável, uma casa com cerca branca, uma minivan ou SUV, grande o suficiente para levar nossos filhos à escola, ao dentista, ao treino de futebol ou aos recitais de piano. Dois ou três filhos – ela nunca foi clara a respeito –, mas meu palpite é que, quando chegasse a hora, ela deixaria a natureza seguir seu curso e Deus tomar a decisão. Ela era assim – religiosa, quero dizer – e suponho que esse tenha sido um dos motivos pelos quais me apaixonei por ela. Independentemente do que acontecesse em nossas vidas, eu me imaginava, ao fim do dia, deitado na cama ao lado dela, nós dois abraçados, conversando e rindo, perdidos nos braços um do outro.

Não parece tão absurdo, quando duas pessoas se amam, certo? Foi também o que pensei. E, enquanto uma parte de mim ainda quer acreditar que isso seja possível, sei que não vai acontecer. Quando eu for embora de novo, nunca mais vou voltar.

Por enquanto, porém, vou sentar-me na encosta que dá vistas à fazenda e esperar que ela apareça. Ela não vai me ver, é claro. No Exército, aprende-se a se misturar com a paisagem, e eu aprendi muito bem, pois não quero morrer em uma vala estrangeira no meio do deserto iraquiano. No entanto, tive de voltar a esta cidadezinha montanhosa na Carolina do Norte para descobrir o que aconteceu. Quando alguém termina algo malresolvido, sente um desconforto, quase uma dor, até descobrir a verdade.

Porém, estou certo de uma coisa: Savannah nunca saberá que estive aqui hoje.

Parte de mim dói ao pensar que ela está tão perto e eu não posso tocá-la, mas nossas histórias seguiram caminhos diferentes. Não foi fácil aceitar essa verdade simples, pois houve um tempo em que nossas histórias eram uma só, mas isso aconteceu seis anos e duas vidas atrás. Nós dois temos lembranças, é claro, mas aprendi que as memórias podem ter uma presença física, quase viva, e nisso Savannah e eu também somos diferentes. Enquanto as lembranças dela são estrelas no céu noturno, as minhas compõem o assombrado espaço vazio entre elas. E, ao contrário dela, sinto o peso de perguntas que fiz para mim mesmo mil vezes desde nosso último encontro. Por que fiz aquilo? Faria tudo de novo?

Fui eu, veja bem, quem terminou tudo.

Nas árvores ao meu redor, as folhas estão apenas iniciando sua lenta mutação para o vermelho fogo, brilhando como o sol que espreita ao longe no horizonte. As aves gorjeiam para a alvorada, o ar está perfumado com aroma de pinho e terra, diferente da água salgada da minha cidade natal. De repente, a porta da frente se escancara e eu a vejo. Apesar da distância entre nós, prendo a respiração enquanto ela invade o dia. Espreguiça-se antes de descer os degraus da entrada e dirigir-se para a lateral da casa. Savannah atravessa a porteira e segue em direção ao pasto à sua frente, que reluz como um oceano verde. Um cavalo a saúda, outro também, e meu primeiro pensamento é que Savannah parece pequena demais para se mover tão facilmente entre eles. Mas ela sempre ficou confortável em meio aos cavalos, e eles com ela. Uma meia dúzia de animais mordisca a grama ao pé da cerca, a maioria quarto de milha; Midas, seu cavalo árabe negro com meias brancas, está apartado. Montei com ela uma vez, e por sorte não me feri. Enquanto eu me agarrava com todas as minhas forças ao cavalo, lembro-me de pensar que ela ficava tão relaxada na sela, que era como se estivesse assistindo à televisão. Savannah se detém um momento para cumprimentar Midas. Ela esfrega o nariz dele sussurrando algo e acaricia as ancas do cavalo, que fica de orelhas em pé quando ela se vira e parte para dentro do celeiro.

Ela desaparece e ressurge carregando dois baldes - aveia, acho. Pendura-os nas estacas, e um par de cavalos trota em sua direção. Savannah afasta-se para lhes dar passagem, e observo seu cabelo esvoaçar na brisa. Ela pega a sela e a rédea. Enquanto Midas come, ela o prepara para cavalgar, e logo depois o conduz da pastagem para as trilhas na floresta, exatamente como fez seis anos atrás. Sei que não é verdade - eu a vi de perto no ano passado e notei as primeiras rugas surgindo ao redor dos olhos - mas o prisma pelo qual a vejo continua imutável. Para mim, ela sempre terá 21 anos e eu, 23. Eu servia na Alemanha; ainda não tinha ido a Fallujah ou Bagdá, nem recebido a carta dela, que li na estação de trem em Samawah nas primeiras semanas de campanha; ainda não tinha voltado para casa por causa dos eventos que mudaram o rumo da minha vida.

Hoje, aos 29 anos, às vezes me pergunto sobre as escolhas que fiz. O Exército tornou-se a única vida que conheço. Não sei se deveria estar arrependido ou satisfeito por isso; a maior parte do tempo oscilo, depende do dia. Quando as pessoas perguntam, digo que sou um peão, e é exatamente isso que quero dizer. Ainda vivo em uma base na Alemanha, tenho cerca de mil dólares de economias e não saio com uma mulher há anos. Não surfo como antes nos dias de licença. Nas folgas, dirijo minha Harley para o sul e para o norte, dependendo do meu humor. A Harley foi a melhor coisa que já comprei, embora custe uma fortuna. É ideal para mim desde que me tornei um tipo solitário. A maioria dos meus camaradas abandonou o serviço, mas eu provavelmente serei enviado de volta ao Iraque nos próximos meses. Pelo menos, esses são os rumores que circulam na base. Quando conheci

Savannah Lynn Curtis – para mim, ela será sempre Savannah Lynn Curtis –, não poderia prever o rumo que minha vida tomaria, nem acreditava que faria carreira no Exército.

Mas eu a conheci; e é isso que torna minha vida atual tão estranha. Eu me apaixonei por ela enquanto estávamos juntos, e me apaixonei ainda mais nos anos em que ficamos separados. Nossa história tem três partes: um começo, um meio e um fim. Embora seja assim que todas as histórias se desenrolam, ainda não consigo acreditar que a nossa não durará para sempre.

Reflito sobre essas coisas, e, como sempre, nosso tempo juntos retorna à minha mente. Relembro como tudo começou, pois agora essas memórias são tudo o que me resta.

PARTE I

Um

Wilmington, 2000

Meu nome é John Tyree. Nasci em 1977 e cresci em Wilmington, Carolina do Norte, uma cidade que ostenta orgulhosamente o maior porto do Estado, bem como uma história longa e vibrante, embora hoje me pareça mais uma cidade surgida por acaso. Certo, o clima é ótimo e as praias perfeitas, mas a cidade não estava preparada para a onda de ianques aposentados que vieram do norte em busca de um lugar barato para passar a melhor idade. Wilmington está localizada em um braço de terra relativamente estreito, delimitado de um lado pelo rio Cape Fear, e de outro, pelo oceano. A autoestrada 17 – que liga Myrtle Beach a Charleston – corta a cidade e serve de via principal. Quando eu era criança, meu pai e eu íamos de carro do centro histórico, perto do rio Cape Fear, à praia de Wrightsville em dez minutos, mas hoje existem tantos semáforos e *shopping* centers que a viagem chega a durar uma hora, especialmente nos fins de semana, quando os turistas inundam a cidade. A praia de Wrightsville, localizada em uma ilha ao largo da costa, está no extremo norte de Wilmington e, de longe, é uma das praias mais populares do Estado. As casas ao longo das dunas são absurdamente caras, e a maioria é alugada no verão. Outer Banks pode ter um apelo mais romântico por causa do isolamento, dos cavalos selvagens e do voo que fez a fama de Orville e Wilbur. Mas devo dizer que a maioria das pessoas que vai para o litoral em férias sente-se mais confortável quando encontra um McDonald's ou um Burger King por perto, no caso de as crianças não gostarem muito da comida local; querem mais do que um par de opções quando se trata de atividades noturnas.

Como qualquer cidade, Wilmington tem partes ricas e pobres. Meu pai tinha um dos empregos mais seguros e sólidos do planeta – ele fazia as entregas em uma das rotas dos correios – e nossa família vivia bem. Sem luxo, mas bem. Não éramos ricos, mas morávamos perto o suficiente da área rica para que eu frequentasse um dos melhores colégios da cidade. No entanto, ao contrário das casas dos meus amigos, a nossa era velha e pequena; parte da varanda estava começando a cair, embora o jardim mantivesse seu charme. Havia um grande carvalho no quintal, e, quando eu tinha oito anos, construí uma casa na árvore com pedaços de madeira que recolhi em um canteiro de obras. Meu pai não me ajudou com o projeto (se ele acertasse um prego com um martelo, isso poderia honestamente ser chamado de acidente); nesse mesmo verão, aprendi sozinho a surfar. Suponho que deveria ter percebido nessa época como era diferente de meu pai, mas isso só demonstra o quão pouco se sabe da vida quando se é garoto.

Nós éramos totalmente diferentes um do outro. Enquanto ele era sedentário e introspectivo, eu estava sempre em movimento e odiava ficar sozinho; ele dava muito valor à educação; para mim, a escola era um clube para socializar e praticar esportes. Ele tinha má postura e andava de um jeito meio estranho; eu saltava de um lado para outro e pedia o tempo todo para que ele marcasse quanto tempo eu levava para ir até o fim do quarteirão e voltar. Fiquei mais alto do que ele no oitavo ano, e o derrotaria no braço de ferro no ano seguinte. Nossas feições também eram completamente diferentes. Ele tinha cabelos ruivos, olhos castanhos e sardas; eu, cabelos e olhos castanhos, e minha pele morena ficava profundamente bronzeada já em maio. Alguns de nossos vizinhos estranhavam o quanto éramos diferentes, o que fazia sentido, suponho, considerando que ele me criou sozinho. Quando fiquei mais velho, às vezes os ouvia fofocando sobre minha mãe ter fugido quando eu tinha menos de um ano. Embora mais tarde eu passasse a suspeitar que minha mãe tenha ido embora com outra pessoa, meu pai nunca confirmou isso. Ele dizia apenas que ela percebeu ter cometido um erro casando-se tão jovem e que não estava pronta para ser mãe. Meu pai não incitava o desprezo por ela, nem a elogiava, mas fazia questão de que eu a incluísse em minhas orações, não importando onde ela estivesse nem o que havia feito. "Você me faz lembrar dela", ele dizia às vezes. Até hoje, nunca troquei uma única palavra com ela, nem tenho qualquer desejo de fazê-lo.

Acho que meu pai era feliz. Digo isso porque ele raramente demonstrava emoções. Abraços e beijos foram raros durante minha infância, e, quando os recebia, me pareciam sem vida, algo que ele fazia por dever, não por desejo. Sei que me amava por sua dedicação e cuidado dedicados a mim, mas ele tinha 43 anos quando nasci e parte de mim acha que meu pai seria melhor como monge do que como pai. Ele era o homem mais silencioso que já conheci. Pouco perguntava sobre o que estava acontecendo na minha vida, e embora raramente se irritasse, tampouco brincava. Vivia para a rotina. Cozinhava ovos mexidos, torradas e *bacon* para mim todas as manhãs, e me ouvia falar sobre a escola durante o jantar, que ele também preparava. Agendava consultas ao dentista com dois meses de antecedência, pagava suas contas aos sábados pela manhã, lavava as roupas no domingo à tarde e saía de casa todos os dias exatamente às 7h35. Ele era socialmente desajeitado e passava longas horas sozinho todos os dias, despejando pacotes e maços de cartas nas caixas de correio ao longo de seu percurso. Ele não namorava, nem passava as noites no fim de semana jogando pôquer com os amigos; o telefone permanecia em silêncio por semanas. Quando tocava, era engano ou um operador de *telemarketing*. Sei o quão difícil deve ter sido para ele me criar sozinho, mas ele nunca se queixou, mesmo quando eu o decepcionei.

Eu passava a maioria das noites sozinho. Com os deveres do dia finalmente concluídos, meu pai enfiava-se em seu escritório para ficar com suas moedas. Era a grande paixão da vida dele. O que lhe dava mais felicidade era ficar sentado em seu gabinete estudando um boletim de um negociante de moedas chamado Greysheet, tentando descobrir a próxima moeda que ele adicionaria à sua coleção. Na verdade, foi meu avô quem originalmente começou a coleção de moedas. O herói de meu avô era um homem chamado Louis Eliasberg, um financista de Baltimore, a única pessoa a ter montado uma coleção completa de moedas dos Estados Unidos, incluindo todas as variações de datas e casas da moeda. Sua coleção rivalizava, se não superava, a do Smithsonian. Após a morte da minha avó, em 1951, meu avô ficou fascinado com a ideia de fazer uma coleção com seu filho. Durante os verões, meu avô e meu pai viajavam de trem a várias casas de moeda para coletar modelos novos em primeira mão ou visitar exposições de moedas no sudeste. Com o tempo, meu avô e meu pai estabeleceram relações com negociantes de moedas de todo o país, e meu avô gastou uma fortuna ao longo dos anos comprando e aprimorando a coleção. Ao contrário de Louis Eliasberg, no entanto, ele não era rico – era dono de um armazém na Burgaw, que foi fechado quando o Wiggly Piggly abriu as portas na cidade – e nunca teve a chance de igualar o feito do financista. Mesmo assim, cada dólar extra foi gasto em moedas. Meu avô usou o mesmo paletó durante trinta anos, dirigiu o mesmo carro toda a sua vida, e tenho certeza de que meu pai começou a trabalhar nos correios em vez de ir para a faculdade porque não sobrou um centavo para pagar nada além do ensino médio. Uma coisa é certa: como meu pai, meu avô era um cara diferente. Tal pai, tal filho, como diz o velho ditado. Quando o velho finalmente morreu, seu testamento determinava que a casa deveria ser vendida, e o dinheiro usado para comprar ainda mais moedas, o que meu pai, muito provavelmente, teria feito de qualquer maneira.

Quando meu pai a herdou, a coleção já era muito valiosa. Na época em que a inflação disparou e o ouro bateu os 850 dólares a onça, ela valia uma pequena fortuna, mais do que suficiente para que meu pai, de hábitos frugais, se aposentasse; muito mais do que valeria um quarto de século mais tarde. Mas nem meu avô nem meu pai colecionavam por dinheiro; faziam-no pela emoção da procura e por causa do vínculo estabelecido entre eles. Havia algo de interessante na longa e difícil busca por uma moeda em particular, até finalmente localizá-la e em seguida negociar um preço justo. Às vezes, uma moeda era acessível; outras, não. Mas cada uma das peças que entrava para a coleção era um tesouro. Meu pai esperava partilhar essa paixão comigo, incluindo o sacrifício necessário. Durante a infância e a adolescência, tive que dormir com cobertores extras no inverno e tinha um único par de sapatos novos por ano; nunca havia dinheiro para roupas, a menos que elas fossem compradas no Exército de Salvação. Meu pai sequer possuía uma câmera. A única foto nossa foi em uma exposição de moedas em Atlanta. Um negociante fez a foto enquanto estávamos em frente a seu estande e a enviou para nós. Durante anos, ela ficou exposta na escrivaninha dele. Na foto, meu pai está com o braço sobre meu ombro, e ambos estamos radiantes. Na minha mão, há um níquel búfalo 1926-D em perfeitas condições, uma moeda que meu pai tinha acabado de comprar. A moeda estava entre os mais raros níqueis búfalo, e acabamos comendo cachorro-quente e feijão durante meses, uma vez que custara mais do que o esperado.

Mas eu não me importava com o sacrifício – pelo menos durante um tempo. Quando meu pai começou a falar comigo sobre moedas – eu devia estar na primeira ou segunda série –, ele me tratou de igual para igual. Um adulto, especialmente seu pai, tratar você como um igual é emocionante para qualquer criança, e eu me deliciava com a atenção, absorvendo as informações. Em pouco tempo, sabia dizer quantas Saint-Gaudens águia dupla foram cunhadas em 1927 em comparação a 1924 e por que uma moeda de dez centavos Barber cunhada em Nova Orleans em 1895 valia dez vezes mais do que uma mesma moeda cunhada no mesmo ano na Filadélfia. Aliás, eu ainda sei. No entanto, ao contrário de meu pai, minha paixão de colecionador finalmente começou a desaparecer. Meu pai só sabia falar disso, e, depois de seis ou sete anos passando os fins de semana com ele em vez de sair com os amigos, eu fiquei farto. Como a maioria dos garotos, passei a me interessar por outras coisas: esporte, meninas, carros e, sobretudo, música. Aos 14 anos, eu ficava pouco tempo em casa. Meu ressentimento também aumentava. Pouco a pouco, comecei a notar diferenças entre nosso modo de vida e o dos nossos amigos. Enquanto eles tinham dinheiro para ir ao cinema ou comprar um elegante par de óculos de sol, eu tinha de vasculhar o sofá atrás de moedas para comer um hambúrguer no McDonald's. Mais de um dos meus amigos ganhou um carro no aniversário de dezesseis anos; meu pai me deu um dólar de prata Morgan cunhado em 1883 em Carson City. As manchas no nosso sofá velho eram cobertas por uma manta, e éramos a única família que eu conhecia sem televisão a cabo ou forno de micro-ondas. Quando nossa geladeira quebrou, ele comprou uma usada, no tom de verde mais horrível do mundo, uma cor que não combinava com nada na cozinha. Fiquei envergonhado com a ideia de convidar amigos para me visitar e culpei meu pai por isso. Sei que era um sentimento muito mesquinho – se a falta de dinheiro me incomodava tanto, eu poderia ter cortado grama ou feito bicos, por exemplo –, mas foi assim que aconteceu. Fui cego como um morcego e burro como uma porta, mas, mesmo se disser que lamento minha imaturidade, não posso desfazer o passado.

Meu pai percebeu que algo estava mudando, mas não tinha ideia do que fazer a respeito. Ele tentou, porém, do único modo que sabia, do mesmo modo que o pai dele. Conversou sobre moedas – o único assunto que era capaz de discutir com facilidade – e continuou a cozinhar meu café da manhã e meu jantar; mas nosso estranhamento piorou ao longo do tempo. Além disso, me afastei dos amigos de sempre. Eles estavam se dividindo em grupinhos, de acordo com os filmes a que assistiam ou com as camisetas que haviam comprado no *shopping*, e eu me sentia de fora, apenas observando. Danem-se, pensei. No ensino médio, há sempre um lugar para todos, e eu comecei a andar com o grupo errado, o grupo de quem não dá a mínima para nada, e também passei a não me importar com nada. Comecei a faltar às aulas e a fumar, e fui suspenso três vezes por brigar.

Também desisti dos esportes. Jogava futebol e basquete e praticava atletismo até o segundo ano. Embora de vez em quando meu pai perguntasse como eu havia me saído nas competições, ele parecia desconfortável se eu entrasse nos detalhes, uma vez que era óbvio que ele não sabia nada sobre esportes. Ele nunca tinha participado de um time na vida. Foi só a um jogo de basquete no meu segundo ano. Sentou-se na arquibancada, um cara estranho e careca vestindo um paletó esporte gasto e meias que não combinavam. Embora ele não fosse obeso, suas calças ficavam apertadas na cintura, e ele parecia uma grávida de três meses. Eu não queria ter nada a ver com aquilo.

Estava envergonhado por sua figura, e o evitei depois do jogo. Não tenho orgulho de mim por isso, mas eu era assim.

As coisas se deterioraram. No último ano, minha revolta chegou ao ápice. Por dois anos minhas notas foram piorando, mais por preguiça e queda de atenção do que por falta de inteligência (eu gosto de pensar), e mais de uma vez meu pai me pegou entrando em casa tarde da noite com hálito de bebida. Fui escoltado pela polícia até em casa depois de ser pego em uma festa onde havia drogas e bebidas. Quando meu pai quis me proibir de sair, tive um ataque de ira, mandei-o não se meter na minha vida e passei duas semanas na casa de um amigo. Ele não disse nada no meu retorno; em vez disso, ovos mexidos, torradas e *bacon* estavam sobre a mesa pela manhã, como de costume. Passei raspando em todas as matérias e suspeito que a escola tenha deixado eu me formar apenas para se livrar de mim. Sei que meu pai estava preocupado, e às vezes, à sua maneira tímida, ele abordava o assunto faculdade, mas eu já tinha decidido não frequentá-la. Queria um emprego, queria um carro, queria as coisas materiais sem as quais havia vivido dezoito anos.

Não mencionei nada disso para ele até o verão depois da formatura, mas, quando ele percebeu que de fato eu não tinha me inscrito para a faculdade, trancou-se em seu escritório pelo resto da noite e não disse nada durante o café com ovos e *bacon* na manhã seguinte. Mais tarde, naquela noite, ele tentou me envolver em outra discussão sobre moedas, como que tentando recuperar o companheirismo que havia entre nós.

“Lembra quando fomos para Atlanta e você encontrou o níquel búfalo que procurávamos há anos?”, ele começou. “Aquela viagem em que tiramos a foto? Nunca vou esquecer como você estava animado. Lembrei-me de mim e meu pai.”

Balancei a cabeça, toda a frustração da vida com o meu pai vindo à tona. “Estou farto de ouvir falar de moedas!”, gritei. “Nunca mais quero ouvir falar disso! Você deveria vender a maldita coleção e fazer outra coisa. Qualquer outra coisa.”

Meu pai não disse nada, mas nunca vou esquecer a expressão dolorosa quando ele finalmente se virou e marchou de volta ao escritório. Eu o havia magoado. Embora tenha dito a mim mesmo que não queria aquilo, no fundo sabia que estava mentindo. Meu pai nunca mais tocou no assunto moedas.

Nem eu. Isso se transformou em um enorme fosso entre nós, pois ficamos sem ter o que dizer um ao outro. Poucos dias depois, percebi que nossa única fotografia também havia desaparecido, como se ele acreditasse que mesmo o menor lembrete das moedas pudesse me ofender. Na época, provavelmente ofenderia. Apesar de eu ter presumido que ele havia jogado a foto fora, tal percepção não me incomodou em nada.

Durante a adolescência, nunca cogitei entrar para o Exército; isso nunca passou pela minha cabeça. Apesar de o leste da Carolina do Norte ser uma das áreas mais militarizadas do país – existem sete bases a poucas horas de carro de Wilmington – achava que a vida no Exército era para fracassados. Quem queria passar a vida recebendo ordens de um bando de escovinhas escravos? Não eu, e quase ninguém mais da minha escola, exceto os caras do ROTC[1]. Em vez disso, a maioria dos bons alunos foi para a University of North Carolina ou a North Carolina State, enquanto os que não eram bons ficaram para trás, vagabundeando de um trabalho ruim para o outro, bebendo cerveja, saindo à noite e, sobretudo, evitando qualquer coisa que pudesse exigir um mínimo de responsabilidade.

Eu fazia parte da última categoria. Nos dois anos após a formatura, passei por uma sucessão de empregos, trabalhando como garçom no Outback Steakhouse, rasgando canhotos de ingressos no cinema local, fazendo carga e descarga de caixas no Staples, cozinhando panquecas na Waffle House e trabalhando como caixa em lojas turísticas que vendiam bugigangas para quem não era da cidade. Gastei cada centavo que ganhei, nunca tive a ilusão de galgar a carreira gerencial, e acabei sendo demitido de todos os trabalhos que tive. Por um tempo, não me importei. Estava vivendo a minha vida. Era ótimo surfar até tarde e dormir, e, como ainda morava em casa, minha renda não era necessária para coisas como aluguel, alimentação, seguro ou garantir meu futuro. Além disso, nenhum dos meus amigos estava melhor do que eu. Não me lembro de estar particularmente infeliz, mas depois de um tempo cansei-me daquela vida. Não do surfe – em 1996, os furacões Bertha e

1 Reserve Officers' Training Corps, em tradução literal, Corporação de Treinamento de Oficiais da Reserva. É um programa militar dos EUA para universitários com foco em liderança, solução de problemas, planejamento estratégico e ética.

Fran atingiram a costa, e aquelas foram as melhores ondas do ano –, mas de ficar no bar do Leroy depois do surfe. Comecei a perceber que todas as noites eram iguais. Beber cervejas e topar com algum amigo do ensino médio que perguntaria o que eu andava fazendo, eu perguntaria o que ele andava fazendo, e não é preciso ser nenhum gênio para perceber que nós dois estávamos no caminho mais rápido para lugar nenhum. Mesmo quando um deles morava sozinho – coisa que eu nunca fiz – não acreditava ao ouvi-los dizer que gostavam do trabalho com escavadeiras, como lavador de janelas ou no caminhão Porta Potti, pois sabia muito bem que nenhuma dessas era a profissão de seus sonhos. Posso ter sido preguiçoso na sala de aula, mas nunca fui burro.

Namorei dezenas de mulheres durante esse período. No Leroy, sempre havia mulheres. Na maioria das vezes, eram casos passageiros. Usei mulheres e me deixei usar por elas, sempre resguardando meus sentimentos. Só meu relacionamento com Lucy durou mais do que alguns meses e, por um curto período de tempo antes da separação inevitável, pensei estar apaixonado por ela. Ela estudava na UNC Wilmington, era um ano mais velha do que eu e queria trabalhar em Nova York depois de se formar. "Eu gosto de você", ela me disse na nossa última noite juntos, "mas nós queremos coisas diferentes. Você poderia fazer muito mais com sua vida, mas, por algum motivo, se contenta em simplesmente ir levando." Ela hesitou antes de continuar. "Além disso, nunca sei como você realmente se sente em relação a mim." Eu sabia que ela estava certa. Nunca disse a ela o quanto ela significava para mim. Algum tempo depois, ela embarcou em um avião sem se incomodar em dizer adeus. Um ano mais tarde, depois de conseguir o número com os pais dela, telefonei e conversamos por vinte minutos. Ela estava noiva de um advogado, disse-me, e iria se casar em junho próximo.

O telefonema me afetou mais do que eu imaginava. Foi em um dia em que eu havia acabado de ser demitido novamente e tinha ido me consolar no Leroy, como sempre. A mesma turma de fracassados estava lá, e, de repente, percebi que não queria passar mais uma noite sem sentido fingindo que minha vida ia bem. Em vez disso, comprei seis latas de cerveja e fui me sentar na praia. Foi a primeira vez em anos que realmente parei para pensar no que estava fazendo com minha vida, e me perguntei se deveria aceitar o conselho do meu pai e arrumar um diploma universitário. Porém, fazia tanto tempo que eu estava longe da escola que a ideia me pareceu absurda e ridícula. Chame de sorte ou azar, mas logo em seguida, dois fuzileiros navais passaram por perto. Jovens e em forma, eles irradiavam confiança e calma. Disse a mim mesmo: se eles podem, eu também posso.

Refleti a respeito alguns dias. No final, meu pai acabou influenciando minha decisão. Não que eu tenha conversado com ele sobre isso – nós não estávamos nos falando. Certa noite, quando ia buscar algo na cozinha, reparei nele sentado em sua escrivaninha, como sempre. Desta vez, porém, deti-me para estudá-lo. Seu cabelo era quase inexistente, e o pouco que restava estava completamente grisalho nas laterais. Em breve, ele se aposentaria, e de repente percebi que não tinha o direito de continuar sendo uma decepção depois de tudo que ele fizera por mim.

Assim, entrei para o Exército. Meu primeiro pensamento foi me alistar nos fuzileiros navais, pois era a coorporação com a qual eu tinha mais familiaridade. A praia Wrightsville sempre esteve repleta de soldados anônimos de Camp Lejeune ou Cherry Point, mas, quando chegou a hora, escolhi o Exército. Achei que iria acabar com uma arma nas mãos em ambos os casos, mas o que realmente me fez decidir foi o recrutador dos fuzileiros navais estar almoçando e não poder me atender na hora em que cheguei, ao contrário do recrutador do Exército – cujo escritório ficava do outro lado da rua. No fim, a decisão pareceu mais espontânea do que planejada, mas mesmo assim assinei na linha pontilhada concordando com os quatro anos de alistamento. Quando o recrutador bateu nas minhas costas e felicitou-me, comecei a me perguntar no que havia me metido. Isso aconteceu no final de 1997; e eu tinha 20 anos.

O treinamento em Fort Benning foi tão horrível quanto eu imaginava. A coisa toda parecia destinada a nos humilhar e a nos submeter a uma lavagem cerebral para seguirmos ordens, ainda que estúpidas, sem questionarmos; mas adaptei-me mais rapidamente do que um monte de caras. Quando terminou, escolhi a infantaria. Passamos os meses seguintes fazendo simulações em lugares como a Louisiana e o bom e velho Fort Bragg, onde aprendemos basicamente a melhor forma de matar pessoas e quebrar coisas. Depois de um tempo, minha unidade, parte da Primeira Divisão de Infantaria - apelidada de "A Vermelha" -, foi enviada para a Alemanha. Eu não falava uma palavra de alemão, mas não importava, pois praticamente todos com quem tinha contato falavam inglês. O início foi fácil, mas então a vida militar realmente começou. Passei sete meses horríveis nos Bálcãs - primeiro na Macedônia em 1999, depois no Kosovo, onde permaneci até o final da primavera de 2000. A vida no Exército não paga muito, mas, considerando que não havia aluguel, despesas de alimentação e praticamente nada com que gastar meu salário, pela primeira vez passei a ter dinheiro no banco. Não muito, mas o suficiente.

Passei minha primeira licença em casa, enlouquecendo de tédio. Na minha segunda licença, fui para Las Vegas. Um dos meus camaradas era de lá e três de nós fomos para a casa dos pais dele. Torrei praticamente tudo o que havia guardado. Na minha terceira licença, voltando de Kosovo, precisava desesperadamente de um descanso, e decidi voltar para casa, esperando que o tédio da estada fosse suficiente para acalmar minha mente. Por causa da distância, meu pai e eu raramente nos falávamos ao telefone, mas ele me escrevia pontualmente no primeiro dia de cada mês. Não era como as cartas que meus amigos recebiam das mães, irmãs ou esposas. Nada muito pessoal, nada piegas, e nunca uma palavra sugerindo que ele sentia minha falta. Nunca mencionou moedas. Em vez disso, escrevia sobre as mudanças no bairro e sobre o clima. Quando escrevi contando sobre um violento tiroteio do qual participei nos Bálcãs, ele respondeu dizendo estar contente por eu ter sobrevivido, e nada mais. Pelo jeito como ele escreveu a resposta, soube que não queria ouvir falar dos perigos que passei. O fato de eu estar em perigo o apavorava, então comecei a omitir as coisas assustadoras. Em vez disso, passei a contar como o trabalho de guarda era, sem dúvida, o mais chato já inventado no mundo, e que a única coisa emocionante que havia me acontecido nas últimas semanas foi tentar adivinhar quantos cigarros o outro cara do meu turno fumara em uma única noite. Meu pai acabava cada carta com a promessa de que iria escrever novamente em breve e, mais uma vez, o homem não me decepcionou. Há muito tempo percebi que ele foi um homem muito melhor do que jamais serei.

Eu amadurecera muito naqueles três anos. Sim, eu sei, sou um clichê ambulante - partir um menino, voltar um homem e tudo o mais. Mas, no Exército, todos são obrigados a amadurecer, especialmente se a atividade está na infantaria como eu. Nós somos responsáveis por equipamentos que custam uma fortuna, as pessoas confiam em nós e, se estragarmos tudo, a pena é muito mais grave do que sermos enviados para a cama sem jantar. Claro, há muita burocracia e tédio, todo mundo fuma, ninguém consegue terminar uma frase sem um palavrão, todos guardam revistas pornô debaixo da cama, e temos de obedecer aos sujeitos do ROTC que acabaram de sair da faculdade e acham que peões como eu têm o QI dos neandertais. Mas somos forçados a aprender a lição mais importante da nossa vida: temos de cumprir com nossas responsabilidades e é melhor fazermos direito. Quando recebemos uma ordem, não podemos dizer não. Não é nenhum exagero dizer que vidas estão em jogo. Uma decisão errada e nosso amigo pode morrer. Este fato determina o trabalho no Exército. Esse é o grande erro de muitas pessoas que questionam como os soldados conseguem por a própria vida em risco, dia após dia, ou lutar por algo no qual não acreditam. Nem todo mundo consegue. Já trabalhei com soldados de todas as vertentes políticas, conheci alguns que odiavam o Exército e outros que queriam fazer carreira. Encontrei gênios e idiotas, mas, quando tudo foi dito e feito, fazíamos o que fazíamos um pelo outro. Por amizade. Não pelo país, por patriotismo ou porque somos máquinas programadas para matar, mas por causa do cara ao nosso lado. Lutamos pelo nosso amigo, para mantê-lo vivo, ele luta por nós, e tudo no Exército gira em torno dessa simples premissa.

Mas, como disse, eu tinha mudado. Quando entrei no Exército, era fumante e quase cuspi um pulmão durante o treinamento. Porém, ao contrário de praticamente todos na minha unidade, parei de fumar e não tocava em um cigarro havia mais de dois anos. Diminuí a bebida até uma ou duas cervejas por semana, e podia passar meses sem um gole. Minha ficha era impecável. Fora promovido de soldado a cabo e, seis meses depois, a sargento. Aprendi que tinha habilidade para liderar. Guiara homens em meio a tiroteios, e meu batalhão participou da captura de um dos mais notórios criminosos de guerra nos Balcãs. Meu comandante me recomendou para a Officer Candidate School (OCS)[2], porém eu tinha dúvidas se deveria ou não tornar-me oficial, pois às vezes isso significava trabalho interno e muita papelada, e não estava certo de que queria isso. Além do surfe, eu não fazia nenhuma atividade física antes de me alistar; quando tirei a terceira licença, havia ganhado 20 quilos de músculos e eliminado a gordura infantil do abdômen. Passava a maior parte do tempo livre correndo, lutando boxe e levantando peso com Tony, um marombado de Nova York que gritava quando falava, jurava que tequila era afrodisíaco, e era, de longe, meu melhor amigo na unidade. Ele me convenceu a tatuar os dois braços, igual a ele, e com o passar dos dias, a lembrança de quem eu tinha sido, se tornava mais e mais distante.

Eu também lia muito. No Exército, há muito tempo para ler, e as pessoas trocam livros o tempo todo ou os pegam emprestados na biblioteca até as capas ficarem gastas. Não quero dar a impressão de ter me tornado um intelectual. Não me interessava por Chaucer, Proust, Dostoievski ou qualquer outro escritor morto; lia principalmente mistério, suspense, livros de Stephen King e tomei gosto especial por Carl Hiaasen. Suas palavras fluíam facilmente e ele sempre me fazia rir. Acho que, se as escolas nos mandassem ler esses livros nas aulas de literatura, teríamos muito mais leitores no mundo.

Ao contrário dos meus amigos, eu me esquivava de qualquer perspectiva de companhia feminina. Soa estranho, não? No auge da idade, em um trabalho que transborda testosterona, o que poderia ser mais natural do que procurar um pouco de alívio com a ajuda de uma mulher? Não era para mim. Embora alguns dos meus colegas saíssem e até mesmo se casassem com as moças do lugar, enquanto estávamos servindo em Wurzburg, ouvi histórias suficientes para saber que esses casamentos raramente funcionavam. O militar é duro nos relacionamentos em geral – tinha visto divórcios demais para saber disso – e, embora a ideia de ter alguém especial não me incomodasse, isso nunca aconteceu. Tony não conseguia entender.

2 Escola de Candidatos a Oficial

"Você tem que sair comigo", ele dizia. "Você nunca vem."

"Não estou a fim."

"Como pode você não estar a fim? Sabine jura que a amiga dela é deslumbrante. Alta, loira e ama tequila."

"Leva o Don. Tenho certeza de que ele quer ir."

"Castelow? De jeito nenhum. Sabine detesta ele."

Eu não disse nada.

"Nós só vamos nos divertir um pouco."

Balancei a cabeça, pensando que preferiria estar só a ter uma recaída e voltar ao passado, mas acabei me questionando se não me tornaria tão solitário como meu pai.

Convencido de que não poderia me fazer mudar de ideia, Tony nem tentava esconder sua decepção a caminho da rua. "Às vezes, não te entendo."

* * *

Quando meu pai foi me buscar no aeroporto, não me reconheceu à primeira vista, e quase deu um pulo quando toquei em seu ombro. Ele parecia menor do que eu me lembrava. Em vez de me dar um abraço, estendeu-me a mão e perguntou sobre o voo, mas nenhum dos dois sabia o que dizer depois disso, e então fomos embora. Era estranho e desorientador estar em casa, e me senti no limite, como na primeira licença. No estacionamento, após jogar minhas coisas no porta-malas, notei um adesivo pedindo apoio às nossas tropas na traseira do antigo Ford Escort do meu pai. Não tinha certeza do que aquilo significava para ele, mas ainda assim, fiquei feliz por vê-lo.

Em casa, coloquei minhas coisas no meu antigo quarto. Tudo estava como eu me lembrava, até os troféus empoeirados na estante e a meia garrafa de uísque Wild Turkey no fundo da minha gaveta de cuecas. A mesma coisa no resto da casa. A manta ainda cobria o sofá, a geladeira verde parecia gritar que não pertencia àquele lugar, e a televisão sintonizava mal apenas quatro canais. Ele fez espaguete; sexta-feira foi sempre dia de espaguete. No jantar, tentamos conversar.

"É bom estar de volta", disse eu.

Ele sorriu brevemente. "Bom", respondeu.

Tomou um copo de leite. No jantar, sempre bebeu leite. Concentrou-se em sua refeição.

"Você lembra do Tony?", arrisquei. "Acho que falei dele nas minhas cartas. Bom, olha só, ele acha que está apaixonado. O nome dela é Sabine, e ela tem uma filha de 6 anos. Eu avisei que pode não ser uma boa ideia, mas ele não me ouve."

Ele espalhou cuidadosamente o queijo parmesão ralado sobre o macarrão, garantindo que a quantidade e a distribuição fossem perfeitas. "Ah", disse ele. "Ok."

Depois disso, continuei comendo e nenhum de nós disse mais nada. Bebi leite. Comi um pouco mais. Os ponteiros do relógio na parede avançavam.

"Aposto que você está animado para se aposentar este ano", sugeri. "Imagine só, você pode finalmente tirar férias, ver o mundo." Quase disse que ele poderia ir me visitar na Alemanha, mas não o fiz. Sabia que ele não iria e não queria colocá-lo em uma situação difícil. Enrolamos o macarrão no garfo simultaneamente, enquanto ele parecia ponderar qual seria a melhor resposta.

"Não sei", ele disse finalmente.

Desisti de tentar conversar, e a partir de então os únicos sons vinham do bater de nossos garfos no fundo dos pratos. Quando o jantar terminou, nos separamos. Esgotado do voo, fui para a cama, acordando de hora em hora, assim como acontecia na base. Quando me levantei pela manhã, meu pai já tinha saído para trabalhar. Tomei café, li o jornal e tentei entrar em contato com um amigo, sem sucesso. Então peguei minha prancha de surfe na garagem e me mandei para a praia. As ondas não estavam grandes, mas tudo bem. Eu não subia na prancha havia três anos, estava um pouco enferrujado, mas mesmo a marola me fez desejar estar servindo perto do oceano.

Era o início de junho de 2000, a temperatura já estava quente e a água, refrescante. De cima da prancha, vi um grupo de pessoas carregando malas para uma das casas além da duna. Como já disse, a praia de Wrightsville sempre foi cheia de famílias que alugavam casas por uma ou duas semanas, mas, às vezes, quem vinha passar a temporada eram universitários de Chapel Hill e Raleigh. Esses últimos me interessavam, e notei um grupo de estudantes de biquíni tomando sol no *deck* dos fundos de uma casa próxima ao píer. Observei-as um pouco, apreciando a vista, depois peguei outra onda e passei o resto da tarde perdido em meu próprio mundinho.

Pensei em dar uma passada no Leroy, mas percebi que nada nem ninguém havia mudado, exceto eu. Em vez disso, peguei uma garrafa de cerveja da loja da esquina e fui sentar-me no píer para apreciar o pôr do sol. A maioria dos pescadores já tinha ido embora, e os poucos que restavam limpavam seus peixes e despejavam os restos na água. Com o tempo, a cor do mar passou de cinza ferro para laranja e depois amarelo. Na arrebentação para além do píer, viam-se pelicanos sobre as costas dos golfinhos que ziguezagueavam através das ondas. Sabia que era a primeira noite de lua cheia; meu período em campo tornara essa percepção quase instintiva. Não pensava muito em nada, apenas deixava minha mente vagar. Acredite em mim, encontrar uma garota era a última coisa que passaria pela minha cabeça.

Foi quando a vi caminhando até o píer. Ou melhor, duas garotas passeando. Uma era alta e loira; a outra, uma morena atraente, ambas um pouco mais novas do que eu. Universitárias, provavelmente. Ambas usavam *shorts* e camisetas, a morena carregava uma grande bolsa de tecido, que às vezes as pessoas levam para a praia quando pretendem passar horas com as crianças. Eu as ouvia rindo e conversando, parecendo despreocupadas, em clima de férias.

"Ei", eu disse quando elas se aproximaram. Não foi nada sedutor, e não posso dizer que esperava alguma resposta.

A loira confirmou minha suspeita. Deu uma olhada na minha prancha e na cerveja em minhas mãos e me ignorou virando os olhos. A morena, no entanto, surpreendeu-me.

"Olá, estranho", respondeu sorrindo. Ela apontou para minha prancha. "Aposto que as ondas estavam ótimas hoje."

O comentário dela me pegou desprevenido, e percebi uma gentileza inesperada em suas palavras. Ela e a amiga seguiram até o fim do píer, e continuei observando, enquanto ela se inclinava sobre o parapeito. Hesitei se devia ou não me aproximar e me apresentar, e acabei desistindo. Elas não faziam o meu tipo ou, mais precisamente, eu não devia fazer o tipo delas. Tomei um longo gole da minha cerveja, tentando ignorá-las.

Porém, por mais que tentasse, não conseguia parar de olhar para a morena. Tentei não ouvir o que as duas meninas diziam, mas a loira tinha uma dessas vozes impossíveis de ignorar. Ela falava sem parar sobre um cara chamado Brad e o quanto ela o amava, e como sua fraternidade era a melhor da UNC, e que sua festa de final de ano foi a melhor de todos os tempos, e que a outra deveria entrar para a fraternidade no ano seguinte, e que muitas de suas amigas estavam ficando com o pior tipo de rapazes de fraternidade, e uma delas até ficou grávida, mas foi culpa dela, já que tinha sido avisada sobre o cara. A morena não falava muito – não dava para saber se estava interessada na conversa ou entediada –, mas de quando em quando dava uma gargalhada. Outra vez ouvi algo gentil e afetuoso em sua voz, algo que dava uma sensação de conforto, o que, admito, não fazia o menor sentido. Coloquei minha cerveja de lado e notei que ela havia colocado a bolsa sobre o parapeito.

Elas estavam lá fazia mais ou menos dez minutos quando dois caras surgiram no píer – rapazes da fraternidade, imaginei – usando polos Lacoste rosa e laranja e bermudas no comprimento dos joelhos. Meu primeiro pensamento foi que um dos dois deveria ser o tal Brad de quem a loira falava. Os dois carregavam cervejas e ficaram mais cuidadosos ao se aproximarem, como que pretendendo assustar as meninas. Provavelmente as garotas ficariam felizes em vê-los e, depois de um susto seguido por gritinhos e tapinhas, os quatro voltariam para casa juntos, rindo, fazendo graça ou qualquer outra coisa que casais de universitários fazem.

Poderia ter acontecido exatamente isso, pois os rapazes fizeram o que eu antecipara. Assim que se aproximaram, pularam para cima das meninas com um berro, elas gritaram e distribuíram tapinhas. Mais gritinhos, e o polo-rosa derramou um pouco de cerveja. Ele se encostou no parapeito, perto da bolsa, pernas cruzadas, braços para trás.

“Ei, vamos acender a fogueira daqui a pouco”, disse polo-laranja abraçando a loira. Ele beijou o pescoço dela. “Vocês estão prontas para voltar?”

“Você está?”, a loira perguntou para a amiga.

“Claro”, respondeu a morena.

Polo-rosa afastou-se do parapeito, mas sua mão acabou batendo na bolsa, que escorregou e caiu lá embaixo. O splash soou como um peixe pulando.

“O que foi?”, ele perguntou, virando-se.

“Minha bolsa!”, a morena engasgou. “Você derrubou.”

"Desculpe", ele disse, sem parecer particularmente desolado.

"Minha carteira estava lá!"

Ele franziu a testa. "Eu disse que sinto muito."

"Você tem que pegar antes que afunde!"

Os rapazes da fraternidade pareciam congelados, e eu sabia que nenhum dos dois tinha qualquer intenção de saltar para recuperar a bolsa. Por um lado, eles provavelmente não conseguiriam, e depois teriam de nadar até a praia, o que não é recomendável quando se bebeu tanto quanto eles obviamente haviam bebido. Acho que a morena também percebeu isso, pois a observei colocar as duas mãos sobre o parapeito e erguer um dos pés.

"Não seja idiota. Já era", disse polo-rosa, erguendo as mãos para impedi-la. "É perigoso demais para pular. Pode haver tubarões lá embaixo. É só uma carteira. Compro uma nova para você."

"Eu preciso daquela carteira! Todo o meu dinheiro está lá!"

Não era da minha conta, eu sabia. Mas a única coisa que passou pela minha cabeça quando levantei de um salto e corri para a beira do píer foi: "Ah, que se dane..."

• • • • • • •

Dois

Acho que devo explicar por que pulei no mar para recuperar a bolsa. Não pensei que ela me veria como algum tipo de herói, não queria impressioná-la, nem mesmo me importava quanto dinheiro ela havia perdido. Tinha a ver com a vivacidade do seu sorriso e o calor de sua risada. Enquanto mergulhava na água, já sabia o quão ridícula fora minha reação, mas aí já era tarde demais. Toquei na água, mergulhei e emergi. Quatro rostos me olhavam do parapeito. O camiseta-rosa ficou positivamente irritado.

"Onde está?", gritei para eles.

"Ali!", a morena gritou. "Acho que ainda consigo ver. Está afundando..."

Demorei um minuto para localizar a bolsa enquanto o sol caía, e as ondas do mar faziam seu melhor para levar-me de volta ao píer. Nadei até a lateral e ergui a bolsa acima da água o máximo que pude, embora ela já estivesse ensopada. A maré tornou minha volta à costa mais fácil do que eu temia, e às vezes eu olhava para cima e via quatro pessoas acompanhando meu percurso.

Finalmente, senti o fundo e segui para fora da arrebentação. Chacoalhei o cabelo para tirar a água, atravessei a areia e os encontrei na metade da praia. Estendi a bolsa.

"Aqui está."

"Obrigada", disse a morena, e, quando seus olhos encontraram os meus, senti um clique, como uma chave destravando um cadeado. Acredite, não sou romântico. Embora já tenha ouvido muito sobre amor à primeira vista, nunca acreditei nisso, e ainda não acredito. Mesmo assim, havia algo ali, real e reconhecível, e eu não conseguia desviar o olhar.

De perto, ela era mais bonita do que eu notara de primeira, mas sua beleza tinha menos a ver com as feições do que com seu jeito de ser. Não era apenas a ligeira abertura entre os dentes, mas também a forma casual com que ela ajeitava uma mecha de cabelo rebelde, sua postura solta.

"Você não tinha que ter feito isso", disse ela com a voz um tanto maravilhada. "Eu ia pegar."

"Eu sei", concordei. "Vi você se preparando para pular."

Ela inclinou a cabeça para o lado. "Mas você sentiu uma necessidade incontrolável de ajudar uma dama em perigo?"

"Algo assim."

Ela avaliou minha resposta por um momento, depois voltou a atenção para a bolsa. Começou a tirar coisas – carteira, óculos de sol, viseira, um tubo de protetor solar – e as entregou para a loira para torcer a bolsa.

"Suas fotos molharam", disse a loira, remexendo na carteira.

A morena ignorou, continuando a torcer os dois lados da bolsa. Quando finalmente ficou satisfeita, pegou suas coisas de volta e recolocou-as na bolsa.

"Obrigada novamente", disse ela. Seu sotaque era diferente do falado no leste da Carolina do Norte, era mais anasalado, como se ela tivesse crescido nas montanhas perto de Boone ou próximo à fronteira da Carolina do Sul, a oeste.

"Não é grande coisa", murmurei, mas não me mexi.

"Ei, talvez ele queira uma recompensa", intrometeu-se polo-rosa, falando alto.

Ela olhou para ele, então para mim. "Você quer uma recompensa?"

"Não." Acenei uma mão. "Apenas feliz em ajudar."

"Sempre soube que o cavalheirismo não estava morto", ela proclamou. Tentei detectar uma nota de provocação, mas não ouvi nada em seu tom de voz indicando que ela zombava de mim.

Polo-laranja me mediu de cima a baixo, observando meu corte de cabelo. "Você é fuzileiro naval?", questionou, abraçando a loira novamente.

Balancei a cabeça, negativamente. "Não sou um dos poucos ou orgulhosos. Quis ser tudo o que eu poderia ser, por isso, entrei para o Exército."

A morena riu. Ao contrário de meu pai, ela tinha visto os comerciais.

"Eu sou Savannah", disse ela. "Savannah Lynn Curtis. E estes são Brad, Randy e Susan." Ela estendeu a mão.

"Eu sou John Tyree", disse, estendendo a minha também. A mão dela era quente, macia como veludo em alguns pontos, mas calejada em outros. De repente, percebi quanto tempo se passara desde que eu tinha tocado uma mulher pela última vez.

"Bem, sinto que deveria fazer algo por você."

"Você não precisa fazer nada."

"Você já comeu?", ela perguntou, ignorando o meu comentário. "Estamos nos preparando para comer em volta da fogueira, e vai ter muita coisa. Gostaria de se juntar a nós?"

Os caras trocaram olhares. Polo-rosa Randy parecia francamente triste, e, admito, isso me fez sentir melhor. "Ei, talvez ele queira uma recompensa." Que babaca.

"Isso, vamos lá", disse Brad finalmente, nem um pouco entusiasmado. "Vai ser divertido. Estamos alugando o lugar ao lado do píer." Ele apontou para uma das casas na praia, onde meia dúzia de pessoas descansava no *deck* dos fundos.

Embora eu não tivesse vontade de passar meu tempo com caras da fraternidade, o sorriso de Savannah era tão caloroso que as palavras escaparam dos meus lábios antes que eu pudesse impedi-las.

"Parece bom. Vou pegar a prancha que ficou no píer e apareço lá daqui a pouco."

"Nós nos encontramos lá", disse Randy. Ele deu um passo em direção a Savannah, mas ela o ignorou.

"Vou até lá com você", disse Savannah, abandonando o grupo. "É o mínimo que posso fazer." Ela ajustou a bolsa no ombro. "Vejo vocês daqui a pouco, ok?"

Viramos em direção à duna, onde as escadas nos levariam até o píer. Os amigos dela demoraram um minuto, mas quando começamos a andar, lentamente tomaram o caminho da praia. Do canto do olho, vi a loira virar a cabeça por debaixo do braço de Brad para dar uma última olhada em nós. Randy também olhou, emburrado. Eu não tinha certeza de que Savannah havia notado os olhares até termos nos afastado um pouco.

"Susan provavelmente acha que eu sou louca de fazer isso", disse.

"Fazer o quê?"

"Acompanhar você. Ela acha que Randy é perfeito para mim, e está tentando nos juntar desde que chegamos, hoje à tarde. Ele está me seguindo o dia todo."

Concordei, sem saber como reagir. Ao longe, a lua cheia e brilhante começou sua lenta ascensão do mar, e notei Savannah olhando para ela. Quando as ondas arrebentavam, espalhavam gotas prateadas como se o *flash* de uma câmera tivesse disparado. Chegamos ao píer. O corrimão estava arranhado pela areia e pelo sal, e a madeira castigada pelo tempo começava a lascar. Os degraus rangiam enquanto subíamos.

"Onde você está servindo?", ela perguntou.

"Na Alemanha. Estou em casa, em licença por duas semanas, visitando meu pai. E você é das montanhas, suponho?"

Ela olhou para mim com surpresa. "Lenoir." Ela me observou. "Deixe-me ver: meu sotaque, não é? Você acha que eu falo como caipira, não acha?"

"De jeito nenhum."

"Bem, eu sou. Caipira, quero dizer. Cresci em uma cabana de madeira e tudo mais. E sim, sei que tenho sotaque, mas já me disseram que muitas pessoas acham isso encantador."

"Randy parece pensar assim."

Deixei escapar antes de me dar conta. No silêncio constrangedor, ela passou a mão pelos cabelos.

"Randy parece ser um homem jovem e bonito", observou ela depois de um momento. "Mas não o conheço muito bem. Na verdade, não conheço bem a maioria das pessoas que estão na casa, exceto Tim e Susan." Ela espantou um mosquito. "Você vai conhecer Tim mais tarde. Ele é um cara ótimo. Você vai gostar dele. Todo mundo gosta."

"E todos vocês vão passar uma semana de férias aqui?"

"Um mês, na verdade, mas não são exatamente férias. Somos voluntários. Você já ouviu falar do *Habitat para a Humanidade*? Estamos aqui para ajudar a construir algumas casas. Minha família participa há anos."

Ao fundo, a casa parecia ganhar vida na escuridão. Mais pessoas haviam se materializado, o volume da música aumentara, e vez ou outra eu ouvia risadas. Brad, Susan e Randy estavam rodeados por um grupo de estudantes bebendo cerveja e que, em vez de voluntários, pareciam mais um bando de universitários a fim de se divertir e atrás de uma chance de ficar com alguém do sexo oposto. Ela deve ter notado a minha expressão e seguiu meu olhar.

"Só vamos começar na segunda-feira. Logo eles vão descobrir que não vai ser só brincadeira e diversão."

"Eu não disse nada..."

"Você não precisa. Mas está certo. A maioria vai trabalhar pela primeira vez para a *Habitat* e está fazendo isso apenas para ter algo diferente no currículo quando se formar. Eles não têm ideia de quanto trabalho terão de fazer. Mas no fim o que importa é que as casas serão construídas, e eles vão construí-las. Sempre acontece."

"Você já fez isso antes?"

"Todo verão desde que tenho dezesseis anos. Costumava fazer isso com nossa igreja, mas quando fui para Chapel Hill, criamos um grupo lá. Bem, na verdade, Tim criou o grupo. Ele também é de Lenoir. Acabou de se formar e vai começar o mestrado no outono. Nós nos conhecemos desde sempre. Em vez de passar o verão fazendo bicos ou estágios, pensamos que poderíamos oferecer aos estudantes a chance de fazer a diferença na vida de alguém. Todo mundo racha o aluguel da casa e paga as próprias despesas do mês, e não cobramos nada pelo trabalho nas casas. Por isso era tão importante recuperar a bolsa. Eu não teria dinheiro para comer o mês todo."

"Tenho certeza de que eles não deixariam você passar fome."

"Eu sei, mas não seria justo. Eles já estão fazendo alguma coisa digna, e isso é mais que suficiente."

Sentia o toque dos meus pés deslizando na areia.

"Por que Wilmington?", perguntei. "Quero dizer, por que veio construir casas aqui, em vez de em algum lugar como Lenoir ou Raleigh?"

"Por causa da praia. Você sabe como as pessoas são. É muito difícil conseguir um mês de trabalho voluntário de universitários, e facilita se for em um lugar como este. E, quanto mais pessoas, mais trabalho feito. Este ano foram trinta inscrições."

Concordei, consciente de quão próximos estávamos. "Você também já se formou?"

"Não, estou entrando no último ano. E faço Educação Especial[1], se essa era sua próxima pergunta."

"Era."

"Imaginei. Quando você está na faculdade, é o que todo mundo pergunta."

"Todo mundo me pergunta se gosto de estar no Exército."

"Você gosta?"

"Não sei."

Ela riu, e o som era tão melódico que soube que queria ouvi-lo novamente.

Chegamos ao fim do píer, e peguei minha prancha. Joguei a garrafa de cerveja vazia na lata de lixo e ouvi o barulho do vidro batendo no fundo. Estrelas surgiam no céu, e as luzes das casas ao longo das dunas lembravam lanternas de Halloween.

"Você se importaria se eu perguntasse por que motivo você se alistou, já que não sabe se gosta do Exército?"

Levei um segundo para descobrir como responder, e mudei a prancha de braço. "Acho que o mais certo é dizer que, naquele momento, era do que eu precisava."

Ela esperou que eu continuasse, mas como não falei mais nada, simplesmente assentiu.

"Aposto que você está feliz por passar um tempo em casa", disse ela.

"Sem dúvida."

"Aposto que seu pai também está feliz, hein?"

"Acho que sim."

"Ele está. Tenho certeza de que tem muito orgulho de você."

Segurei a prancha mais forte, pensando a respeito. "Espero que sim."

---

1 O ramo da Educação, que se ocupa do atendimento e da educação de pessoas com deficiência em instituições especializadas, tais como escola para surdos, escola para cegos ou escolas para atender pessoas com deficência mental.

"Parece que você não tem certeza."

"Você teria que conhecer meu pai para entender. Ele não fala muito."

Via a lua refletida em seus olhos escuros, e ela disse com a voz suave: "Ele não precisa dizer que tem orgulho de você. Deve ser o tipo de pai que demonstra de outro jeito."

Refleti sobre isso, esperando que fosse verdade. Nesse momento, alguém gritou na casa e vi um casal de estudantes perto do fogo. O rapaz agarrou a garota e a puxou para mais perto, ela ria e tentava se desvencilhar. Brad e Susan também estavam agarrados, mas Randy tinha desaparecido.

"Você disse que não conhece a maioria das pessoas da casa?"

Ela balançou a cabeça, o cabelo novamente esvoaçante. Ela arrumou outra mecha. "Não muito bem. Conheci a maioria no momento da inscrição e nos reencontramos de novo hoje, quando chegamos aqui. Quer dizer, posso ter visto um ou outro aqui e ali no campus, e acho que muitos deles já se conhecem, mas não a mim. A maioria mora em fraternidades. Eu ainda estou no alojamento da faculdade. Mas eles são legais."

Enquanto respondia, tive a sensação de que ela é do tipo que nunca vai falar mal de ninguém. Seu jeito de encarar os outros me tocou pela maturidade e frescor, e ainda assim, estranhamente, não fiquei surpreso. Fazia parte dessa qualidade indefinível que percebera nela desde o início, aquilo que a diferenciava.

"Quantos anos você tem?", perguntei, à medida que nos aproximávamos da casa.

"Vinte e um. Fiz aniversário no mês passado. E você?"

"Vinte e três. Você tem irmãos?"

"Não. Sou filha única. Só eu e meus pais. Meus pais ainda vivem em Lenoir, são felizes como crianças, depois de vinte e cinco anos de casados. Sua vez."

"O mesmo. Exceto que, para mim, sempre fomos só eu e meu pai."

Sabia que minha resposta levaria à pergunta sobre o que havia acontecido a minha mãe. Porém, para minha surpresa, isso não aconteceu. Em vez disso, ela perguntou: "Foi ele quem te ensinou a surfar"?

"Não, aprendi sozinho, quando era criança."

"Você é bom. Eu estava vendo você surfar mais cedo. Parece tão fácil, elegante mesmo. Deu vontade de aprender."

"Eu adoraria te ensinar, se você quiser", me ofereci. "Não é tão difícil. Vou de novo amanhã."

Ela me encarou. "Olha, não ofereça o que você não tem certeza se pode entregar." Ela pegou meu braço, me deixando sem fala, e virou-se para a fogueira. "Você está pronto para conhecer algumas pessoas?"

Engoli em seco, sentindo uma súbita secura na garganta, que foi a coisa mais estranha que já me acontecera.

* * *

A casa era um daqueles monstros de três andares, com a garagem na parte inferior e provavelmente seis ou sete quartos. Um *deck* imenso circundava o térreo; toalhas estavam penduradas nos parapeitos e ouvi várias conversas ao mesmo tempo, vindas de todas as direções. Havia uma churrasqueira no *deck*, e cheiro de cachorro-quente e frango no ar. O churrasqueiro estava sem camisa e usava uma bandana, tentando fazer a linha "urbano *cool*". Não funcionou, mas me fez rir.

A fogueira foi acessa em um buraco cavado na areia, e várias garotas, usando moletons gigantes, espalharam cadeiras ao redor, fingindo não notar os rapazes à sua volta. Eles se mantinham um pouco atrás, tentando achar a postura que melhor acentuasse os músculos dos braços ou o abdômen esculpido, agindo como se as garotas não estivessem ali. Já tinha visto tudo isso no Leroy; universitários ou não, jovens são jovens. Todos tinham vinte e poucos anos, e o sexo estava no ar. Junte a praia e a cerveja, e dá para imaginar o que aconteceria mais tarde – quando eu já tivesse ido embora há muito tempo.

Quando Savannah e eu nos aproximamos, ela diminuiu o passo antes de indicar um local. "Que tal ali, ao lado da duna?", sugeriu.

"Claro."

Sentamos diante do fogo. Algumas das outras meninas nos olhavam, verificando quem era o cara novo, para depois voltar às suas conversas. Randy finalmente apareceu, dirigindo-se à fogueira com uma cerveja nas mãos. Viu Savannah comigo e rapidamente virou as costas, seguindo o exemplo das meninas.

"Frango ou cachorro-quente?", ela perguntou, aparentemente ignorando tudo.

"Frango."

"O que você quer beber?"

A luz do fogo fez seu olhar ganhar um novo mistério. "O que você beber está ótimo. Obrigado."

"Já volto."

Ela dirigiu-se para a escada e tive de me segurar para não segui-la. Em vez disso, caminhei na direção do fogo, tirei minha camisa, coloquei-a sobre uma cadeira vazia, então voltei ao meu assento. Olhei para o *deck* e vi o cara da bandana flertando com Savannah. Senti uma onda de tensão, e virei-me novamente para recuperar um pouco do controle. Sabia muito pouco sobre ela e menos ainda a respeito do que ela pensava de mim. Além disso, não queria começar algo que não poderia terminar. Iria embora dali a duas semanas, e nada disso teria qualquer valor. Disse todas essas coisas a mim mesmo e acho que tinha me convencido parcialmente de que iria direto para casa depois de comer, porém meus pensamentos foram interrompidos pela visão de alguém se aproximando. Alto e esguio, com cabelo escuro já rareando e penteado para o lado, ele me lembrou aqueles caras que parecem estar na meia-idade desde o nascimento.

"Você deve ser John", disse ele com um sorriso, de cócoras diante de mim. "Meu nome é Tim Wheddon." Ele estendeu a mão. "Soube o que você fez por Savannah – sei que ela está agradecida por você ter estado lá."

Apertei a mão dele. "Prazer."

Apesar da minha desconfiança inicial, seu sorriso era mais verdadeiro do que o de Brad ou Randy. Ele também não mencionou minhas tatuagens, o que era incomum. Devo dizer que elas não são exatamente pequenas e cobrem a maior parte dos meus braços. As pessoas dizem que vou me arrepender quando ficar mais velho. Mas, quando as fiz, não me importava nem um pouco com isso. E ainda não me importo.

"Você se importa se eu me sentar?", perguntou ele.

"Fique à vontade."

Ele se acomodou, nem perto demais de mim, nem muito longe. "Estou feliz por você ter vindo. Quer dizer, não é muito, mas a comida é boa. Você está com fome?"

"Na verdade, estou com fome."

"Surfar deixa a gente assim."

"Você surfa?"

"Não, mas ficar no mar sempre me deixa com fome. Lembro-me por causa das férias, da infância. Costumávamos ir para Pine Knoll Shores todo verão. Você já foi lá?"

"Só uma vez. Tenho tudo que preciso aqui."

"Suponho que sim." Ele indicou minha prancha. "Você gosta de pranchões, hein?"

"Gosto das duas, mas aqui as ondas são mais adequadas para os pranchões. É preciso surfar no Pacífico para realmente curtir a prancha menor."

"Você já esteve lá? Havaí, Bali, Nova Zelândia, esses lugares? Li que são o máximo."

"Ainda não", disse, surpreso que ele conhecesse a respeito. "Um dia, talvez."

Uma tora estalou, soltando faíscas no ar. Cruzei as mãos, sabendo que era a minha vez. "Ouvi dizer que você está aqui para construir casas para os pobres."

"Savannah te disse isso? Sim, esse é o plano, de qualquer maneira. São para duas famílias realmente merecedoras, e espero que elas estejam instaladas até o final de julho."

"Essa é uma boa ação, a que você está fazendo."

"Não é só comigo. Mas, ei, eu queria te perguntar uma coisa."

"Deixe-me adivinhar, você quer que eu seja voluntário?"

Ele riu. "Não, nada disso. Engraçado, já ouvi essa antes. As pessoas me veem chegando e geralmente saem correndo. Acho que dou muito na cara. Enfim, sei que é pouco provável, mas queria saber se você conhece meu primo. Ele está em Fort Bragg."

"Desculpe", disse. "Estou na Alemanha."

"Em Ramstein?"

"Não. Essa é a base da Força Aérea. Mas estou relativamente perto. Por quê?"

"Estive em Frankfurt em dezembro. Passei o Natal lá com minha família. Nós viemos de lá, e meus avós continuam morando na cidade."

"Mundo pequeno."

"Você aprendeu alguma coisa de alemão?"

"Nada."

"Eu também não. O triste é que meus pais são fluentes e ouvi alemão em casa durante anos. Até fiz um curso antes de viajar. Mas simplesmente não aprendi, sabe? Acho que tive sorte de ser aprovado, e tudo que podia fazer era assentir à mesa de jantar fingindo entender o que todo mundo falava. O que me salvou foi que meu irmão estava no mesmo barco, então, nós nos sentíamos como dois idiotas juntos."

Eu ri. Ele tinha uma expressão aberta e franca, e gostei dele.

"Ei, quer que eu pegue algo para você?", ele perguntou.

"Savannah foi buscar."

"Eu deveria ter adivinhado. Além de tudo, uma anfitriã perfeita. Sempre foi assim."

"Ela disse que vocês cresceram juntos."

Ele assentiu. "O rancho da família dela é bem próximo do nosso. Fomos para as mesmas escolas e frequentamos a mesma igreja durante anos. Agora, estamos na mesma universidade. Ela é como se fosse minha irmãzinha. Ela é especial."

Apesar do comentário da irmãzinha, tive a impressão, pela forma como ele disse "especial", que seus sentimentos eram mais profundos do que ele tentava demonstrar. Mas, ao contrário de Randy, Tim não parecia enciumado por ela ter me convidado. Antes que eu pudesse tirar uma conclusão, Savannah reapareceu na escada, chegando à areia.

"Estou vendo que vocês já se conheceram", disse ela. Em uma mão, trazia dois pratos com frango, salada de batatas e batatas fritas; na outra, duas latas de Pepsi Diet.

"Sim, eu só queria agradecer-lhe o que fez por você", Tim explicou. "Daí comecei a entendiá-lo com as histórias da família."

"Boa. Eu esperava que vocês tivessem a oportunidade de se conhecer." Ela esticou o braço; assim como Tim, ignorou o fato de eu estar sem camisa. "A comida está pronta. Você quer meu prato, Tim? Posso ir lá em cima fazer outro."

"Não, eu vou buscar para mim", disse Tim, de pé. "Mas obrigado. Vou deixar vocês dois conversarem. Ele bateu a areia de seu *shorts*. "Ei, foi bom conhecer você, John. Se você estiver na área amanhã ou qualquer outro dia, será sempre bem-vindo."

"Obrigado. Prazer em conhecê-lo também."

Um minuto depois, Tim estava subindo as escadas. Não olhou para trás, só disse um olá amistoso a alguém que vinha na direção oposta e seguiu seu caminho.

Savannah me entregou o prato e alguns talheres de plástico, trocou de mãos e me ofereceu um refrigerante. Em seguida, sentou-se ao meu lado. Perto, notei, mas não perto o suficiente para tocar. Ela apoiou o prato no colo, em seguida, estendeu a mão com firmeza para pegar o refrigerante e ergueu a lata.

"Você estava bebendo cerveja mais cedo, mas disse que tomaria o mesmo que eu, então trouxe um destes. Não tinha certeza de que você queria."

"Refrigerante está bom."

"Você tem certeza? Tem um monte de cerveja na geladeira, e eu ouvi falar sobre vocês no Exército."

Bufei. "Tenho certeza que sim", disse, abrindo minha lata. "Acho que você não bebe."

"Não", disse ela. Ela não estava na defensiva, sua voz não denotava presunção, apenas a verdade. Gostei daquilo.

Ela comeu um pedaço de frango. Fiz o mesmo e em silêncio pensei sobre ela e Tim, se ela sabia quais eram os reais sentimentos dele. Eu me perguntava o que ela sentia por ele. Havia alguma coisa ali que eu não conseguia entender, a não ser que Tim estivesse certo e fosse um amor de irmãos. Duvidava um pouco de que fosse o caso.

"O que você faz no Exército?", ela perguntou, finalmente abaixando o garfo.

"Sou sargento da infantaria. Seleção de armas."

"E como é isso? Quer dizer, o que você faz todos os dias? Você atira, explode coisas ou o quê?"

"Às vezes. Mas, na verdade, é muito chato na maior parte do tempo, pelo menos quando estamos na base. Nós nos reunimos pela manhã, normalmente em torno de 6h, verificamos se todos estão lá e nos dividimos em grupos para fazer exercícios. Basquete, corrida, levantamento de peso, o que for. Às vezes, há uma aula no dia, qualquer coisa sobre montar e remontar nossas armas, uma aula externa à noite ou vamos para o campo de tiro, coisas assim. Se não há nada planejado, voltamos para o quartel e jogamos *videogame*, lemos ou malhamos pelo resto do dia. Então nós nos reunimos de novo às quatro da manhã para saber o que faremos no dia seguinte. E acabou."

"*Video games*?"

"Eu malho e leio. Mas meus amigos são especialistas em jogos. E quanto mais violento, mais eles gostam."

"O que você lê?"

Eu contei, e ela refletiu um pouco. "E o que acontece quando você é enviado para uma zona de guerra?"

"Então", eu disse terminando o meu frango, "é diferente. Há dever de guarda, e as coisas estão sempre quebrando e precisam ser consertadas. Ficamos ocupados mesmo quando não estamos em patrulha. Mas a infantaria são as forças de terra. Portanto, passamos boa parte do tempo longe da base."

"Você fica com medo?"

Procurei a resposta certa. "Sim. Algumas vezes. Não é como estar aterrorizado o tempo todo, mesmo quando as coisas viram um inferno ao seu redor. É só que você... reage, tenta ficar vivo. As coisas acontecem tão rápido que não dá tempo de pensar em nada, só em fazer seu trabalho e tentar não morrer. Em geral, o efeito vem mais tarde, quando você está seguro. É quando você percebe como chegou perto, e às vezes começa a tremer, vomitar ou qualquer coisa assim."

"Não sei se poderia fazer o que você faz."

Não sabia se ela esperava uma resposta minha. Então, mudei de assunto. "Por que Educação Especial?", perguntei.

"É uma longa história. Tem certeza de que quer ouvir?"

Quando assenti com a cabeça, ela deu um longo suspiro.

"Há um rapaz em Lenoir chamado Alan, que conheço a vida toda. Ele é autista, e por muito tempo ninguém sabia o que fazer ou como se comunicar com ele. E isso me tocou, sabe? Eu me sentia tão mal por ele, mesmo quando era pequena. Quando perguntei aos meus pais, eles disseram que talvez o Senhor tivesse planos especiais para ele. Isso não fez sentido no início, mas Alan tinha um irmão mais velho que era muito paciente o tempo todo. Quero dizer sempre mesmo. Ele nunca ficou decepcionado e ajudou Alan pouco a pouco. Alan não é perfeito por nenhum parâmetro – ainda vive com os pais e nunca será independente –, mas não está mais tão perdido como quando garoto, e decidi que queria ajudar crianças como ele."

"Quantos anos você tinha quando se decidiu?"

"Doze."

"E você quer trabalhar com eles em uma escola?"

"Não", disse ela. "Quero fazer o que o irmão de Alan fez. Usou cavalos." Ela fez uma pausa, recolhendo seus pensamentos. "Com as crianças autistas... é como se eles estivessem trancados em um mundinho próprio, então, em geral, a escola e a terapia são baseadas na rotina. Mas eu quero proporcionar experiências que possam abrir novas portas para eles. Vi isso acontecer. Quer dizer, Alan tinha pavor de cavalos no início, mas seu irmão continuava tentando e, depois de um tempo, Alan chegou ao ponto de acariciá-los, esfregar o nariz dos cavalos, até alimentá-los. Depois disso, começou a montar, e lembro-me de ver o rosto dele na primeira vez em que subiu na sela... Foi tão incrível, sabe? Ele estava sorrindo, feliz como qualquer criança. É isso que quero proporcionar a esses jovens. Só... alegria, mesmo que seja por pouco tempo. Foi quando soube exatamente o que queria fazer da vida. Talvez abrir um acampamento de equitação para crianças autistas, onde possa realmente trabalhar com elas. Daí talvez elas sintam a mesma alegria que Alan sentiu."

Ela largou o garfo, um pouco constrangida, e colocou o prato de lado.

"Isso é maravilhoso."

"Vamos ver se acontece", disse. "Ainda é só um sonho."

"Então você também gosta de cavalos?"

"Todas as meninas gostam de cavalos. Você não sabe disso? Sim, eu gosto. Tenho um árabe chamado Midas, e às vezes fico mal por estar aqui quando poderia estar cavalgando com ele."

"A verdade vem à tona."

"Como sempre. Mas eu ainda planejo ficar aqui. Vou montar o dia todo, todos os dias, quando voltar. Você monta?"

"Montei uma vez."

"Gostou?"

"Fiquei dolorido no dia seguinte. Machuca."

Ela riu, e percebi que gostava de conversar com ela. Era fácil e natural, ao contrário de tantas pessoas. No céu, avistei o cinturão de Órion; Vênus apareceu com seu brilho forte na linha do horizonte, por sobre a água. Rapazes e meninas continuavam passeando para cima e para baixo, encorajados pelo álcool a paquerar. Suspirei.

"Provavelmente deveria ir andando, para ficar um pouco com meu pai. Ele deve estar se perguntando onde estou. Isso se ainda estiver acordado."

"Quer ligar para ele? Você pode usar o telefone."

"Não, acho que vou indo. É uma longa caminhada."

"Você não tem carro?"

"Não. Peguei carona de manhã."

"Quer que Tim leve você de carro? Tenho certeza de que ele não vai se importar."

"Não, tudo bem."

"Não seja ridículo. Você disse que é uma longa caminhada, certo? Vou pedir para o Tim levar você. Vou procurá-lo."

Ela saiu antes que eu pudesse impedi-la, e um minuto depois os dois apareceram saindo da casa. "Tim está feliz por levar você", ela disse muito satisfeita consigo mesma.

Virei-me para Tim. "Você tem certeza?"

"Não tem problema nenhum", ele me assegurou. "Minha caminhonete está aqui em frente. Você pode colocar a prancha na caçamba." Apontou para a prancha. "Precisa de ajuda?"

"Não", disse, me levantando. "Tudo sob controle." Fui até a cadeira, peguei a camisa e depois a prancha. "Aliás, obrigado."

"O prazer é meu", disse ele. Ele apalpou o bolso. "Vou buscar a chave. É a caminhonete verde estacionada na grama. Encontro você lá na frente."

Quando ele saiu, virei-me para Savannah. "Gostei de te conhecer."

Ela olhou nos meus olhos. "Eu também. Nunca tinha passado tanto tempo com um soldado. Eu me senti... protegida. Acho que Randy não vai causar nenhum problema hoje. Provavelmente suas tatuagens o assustaram."

Então ela havia notado. "A gente se vê."

"Você sabe onde me encontrar."

Não tinha certeza se isso significava que ela queria que eu aparecesse de novo por ali. Em muitos aspectos, ela permaneceu um mistério completo para mim. Afinal, eu mal a conhecia.

"Estou um pouco chateada porque você esqueceu", acrescentou ela, depois de pensar um pouco.

"Esqueci o quê?"

"Você não disse que iria me ensinar a surfar?"

* * *

Tim não deixou transparecer se tinha qualquer noção do efeito que Savannah tivera sobre mim, ou de que eu voltaria no dia seguinte. Em vez disso, concentrou-se na direção, certificando-se de estar no caminho certo. Ele era o tipo de motorista que para o carro quando o semáforo está amarelo e dá tempo de passar.

"Espero que você tenha se divertido", ele disse. "Sei que é estranho quando a gente não conhece ninguém."

"Eu me diverti sim."

"Você e Savannah realmente se deram bem. Ela é uma coisa, não? Acho que gostou de você."

"Tivemos uma conversa agradável", eu disse.

"Estou contente. Fiquei um pouco preocupado com a vinda dela para cá. No ano passado, os pais dela estavam com a gente. É a primeira vez que ela vem sozinha. Sei que ela já está crescidinha, mas esse não é o tipo de pessoa com quem ela costuma ficar, e a última coisa que queria era que ela tivesse de passar a noite driblando cantadas."

"Tenho certeza de que ela saberia lidar com isso."

"Tenho certeza de que você está certo. Mas tenho a sensação de que alguns desses rapazes são bastante persistentes."

"Claro que são. Eles são homens."

Ele riu. "Acho que você está certo." Fez um gesto em direção ao para-brisa. "Para que lado?"

Eu o conduzi por uma série de conversões e até finalmente diminuir a velocidade. Ele parou na porta da minha casa, e dava para ver que o escritório de meu pai estava iluminado, amarelo brilhante.

"Obrigado pela carona", disse, abrindo minha porta.

"Sem problemas." Ele inclinou-se sobre o assento. "Olha, como eu disse, fique à vontade, pode passar lá em casa a qualquer hora. Trabalhamos durante a semana, mas nos fins de semana e à noite geralmente estamos livres."

"Vou me lembrar disso", prometi.

* * *

Uma vez lá dentro, fui até o escritório do meu pai e abri a porta. Ele estava examinando a Greysheet e deu um salto da cadeira. Não tinha me ouvido entrar.

"Desculpe", disse, sentando no degrau que separava o cômodo do resto da casa. "Não quis assustar você."

"Tudo bem", foi tudo o que ele disse. Ele hesitou até colocar o Greysheet de lado.

"As ondas estavam boas hoje", comentei. "Tinha quase esquecido como é fantástico entrar no mar."

Ele sorriu, mas novamente não disse nada. Ajeitei-me ligeiramente no degrau. "Como foi o trabalho?", perguntei.

"O mesmo de sempre", disse ele.

Ele voltou a seus próprios pensamentos, e só consegui pensar que aquela frase também se aplicava às nossas conversas.

• • • • • • •

Três

"O surfe é um esporte solitário no qual períodos de tédio são intercalados por atividade frenética, e ele nos ensina a aceitar o fluxo da natureza em vez de combatê-lo... tem a ver com entrar na *vibe*. Pelo menos é o que dizem as revistas de surfe, com as quais eu concordo. Não há nada tão emocionante como pegar uma onda e ficar dentro de um tubo de água que rola em direção à costa. Mas não sou como esses caras de pele trincada e cabelo ressecado que fazem isso o dia todo, todo dia, porque acham que é o ápice e o objetivo máximo da existência. Não é. Para mim, tem mais a ver com o fato de que o mundo é louco e barulhento quase o tempo todo e, quando você está lá, ele deixa de ser. Você consegue ouvir os próprios pensamentos."

Era o que eu dizia a Savannah enquanto íamos para o mar na manhã de domingo. Ou pelo menos achava que dizia. Por que no fim era só enrolação para não deixar muito na cara o quanto eu tinha gostado de vê-la em um biquíni.

"Igual a andar a cavalo", disse ela.

"Huh?"

"Ouvir os próprios pensamentos. É por isso que eu gosto de montar."

Eu tinha chegado fazia alguns minutos. Normalmente, as melhores ondas são no início da manhã, e era um daqueles dias claros, céu azul, prometendo muito calor, o que significava que a praia ficaria lotada. Savannah estava sentada na escada, enrolada em uma toalha, diante dos restos da fogueira. Sem dúvida, a festa tinha durado muitas horas depois da minha saída, mas não havia sequer uma lata vazia ou qualquer outro tipo de lixo no local. Minha impressão sobre o grupo melhorou um pouco.

Apesar da hora, o ar já estava quente. Ficamos alguns minutos na areia, repassando os princípios do surfe, e expliquei a ela como ficar de pé na prancha. Quando Savannah sentiu que estava pronta, entramos no mar, eu carregando a prancha.

Havia somente alguns surfistas lá no fundo, os mesmos que eu vira no dia anterior. Eu procurava o melhor lugar para levar Savannah, onde ela teria mais espaço, quando notei que ela não estava mais ao meu lado.

"Espere, espere", ela gritava atrás de mim. "Pare, pare..."

Virei-me. Savannah estava na ponta dos pés, os salpicos de água molhando sua barriga e provocando arrepios pelo corpo todo. Parecia que ela queria elevar-se acima da água.

"Deixa eu me acostumar..." Ela soluçou algumas vezes e cruzou os braços. "Uau. Isto é realmente frio. Barbaridade!"

Barbaridade? Não era exatamente algo que meus amigos diriam. "Você vai se acostumar", disse eu, sorrindo.

"Não gosto de frio. Odeio frio."

"Você vive nas montanhas, onde neva."

"Sim, mas temos estas coisas chamadas jaquetas, luvas e chapéus que usamos para nos manter aquecidos. E não nos jogamos nas águas do Ártico logo pela manhã."

"Engraçado", eu disse.

Ela continuou a dar saltinhos. "Sim, realmente engraçado. Quer dizer, credo!"

Credo? Sorri. A respiração dela aos poucos começou a se normalizar, mas a pele continuava arrepiada. Ela deu mais um passo à frente.

"É melhor se você mergulhar direto em vez de ficar se torturando aos pouquinhos", sugeri.

"Você faz do seu jeito, eu faço do meu", disse ela, sem se impressionar com minha experiência. "Não acredito que você quis entrar agora. Pensei que viríamos à tarde, quando a água não estivesse congelando."

"Está quase 27 graus."

"Sim, sim", disse ela, finalmente se aclimatando. Descruzou os braços, respirou fundo e abaixou talvez uma polegada. Encheu-se de coragem e jogou um pouco de água nos braços. "Ok, estou chegando lá."

"Não se apresse por minha conta. De verdade. Leve o tempo que quiser."

"Vou levar mesmo, obrigada", disse ela, ignorando o tom de provocação. "Tudo bem", disse, mais para si do que para mim. Deu um pequeno passo à frente, depois outro. Enquanto se movia, seu rosto parecia com uma máscara em plena concentração, e gostei de como ficou. Tão grave, tão intenso. Tão ridículo.

"Pare de rir de mim", ela disse, vendo minha expressão.

"Não estou rindo."

"Dá para ver na sua cara. Você está rindo por dentro."

"Tudo bem, vou parar."

Enfim, ela nadou até se juntar a mim. Quando a água estava na altura dos meus ombros, Savannah subiu na prancha. Segurei firme, tentando não olhar para seu corpo, o que não foi fácil, considerando que estava bem na minha frente. Forcei-me a monitorar a marola atrás de nós.

"E agora?"

"Você lembra o que fazer? Reme forte, agarre a prancha dos dois lados e fique em pé."

"Lembro."

"É meio difícil no começo. Não se assuste se você tomar um caldo. Se acontecer, é só deixar a onda levar. Geralmente, é preciso repetir algumas vezes até conseguir."

"Tudo bem", disse ela, e eu vi uma onda pequena se formando.

"Prepare-se...", eu disse, calculando o tempo certo. "Comece a remar..."

Quando a onda nos atingiu, empurrei a prancha, dando um certo impulso, e Savannah pegou a onda. Não sei o que eu esperava, mas com certeza não era vê-la ficar em pé, se equilibrar e surfar a onda inteira, até que se desfizesse perto da areia. No raso, ela pulou da prancha e virou-se para mim com ar triunfante.

"Que tal?", gritou.

Apesar da distância entre nós, não pude desviar o olhar. Cara, pensei de repente, estou realmente enrascado.

* * *

"Fui ginasta durante anos", admitiu. "Sempre tive um bom senso de equilíbrio. Acho que deveria ter dito algo a respeito quando você falou que provavelmente eu tomaria um caldo."

Passamos mais de uma hora na água. Ela ficou em pé todas as vezes e surfou as ondas com facilidade até a praia; faltava manobrar a prancha, mas tive certeza de que, se quisesse, não haveria problema para aprender rapidamente.

Então voltamos para a casa. Esperei do lado de fora, nos fundos, enquanto ela subia. Embora algumas pessoas já estivessem acordadas – três meninas estavam no *deck* olhando a água –, a maioria ainda se recuperava da noite anterior e não deu as caras. Savannah surgiu alguns minutos mais tarde, de *shorts* e camiseta, trazendo duas xícaras de café. Sentou-se ao meu lado, de frente para o mar.

"Não disse que você iria tomar caldo", esclareci. "Disse apenas que, se isso acontecesse, você deveria rolar com onda."

"Sei", disse ela, com expressão maliciosa. Apontou para minha xícara. "O café está bom?"

"Muito gostoso", respondi.

"Tenho que começar o dia com o café. É meu único vício."

"Todo mundo precisa de um."

Ela olhou para mim. "Qual é o seu?"

"Não tenho", respondi, e ela me surpreendeu me cutucando brincalhona.

"Sabia que ontem foi a primeira noite de lua cheia?"

Eu sabia, mas achei melhor não admitir. "Sério?", disse.

"Sempre amei luas cheias. Desde que era criança. Gosto de achar que elas são um tipo de presságio. Quero acreditar que elas anunciam coisas boas. Tipo, se eu estivesse cometendo um erro, teria a chance de começar de novo."

Ela não disse mais nada sobre o assunto. Em vez disso, levou a xícara aos lábios, e observei o vapor envolver seu rosto.

"Qual sua programação para hoje?", perguntei.

"Vamos ter de nos reunir em algum momento. Afora isso, não tenho nada marcado. Bem, exceto a igreja. Quer dizer, eu vou. E quem mais quiser também. O que me lembra – que horas são?"

Olhei para o relógio. "Passa um pouco das nove."

"Já? Acho que não tenho muito tempo. O culto é às 10 horas."

Concordei, sabendo que nosso tempo juntos quase havia acabado.

"Você quer ir comigo?", ela perguntou.

"À igreja?"

"Sim. À igreja", disse ela. "Você não frequenta?"

Não sabia ao certo o que dizer. Obviamente, era importante para ela, e, embora eu tivesse a impressão de que minha resposta iria decepcioná-la, não queria mentir. "Na verdade, não," admiti. "Faz anos que não vou à igreja. Quer dizer, eu costumava ir quando criança, mas...", minha voz sumiu. "Não sei por quê", concluí.

Ela esticou as pernas, esperando para ver se eu continuaria a falar. Quando percebeu que eu continuava calado, arqueou a sobrancelha. "Então?"

"O quê?"

"Você quer ir comigo ou não?"

"Não tenho roupa. Quer dizer, estou só com isso, e duvido que dê tempo de voltar para casa, tomar banho e chegar na hora. Caso contrário, eu iria."

Ela me mediu de cima a baixo. "Bom." Deu um tapinha no meu joelho, a segunda vez que me tocou. "Vou arrumar umas roupas para você."

* * *

"Você está ótimo", disse Tim. "A gola está um pouco justa, mas ninguém vai reparar."

No espelho, vi um estranho usando calça cáqui, camisa e gravata. Não me lembrava da última vez em que usara uma gravata. Não sabia se estava gostando daquilo. Tim, por sua vez, estava entusiasmado com a coisa toda.

"Como ela te convenceu?", perguntou ele.

"Não tenho ideia."

Ele riu e, inclinando-se para amarrar os sapatos, piscou. "Disse que ela gosta de você."

* * *

Temos capelães no Exército, e a maioria são caras muito bacanas. Na base, eu conhecia bem alguns deles, um em especial – Ted Jenkins – é do tipo em que você confia logo de cara. Ele não bebia, e não estou dizendo que éramos chegados, mas ele era sempre bem recebido quando aparecia. Ele tinha uma esposa e um casal de filhos pequenos, e estava no Exército havia quinze anos. Tinha experiência com problemas de família e da vida militar em geral e, se você sentasse para conversar, ele realmente ouvia, porém não se podia falar tudo – afinal, tratava-se de um oficial –, ele acabou sendo muito duro com dois rapazes do meu pelotão que admitiram suas escapadas abertamente. Mas ele tinha um tipo de presença que fazia você querer se abrir. Não sei o que era, exceto o fato de ele ser um bom homem e um danado de um capelão do Exército. Ele falava de Deus naturalmente, como se falasse de um amigo, não pregando de um jeito que geralmente acabava por me deixar irritado e desinteressado. Tampouco pressionava para que se fosse aos cultos aos domingos. Ele deixava a decisão para você. Dependendo do que estivesse acontecendo, ou de como a coisa estava ficando perigosa, falava para duas pessoas ou para uma centena. Antes de o meu pelotão ser enviado para os Balcãs, ele batizou mais ou menos cinquenta pessoas. Fui batizado na infância, então, não participei. Mas, como eu disse, fazia muito tempo que não ia à igreja. Parei de acompanhar meu pai havia muito tempo e não sabia o que esperar. Nem posso dizer honestamente que tinha vontade de ir, mas, no final, o culto não foi tão ruim. O pastor foi discreto, a música era boa e o tempo não se arrastou como quando eu era pequeno. Não estou dizendo que aproveitei muita coisa, mesmo assim fiquei contente de ter ido, ainda que fosse só para falar de um assunto diferente com meu pai. E também porque ganhei um pouco mais de tempo com Savannah.

Ela acabou sentando-se entre Tim e mim, e, com o canto dos olhos, pude vê-la cantar. Cantava baixinho, discreta e sempre afinada, e gostei do som da sua voz. Tim ficou concentrado nas Escrituras e, na saída, parou para conversar com o pastor, enquanto Savannah e eu o esperávamos à sombra de uma magnólia. Tim parecia animado enquanto conversava com o pastor.

"Velhos amigos?", perguntei, indicando Tim. Apesar da sombra, estava ficando com calor e sentia as manchas de suor começando a se formar.

"Não. Acho que foi o pai dele quem lhe falou sobre este pastor. Ele teve de consultar um mapa na internet ontem à noite para encontrar este lugar." Ela se abanou um pouco; em seu vestido de verão, lembrava uma verdadeira beleza sulista. "Estou feliz que você tenha vindo."

"Eu também", concordei.

"Você está com fome?"

"Quase."

"Sobrou comida lá em casa, se quiser. E você pode devolver as roupas do Tim. Dá para ver que está com calor e desconfortável."

"Não é nem metade do calor que se sente de capacete, botas e colete à prova de balas, eu garanto."

Ela inclinou a cabeça para mim. "Eu gosto de ouvir você falar de colete à prova de balas. Não tem muitos caras nas minhas aulas que falam como você. Acho interessante."

"Você está me provocando?"

"John, estou apenas comentando." Ela recostou-se graciosamente contra a árvore. "Acho que Tim está terminando."

Olhei para onde ele estava, sem notar nada de diferente. "Como você sabe?"

"Viu como ele uniu as mãos? Isso significa que ele está quase pronto para se despedir. Daqui a pouco ele vai soltar as mãos, sorrir e acenar, e então virá embora."

Observei Tim fazer exatamente o que ela previra e caminhar em nossa direção. Notei sua expressão divertida. Ela deu de ombros. "Quando você vive em uma cidade pequena como a minha, não há muito a fazer além de observar as pessoas. Você começa a notar os hábitos após um tempo."

Ela tinha passado tempo demais observando Tim, na minha humilde opinião, mas eu não estava disposto a admitir isso.

"Olá..." Tim acenou. "Vocês dois estão prontos para voltar?"

"A gente estava esperando você", ressaltou.

"Desculpe", disse ele. "Engatamos na conversa."

"Você adora bater papo com absolutamente todo mundo."

"Eu sei", disse ele. "Estou tentando ser menos sociável."

Ela riu. Apesar da intimidade da brincadeira ter me deixado momentaneamente fora da conversa, esqueci-me de tudo quando Savannah enlaçou meu braço no meu caminho de volta até o carro.

***

Todo mundo já estava acordado quando voltamos, e a maioria se bronzeava em suas sungas e biquínis. Alguns estavam esparramados no *deck*, mas a maior parte reuniu-se na praia. A música bombava no aparelho de som dentro da casa, as geladeiras portáteis já estavam cheias e prontas para o uso, e boa parte das pessoas bebia, a velha solução para curar a dor de cabeça da ressaca. Não recriminei ninguém; na verdade, uma cerveja iria bem, mas dado que eu acabara de voltar da igreja, achei que deveria deixar passar.

Troquei de roupa, dobrei as peças de Tim do jeito que aprendi no Exército, e voltei à cozinha. Tim havia preparado um prato de sanduíches.

"Sirva-se", disse ele, indicando a comida. "Temos toneladas de comida. Eu sei bem – passei três horas fazendo compras ontem." Ele lavou e enxugou as mãos. "Certo. Agora é minha vez de me trocar. Savannah deve aparecer logo."

Tim saiu da cozinha. Sozinho, olhei ao meu redor. A decoração da casa seguia o estilo tradicional praiano: muitos móveis de vime de cores fortes, luminárias feitas com conchas, pequenas estátuas de faróis acima da cornija, pinturas pastel com cenas costeiras.

Os pais de Lucy eram donos de uma casa desse tipo. Não aqui, mas em Bald Head Island. Eles nunca alugaram, preferiam passar os verões lá. Claro, o velho ainda tinha que trabalhar em Winston-Salem, e ele e a esposa eram obrigados a voltar alguns dias por semana, deixando a pobre Lucy sozinha. Exceto por mim, é claro. Se soubessem o que acontecia naqueles dias, provavelmente não nos teriam deixado sozinhos.

"Olá", disse Savannah. Ela estava de biquíni de novo, só que agora com *shorts* por cima. "Vejo que você voltou ao normal."

"Como assim?"

"Seus olhos não estão mais arregalados por causa do colarinho apertado."

Sorri. "Tim fez alguns sanduíches."

"Ótimo. Estou morrendo de fome", disse ela, perambulando pela cozinha. "Você já comeu?"

"Ainda não", disse.

"Então pegue. Odeio comer sozinha."

Ficamos comendo na cozinha. As meninas tomando sol no *deck* não tinham percebido que estávamos lá, e ouvi uma delas contando o que fizera com um dos rapazes na noite passada, o que não dava a entender que ela estava ali como voluntária para ajudar os pobres. Savannah torceu o nariz, como se dissesse, "Quem precisa de tantos detalhes", e virou-se para a geladeira. "Preciso de uma bebida. Quer alguma coisa?"

"Água está ótimo."

Ela se abaixou para pegar duas garrafas. Tentei não olhar, mas não consegui e, francamente, gostei de fazê-lo. Perguntei-me se ela notara que eu a estava observando, e presumi que sim, pois, ao se levantar, tinha uma expressão divertida no rosto. Colocou as garrafas no balcão. "Depois de comer, você quer ir surfar novamente?"

Como eu poderia resistir?

* * *

Passamos a tarde na água. Embora tivesse adorado o *close-up* de Savannah deitada na prancha, gostei mais ainda de vê-la surfar. Para melhorar ainda mais, ela pediu para me ver surfar enquanto se aquecia na praia. Fui privilegiado por uma visão toda particular dela enquanto desfrutava das ondas.

No meio da tarde, já estávamos deitados em toalhas, perto, mas não muito, do resto do grupo, atrás da casa. Alguns poucos olhares curiosos se voltavam para nós, mas, em geral, ninguém parecia se preocupar com a minha presença, exceto Randy e Susan. Susan fechou a cara para Savannah; enquanto isso, Randy se contentava em segurar vela para Brad e Susan e lamber as próprias feridas. Tim não deu as caras.

Savannah estava deitada de bruços, uma visão tentadora. Eu estava de barriga para cima a seu lado, tentando cochilar no calor preguiçoso, mas muito afetado por sua presença para relaxar completamente.

"Ei", ela murmurou. "Conte sobre suas tatuagens."

Rolei a cabeça na areia. "O que você quer saber?"

"Não sei. Por que você fez, o que significa."

Apoiei-me sobre um cotovelo. Apontei para o meu braço esquerdo, uma águia e um brasão. "Ok, esta é a insígnia de infantaria, e isto" – apontei as palavras e as letras – "é como somos identificados: companhia, batalhão, regimento. Todos na minha equipe têm uma. Fizemos logo depois do fim do treinamento em Fort Benning, na Geórgia, quando estávamos comemorando."

"Por que está escrito 'Pega no tranco' debaixo do desenho?"

"É meu apelido. Ganhei durante o treinamento básico, cortesia do nosso amado sargento. Eu não estava montando minha arma rápido o suficiente, e ele basicamente disse que faria certa parte do meu corpo pegar no tranco se eu não conseguisse engatar a segunda marcha. O apelido pegou."

"Ele parece agradável", ela brincou.

"Ah, sim. Nós o chamávamos de Lúcifer pelas costas."

Ela sorriu. "O que é o arame farpado em cima dela?"

"Nada", eu disse, balançando a cabeça. "Já tinha essa antes de me alistar."

"E o outro braço?"

Um ideograma chinês. Não queria falar muito a respeito, então, balancei a cabeça e disse: "É do meu período 'estou perdido e não ligo para nada'. Não quer dizer nada."

"Não é um ideograma chinês?"

"É."

"Então, o que significa? Tem de significar algo. Como coragem, honra ou algo assim?"

"É uma blasfêmia."

"Oh", ela disse com um piscar de olhos.

"Como eu disse, não significa nada para mim agora."

"Só que talvez você não deva mostrar isso quando for à China."

Eu ri. "Sim, só isso", concordei.

Ela ficou em silêncio por um momento. "Você foi um rebelde, hein?"

Concordei. "Há muitos anos. Bem, não é verdade que faz tanto tempo. Mas parece que sim."

"Foi o que você quis dizer quando contou que precisava do Exército naquele momento?"

"Tem sido bom para mim."

Ela pensou um pouco. "Diga-me, naquela época você teria saltado para recuperar minha bolsa?"

"Não. Provavelmente teria rido do que aconteceu."

Ela avaliou minha resposta, decidindo-se se acreditava em mim ou não. Finalmente, deu um longo suspiro. "Fico feliz que você tenha se alistado, então. Eu realmente precisava daquela bolsa."

"Bom."

"O que mais?"

"O que mais o quê?"

"O que mais você pode me dizer sobre você?"

"Eu não sei. O que você quer saber?"

"Diga-me algo que ninguém mais sabe."

Considerei a questão. "Eu sei quantos 10 dólares índios com a borda enrolada foram cunhados em 1907."

"Quantos?"

"Quarenta e dois. Eles nunca foram destinados ao público. Alguns homens na Casa da Moeda fizeram para si e para alguns amigos."

"Você gosta de moedas?"

"Não tenho certeza. É uma longa história."

"Temos tempo."

Hesitei quando Savannah pegou a bolsa. "Espere", ela disse, remexendo na bolsa. Ela pegou um tubo de Coppertone. "Você pode me contar depois que passar loção nas minhas costas. Estou sentindo a pele começar a arder."

"Oh, eu posso, não é?"

Ela piscou. "É parte do acordo."

Apliquei a loção nas costas e nos ombros dela, e provavelmente fui um pouco além, mas convenci-me de que ela estava ficando vermelha e uma queimadura de qualquer espécie tornaria seu dia de trabalho miserável na manhã seguinte. Depois, passei os próximos minutos contando a ela sobre meu avô e meu pai, acerca das exposições de moedas e do bom e velho Eliasberg. O que não fiz foi responder exatamente à pergunta dela, pela simples razão de que não tinha certeza da resposta. Quando terminei, ela se virou para mim e perguntou:

"E seu pai ainda coleciona moedas?"

"O tempo todo. Pelo menos, acho que sim. Não falamos mais sobre moedas."

"Por que não?"

Contei a ela essa história também. Não me pergunte o motivo. Sabia que deveria tentar mostrar só o melhor de mim e usar muita lábia para impressioná-la, mas, com Savannah, isso era impossível. Por algum motivo, ela me fazia querer falar a verdade, embora eu mal a conhecesse. Quando terminei, ela apresentava uma expressão curiosa.

"Sim, eu era um idiota", disse, sabendo que existiam outras palavras, provavelmente mais precisas, para descrever meu comportamento na época. Todas elas, porém, eram pesadas demais e suficientes para ofendê-la.

"Parece que sim", ela disse, "mas eu não estava pensando nisso. Estava tentando imaginar você na época, porque hoje você não parece nada como aquela pessoa."

O que eu poderia dizer que não soaria falso, mesmo que fosse verdade? Inseguro, optei pela atitude do meu pai e não disse nada.

"Como seu pai é?"

Fiz um resumo rápido. Enquanto falava, ela recolhia punhados de areia e os deixava escapar por entre os dedos, concentrada na minha escolha de palavras. No final, novamente surpreso comigo mesmo, admiti que éramos praticamente estranhos.

"Você", disse ela, indo direto aos fatos, sem qualquer tipo julgamento, "está distante há um bom tempo, e admite que mudou. Como ele poderia te conhecer bem?"

Sentei-me. A praia estava lotada, era a hora do dia em que todo mundo já tinha chegado à praia e ninguém pensava em ir embora. Randy e Brad estavam jogando *frisbee* na beira da água, correndo e gritando. Alguns outros cogitavam se juntar a eles.

"Eu sei", respondi. "Mas não é só isso. Nós sempre fomos estranhos. Quer dizer, é tão difícil conversar com ele."

Assim que terminei de falar, percebi que era a primeira vez que admitia isso para alguém. Estranho. Mas, então, tudo o que eu dizia para ela parecia estranho.

"A maioria das pessoas da nossa idade fala isso dos pais."

Talvez, pensei. Mas era diferente. Não era questão de diferença de gerações. Para meu pai, um bate-papo normal era uma coisa impossível, a menos que se tratasse de moedas. No entanto, não disse mais nada, e Savannah alisou a areia à sua frente. Quando falou, sua voz era suave. "Gostaria de conhecê-lo."

Virei-me para ela. "Mesmo?"

"Ele parece ser interessante. Sempre adorei pessoas que têm essa... paixão pela vida."

"É uma paixão por moedas, não pela vida", eu a corrigi.

"É a mesma coisa. Paixão é paixão. É o entusiasmo intercalando o espaço do tédio, e não importa a que se dirige." Ela revirava a areia com os pés. "Bem, pelo menos na maioria das vezes. Não estou falando aqui de vícios."

"Como você com a cafeína."

Ela sorriu, exibindo o pequeno espaço entre os dois dentes da frente. "Exatamente. Pode ser moedas, esportes, política, cavalos, música ou fé... As pessoas mais tristes que já conheci na vida são as que não se importam profundamente com nada. Paixão e satisfação caminham lado a lado. Sem elas, qualquer felicidade é apenas temporária, porque não há o que a faça durar. Adoraria ouvir seu pai falar sobre moedas, porque seria ver alguém em seu melhor momento, e descobrir que a felicidade geralmente é contagiosa."

Fiquei impressionado com essas palavras. Apesar da opinião de Tim de que ela era ingênua, Savannah parecia muito mais madura do que a maioria das pessoas da nossa idade. No entanto, considerando como ela ficava bem naquele biquíni, poderia ter recitado a lista telefônica e eu teria ficado impressionado.

Savannah sentou-se ao meu lado, e seu olhar seguiu o meu. O jogo de *frisbee* estava em pleno andamento; Brad lançou o disco, dois outros correram atrás. Ambos mergulharam simultaneamente para pegá-lo, despencando no raso ao chocarem cabeça com cabeça. O de bermuda vermelha acabou de mãos vazias, xingando, reclamando de dor e com o calção coberto de areia. Os outros riram, e me vi sorrindo e estremecendo ao mesmo tempo.

"Você viu isso?", perguntei.

"Espere", ela respondeu. "Volto já." Ela correu até o rapaz de bermuda vermelha. Ele a viu aproximar-se e congelou, assim como o cara ao lado dele. Savannah, percebi, provocava praticamente a mesma reação em todo mundo, não apenas em mim. Eu a vi conversar, sorrir, olhar com seriedade para o cara, que assentia com a cabeça enquanto ela falava, parecendo um adolescente de castigo. Ela voltou para o meu lado e sentou-se novamente. Não perguntei, sabia que não era da minha conta, mas minha curiosidade era evidente.

"Normalmente, não teria dito nada, mas pedi que ele moderasse o linguajar por causa das famílias por aqui", ela explicou. "Tem muitas crianças pequenas em volta. Ele disse que vai maneirar."

Eu deveria ter adivinhado. "Você sugeriu que ele diga 'barbaridade' ou 'credo' no lugar dos palavrões?"

Ela piscou, maliciosamente. "Você gostou dessas expressões, não é?"

"Estou pensando em passar essa recomendação à minha equipe. Eles vão incluir no fator de intimidação, para quando arrebentarmos portas e lançarmos RPGs."

Ela riu. "Definitivamente mais assustador do que palavrões, embora eu não saiba o que é um RPG."

"Granada-foguete." Apesar da minha tensão, eu gostava mais dela a cada minuto que passava. "O que você vai fazer hoje à noite?"

"Nada. Bem, exceto a reunião. Por quê? Você quer me apresentar a seu pai?"

"Não. Bom, não esta noite. Depois. Hoje à noite queria mostrar Wilmington para você."

"Você está me convidando para sair?"

"Sim", admiti. "Levo você para casa quando você quiser. Sei que amanhã é dia de trabalho, mas tem um lugar ótimo que queria te mostrar."

"Que tipo de lugar?"

"Um lugar típico. Especializado em frutos do mar. Mas é mais uma experiência."

Ela abraçou os joelhos. "Geralmente, não saio com estranhos", ela disse finalmente, "e nós só nos conhecemos ontem. Você acha que posso confiar em você?"

"Eu diria que não", disse.

Ela riu. "Bem, nesse caso, suponho que possa abrir uma exceção."

"Jura?"

"Juro", ela disse. "Tenho uma queda por homens honestos com cabelo escovinha. Que horas?"

• • • • • • •

Quatro

Cheguei por volta das cinco, e, embora não me sentisse queimado de sol – graças à minha pele morena mediterrânea –, os sinais das queimaduras ficaram evidentes durante o banho. A água alfinetava minha pele, ricocheteando no peito e nos ombros, e meu rosto estava quente como se estivesse em estado febril. Fiz a barba pela primeira vez desde que voltara para casa. Vesti uma bermuda limpa e uma das minhas poucas camisas de botão relativamente bonitas, azul-clara. Fora presente de Lucy, que jurara que a cor era perfeita para mim. Arregacei as mangas, deixei a camisa para fora e vasculhei meu armário em busca de um velho par de sandálias.

Através da fresta da porta, vi meu pai em sua escrivaninha, e surpreendi-me ao notar que, pela segunda noite consecutiva, eu tinha outros planos para o jantar. Praticamente não tinha ficado com ele durante o fim de semana. Ele não iria reclamar, eu sabia, mas, ainda assim, senti uma pontada de culpa. Depois que paramos de falar de moedas, almoço e jantar eram as únicas coisas que compartilhávamos, e agora ele estava sendo privado até mesmo disso. Talvez eu não tivesse mudado tanto quanto pensava. Estava hospedado na casa dele, comendo a comida dele, e prestes a perguntar se ele poderia me emprestar o carro. Em outras palavras, levando minha própria vida e usando-o no caminho. Fiquei imaginando o que Savannah diria a respeito, mas acho que já sabia a resposta. Savannah às vezes parecia muito com uma vozinha que morava na minha cabeça, sem se preocupar em pagar o aluguel, e que neste momento sussurrava que, se eu sentia culpa, talvez estivesse fazendo algo errado. Resolvi que iria passar mais tempo com ele. Foi uma saída fácil, admito. Mas não sabia o que mais poderia fazer.

Quando abri a porta, meu pai olhou-me assustado.

"Oi pai", disse, sentando no lugar de sempre.

"Oi John." Enquanto falava, ele olhava para a escrivaninha e passava os dedos entre os cabelos ralos. Como eu não disse mais nada, ele percebeu que deveria me fazer uma pergunta. "Como foi seu dia?", finalmente indagou.

Eu me ajeitei na cadeira. "Foi ótimo, realmente. Passei a maior parte do dia com Savannah, a menina de quem falei ontem à noite."

"Ah." Ele desviou o olhar, recusando-se a me olhar nos olhos. "Você não me falou sobre ela."

"Não?"

"Não, mas tudo bem. Já era tarde." Pela primeira vez, ele notava que eu estava arrumado, ou pelo menos o mais arrumado que ele já tinha visto, mas não conseguia perguntar nada a respeito.

Estiquei minha camisa, facilitando as coisas para ele. "Sim, eu sei", tentando impressioná-la, certo? "Vou levá-la para jantar fora hoje à noite", disse. "Tudo bem se eu pegar o carro emprestado?"

"Ah... tudo bem", disse ele.

"Quero dizer, você precisa dele hoje? Eu poderia ligar para um amigo ou algo assim."

"Não", disse. Ele enfiou a mão no bolso para pegar as chaves. Nove entre dez pais teriam jogado a chave para o filho. O meu estendeu o braço.

"Você está bem?", perguntei.

"Apenas cansado", disse ele.

Levantei-me e peguei chaves. "Pai?"

Ele levantou os olhos novamente.

"Sinto muito por não ter jantado com você nas últimas duas noites."

"Tudo bem", disse ele. "Eu entendo."

* * *

O sol estava começando a se pôr na hora em que saí. O céu era um turbilhão de cores frutadas que contrastava radicalmente com as visões noturnas a que eu me acostumara na Alemanha. O trânsito estava horrível, como em geral nas noites de domingo, e demorei quase trinta minutos enfumaçados até voltar à praia e estacionar.

Empurrei a porta da casa sem bater. Dois rapazes sentados no sofá que assistindo ao beisebol me ouviram entrar.

"Oi", disseram, sem demonstrarem interesse ou surpresa.

"Vocês viram Savannah?"

"Quem?", perguntou um deles, obviamente prestando pouca atenção em mim.

"Tudo bem. Vou procurá-la". Atravessei a sala de estar até o *deck* nos fundos. Vi o mesmo cara da noite anterior fazendo churrasco para alguns poucos, mas nenhum sinal de Savannah. Também não a vi na praia. Estava prestes a ir embora quando senti alguém batendo no meu ombro.

"Quem você está procurando?", ela perguntou.

Virei-me. "Uma menina", disse. "Ela tende a perder as coisas no píer, mas aprende rápido quando se trata de surfe."

Savannah colocou as mãos nos quadris, e eu sorri. Ela usava *shorts* e regata, tinha uma pitada de cor em sua face, e notei que passara rímel e batom. Embora amasse sua beleza ao natural - sou um garoto de praia -, ela estava ainda mais impressionante do que eu me lembrava. Senti um leve perfume cítrico quando se aproximou de mim.

"Isso é tudo que sou? Uma menina?", perguntou. Ela parecia brincar e falar sério ao mesmo tempo, e por um instante, fantasiei abraçá-la ali mesmo.

"Oh", eu disse, fingindo surpresa. "É você."

Os dois rapazes no sofá olharam para nós e depois voltaram a assistir à Tv.

"Podemos ir?", perguntei.

"Tenho só que pegar minha bolsa", disse ela. Pegou a bolsa na bancada da cozinha e nos dirigimos para a porta. "Afinal, aonde vamos?"

Quando eu disse, ela levantou uma sobrancelha.

"Você está me levando para comer em um lugar que tem cabana no nome?"

"Eu sou apenas um peão mal pago do Exército. É tudo que posso pagar."

Ela colidiu contra mim enquanto caminhávamos. "Veja, é por isso que não costumo sair com desconhecidos."

* * *

A Cabana do Camarão fica no centro de Wilmington, na área histórica da cidade, margeando o rio Cape Fear. Em uma das extremidades do centro histórico estão os típicos destinos turísticos: lojas de souvenires, algumas casas especializadas em antiguidades, uns poucos restaurantes de luxo, cafés e várias imobiliárias. Na outra ponta, no entanto, Wilmington exibe suas características de cidade portuária: grandes armazéns, mais de um abandonado, e alguns antigos edifícios de escritório com pouco deles ocupados. Eu duvidava que os turistas de verão se aventurassem nesse pedaço do centro. Foi para lá que eu fui. Pouco a pouco, a multidão foi desaparecendo, até não haver mais ninguém nas calçadas, a região parecia cada vez mais degradada.

"Onde é esse lugar?", Savannah perguntou.

"Um pouco mais adiante", disse eu. "Ali no final."

"É um tanto fora do circuito, não?"

"É uma espécie de instituição local", disse. "O proprietário não se importa com turistas. Nunca se importou."

Um minuto depois, diminuí a velocidade e entrei em um pequeno estacionamento ao lado de um armazém. Como sempre, algumas dezenas de carros estavam estacionados em frente à Cabana do Camarão; o lugar não havia mudado em nada. Como sempre, parecia detonada, com uma varanda ampla e malcuidada, pintura descascada e um teto torto, dando a impressão de que estava prestes a desabar, apesar de ter resistido a furacões desde a década de 1940. O exterior era decorado com redes, calotas, placas, uma âncora antiga, remos e algumas correntes enferrujadas. Uma canoa quebrada ficava perto da porta.

O céu começava sua preguiçosa transição para a noite, enquanto caminhávamos para a porta de entrada. Eu me perguntava se deveria pegar na mão de Savannah, mas no final não fiz nada. Embora tenha feito algum sucesso com mulheres por questões de pele, tinha muito pouca experiência quando se tratava de garotas de quem eu gostasse.

Embora nos conhecêssemos há apenas um dia, sabia que estava em território novo.

Entramos na varanda malcuidada, e Savannah apontou para o barco a remo. "Talvez ele tenha aberto o restaurante por isso, porque seu barco afundou."

"Pode ser. Ou talvez alguém deixou o barco aí e ele nunca se deu ao trabalho de tirar. Vamos entrar?"

"É claro", ela disse, e empurrou a porta.

Não sei o que ela esperava, mas sua expressão era de satisfação. Havia um bar comprido de um lado, janelas com vista para o rio e mesas de madeira ao estilo de piquenique no salão principal. Duas garçonetes de cabelo armado - elas também não tinham mudado nada, assim como a decoração - atendiam as mesas carregando bandejas com comida. No ar, havia cheiro de fritura e fumaça de cigarro; mesmo assim, de alguma forma, tudo parecia perfeito. A maioria das mesas estava cheia, mas apontei para uma desocupada, perto da *jukebox*. Tocava uma música *country*, mas eu não sabia quem era o cantor. Sou mais fã de *rock* clássico.

Abrimos caminho por entre as mesas. A maioria dos clientes parecia do tipo que trabalha duro para ganhar a vida: operários de construção civil, jardineiros, caminhoneiros e assim por diante. Eu não via tantos bonés da NASCAR desde... bem, nunca tinha visto tantos juntos. Alguns caras do meu batalhão eram fãs, mas eu nunca tive a fissura de assistir a um bando de caras dirigindo em círculos o dia todo, nem entendia por que os artigos sobre carros são publicados na seção de esportes do jornal e não na de automóveis. Nós nos sentamos de frente um para o outro, e vi Savannah dominar o ambiente.

"Gosto de lugares como este", disse ela. "Era aqui que você frequentava quando morava na cidade?"

"Não, aqui era mais para ocasiões especiais. Normalmente, eu frequentava um lugar chamado Leroy. Um bar perto Wrightsville Beach."

Ela pegou o *menu* plastificado que estava entre o porta-guardanapo de metal, garrafas de *ketchup* e molho apimentado Texas Pete.

"Isto é muito melhor", disse. Ela abriu o menu. "Diga-me, o que é bom aqui?"

"Camarão", disse eu.

"Nossa, realmente?", perguntou ela.

"Sério. Todo tipo de camarão que você pode imaginar. Você conhece a cena de *Forrest Gump* quando Bubba conta para Forrest todas as maneiras de preparar camarão? Grelhados, salteados, na churrasqueira, Cajun, com limão, Creole, coquetel de camarão. . . Este é o lugar."

"De qual você gosta?"

"Frios com molho coquetel. Ou fritos."

Ela fechou o *menu*. "Você escolhe", disse, empurrando o cardápio para mim. "Confio em você."

Devolvi o *menu* ao seu lugar, apoiado no porta-guardanapo.

"Então?"

"Frios. No balde. É a experiência consumada."

Ela se inclinou sobre a mesa. "Então, quantas mulheres você já trouxe aqui? Para consumar a experiência, eu digo."

"Incluindo você? Deixe-me pensar." Bati os dedos sobre a mesa. "Uma."

"Estou lisonjeada."

"Este sempre foi mais um lugar para vir com os amigos, quando queríamos comer em vez de beber. Não havia nada mais gostoso depois de um dia de surfe."

"Como vou descobrir em breve."

A garçonete apareceu e pedi o camarão. Quando ela perguntou o que queríamos beber, levantei minhas mãos.

"Chá gelado, por favor", disse Savannah.

"Dois", acrescentei.

Após a garçonete ir embora, começamos um bate-papo gostoso e ininterrupto, não parando nem mesmo quando as bebidas chegaram. Falamos novamente sobre a vida no Exército. Por algum motivo, Savannah parecia fascinada pelo assunto. Ela também quis saber como foi crescer ali. Contei mais do que esperava sobre o colégio e provavelmente falei demais dos três anos antes de me alistar.

Ela ouviu atentamente, fazendo perguntas de vez em quando, e percebi que havia muito tempo que eu não tinha um encontro como aquele, alguns anos, talvez mais. Pelo menos, não desde Lucy. Eu não via motivo para tal, mas, diante de Savannah, tive que repensar minha decisão. Gostava de ficar sozinho com ela, e queria vê-la por mais tempo. Não só hoje, mas amanhã e no dia seguinte também. Tudo nela – de seu riso fácil e seu humor inteligente à evidente preocupação com os outros – pareceu-me novo e desejável. Além disso, passar tempo com ela também me fez perceber como eu estava sozinho. Não queria admitir, mas, depois de apenas dois dias com Savannah, sabia que era verdade.

"Vamos colocar outra música", disse, interrompendo meus pensamentos.

Levantei-me da cadeira, vasculhei os bolsos em busca de moedas e dei-as para Savannah. Ela apoiou as duas mãos no vidro da *jukebox*, inclinando-se para ler os títulos. Por fim, escolheu algumas canções. No momento em que voltamos para a mesa, a primeira já estava tocando, mas eu não tinha ideia do nome do cantor.

"Sabe, percebi que só eu falei a noite toda", disse.

"Seu tagarela", ela brincou.

Desenrolei o guardanapo de papel que envolvia os talheres. "E você? Você sabe tudo sobre mim, mas eu não sei nada de você."

"Claro que sabe", disse. "Você sabe quantos anos eu tenho, em que universidade estudo, o curso que estou fazendo e também que eu não bebo. Você sabe que sou de Lenoir, moro em uma fazenda, amo cavalos e passo os verões construindo casas para a *Habitat para a Humanidade*. Você sabe muito."

Sim, percebi de repente, eu sabia. Incluindo as coisas que ela não tinha mencionado. "Não é suficiente", disse eu. "Sua vez."

Ela se inclinou para frente. "Pergunte o que quiser."

"Conte-me sobre seus pais", eu disse.

"Tudo bem", disse ela, pegando um guardanapo. "Minha mãe e meu pai estão casados há vinte e cinco anos, e continuam felizes e loucamente apaixonados. Eles se conheceram na faculdade Appalachian State, e minha mãe trabalhou em um banco por uns dois anos até eu nascer. Desde então, ela tem sido dona de casa e mãe, do tipo que cuida de todo mundo. Auxiliar de sala de aula, motorista voluntária, treinadora do time de futebol, chefe da APM, todo esse tipo de coisa. Agora que saí de casa, ela passa o tempo se voluntariando para outras coisas – biblioteca, escolas, igreja, o que for. Papai é professor de História e treina a equipe de vôlei feminina desde que eu era pequena. No ano passado, eles chegaram à final estadual, mas perderam. Ele também é diácono da nossa igreja e coordena o grupo de jovens e o coro. Quer ver uma foto?"

"Claro", disse.

Ela tirou a carteira da bolsa. Abriu-a e a estendeu sobre a mesa, na minha direção. Nossos dedos se roçaram.

"Elas estão com as bordas irregulares porque caíram no mar", ela disse. "Mas dá para ter uma ideia."

Virei as fotos para mim. Savannah parece mais com o pai do que com a mãe, ou, pelo menos, herdou a morenice dele.

"Belo casal."

"Amo meus pais", ela disse, pegando a carteira de volta. "Eles são os melhores."

"Por que você mora em uma fazenda se seu pai é um professor?"

"Oh, não é uma fazenda em atividade. Costumava ser quando meu avô era o dono, mas ele teve de vender pedaços para pagar os impostos. Quando meu pai herdou, ela já tinha menos de 10 hectares, com uma casa, estábulos e um curral. É mais como um jardim bem grande do que uma fazenda. Nós chamamos de fazenda, mas acho que evoca a imagem errada, hein?"

"Você contou que fazia ginástica. E também jogava vôlei no time do seu pai?"

"Não", disse ela. "Quer dizer, ele é um grande treinador, mas sempre me incentivou a fazer o que era certo para mim. E não era o vôlei. Experimentei e foi legal, mas não era o que eu amava."

"Você amava cavalos."

"Desde pequenininha. Minha mãe me deu uma estatueta de cavalo quando eu era bem pequena, e foi aí que a coisa toda começou. Ganhei meu primeiro cavalo no Natal quando tinha oito anos, e ainda é o melhor presente de Natal que já recebi. Slocum. Ela era uma égua velha muito delicada e perfeita para mim. O acordo era que eu tinha de cuidar dela – dar comida, escovar, manter o curral limpo. Entre cuidar dela, ir para a escola, fazer ginástica e cuidar do resto dos animais, eu gastava praticamente todo o meu tempo."

"O resto dos animais?"

"Quando era menor, nossa casa era uma espécie de fazenda. Cães, gatos, até mesmo uma lhama por um tempo. Eu não conseguia resistir a um bichinho órfão. Meus pais chegaram ao ponto de nem discutir comigo. Geralmente, havia quatro ou cinco de cada vez. Às vezes, alguém aparecia em busca de animalzinho perdido e acabava saindo com uma das nossas recentes aquisições. Éramos um abrigo de animais."

"Seus pais eram pacientes."

"Sim, eram", ela disse. "Mas também não resistiam aos bichos sem lar. Minha mãe era pior do que eu, embora ela não admitisse."

Observei-a. "Aposto que você era boa aluna."

"Só tirava A. Fui oradora da minha turma."

"Por que isso não me surpreende?"

"Não sei", disse ela. "Por quê?"

Não respondi. "Você já teve um namorado sério?"

"Ah, agora estamos chegando ao âmago da questão, hein?"

"Só estou perguntando."

"O que você acha?"

"Eu acho", disse eu, arrastando as palavras. "Eu não faço ideia."

Ela riu. "Então... vamos deixar essa questão em aberto. Um pouco de mistério é bom para a alma. Além disso, aposto que você vai descobrir por conta própria."

A garçonete chegou com o balde de camarão e dois recipientes plásticos com molho coquetel. Colocou-os sobre a mesa e encheu nossos copos de chá com a eficiência de quem faz aquilo há muito tempo. Virou-se sobre os calcanhares, sem perguntar se precisávamos de mais alguma coisa.

"Este lugar é famoso por sua hospitalidade."

"Ela só está ocupada", disse Savannah, pegando um camarão. "Além disso, acho que ela sabe que você está me colocando na parede e quis me deixar com meu inquisidor."

Ela descascou o camarão e o mergulhou no molho antes de morder. Ataquei o balde e coloquei dois de uma vez no prato.

"O que mais você quer saber?"

"Não sei. Qualquer coisa. Qual é a melhor coisa de estar na faculdade?"

Ela encheu o prato enquanto pensava na resposta. "Os bons professores", disse finalmente. "Na universidade, às vezes dá para escolher os professores, desde que você tenha uma grade flexível. Gosto disso. Antes de entrar na faculdade, meu pai me deu esse conselho. Disse para eu sempre que possível escolher as aulas por causa do professor, em vez de escolher por assunto. Quer dizer, ele sabe que é obrigatório cursar certas disciplinas para receber o diploma, mas defende que bons professores são inestimáveis. Eles inspiram e entretêm, e você acaba aprendendo muita coisa mesmo sem se dar conta disso."

"Porque eles são apaixonados pelo que ensinam", disse eu.

Ela piscou. "Exatamente. E ele estava certo. Fiz aulas sobre assuntos que nunca imaginei que me interessariam, e tão nada a ver com meu curso que você não pode imaginar. Mas sabe de uma coisa? Lembro-me das aulas como se ainda estivesse cursando."

"Estou impressionado. Pensei que você diria que ir ao jogos de basquete era a melhor parte de estar na faculdade. É uma religião em Chapel Hill."

"Também gosto dos jogos. Assim como gosto dos amigos que fiz e de morar longe de mamãe e papai. Aprendi muito desde que saí de Lenoir. Quer dizer, eu tinha uma vida maravilhosa lá, e meus pais são ótimos, mas eu era... superprotegida. Tive algumas experiências que me abriram os olhos."

"Como o quê?"

"Muitas coisas. Como sentir a pressão do grupo para beber ou ficar com um cara sempre que saísse. No primeiro ano, eu odiava a UNC. Sentia que não me encaixava, e não me encaixava mesmo. Implorei aos meus pais para me deixarem voltar para casa ou pedir transferência, mas eles não concordaram. Acho que sabiam que eu me arrependeria mais tarde, e provavelmente estavam certos. Foi só em meados do segundo ano que conheci algumas meninas que pensavam como eu sobre esse tipo de coisa, e tem sido bem melhor desde então. Entrei para alguns grupos de estudantes cristãos, comecei a passar as manhãs de sábado ajudando os pobres em um abrigo em Raleigh e não sinto nenhuma pressão para ir a esta ou aquela festa ou sair com este ou aquele cara. E, se eu vou a uma festa, não me sinto pressionada. Aceito o fato de que não preciso fazer o que todo mundo faz. Posso fazer o que é certo para mim."

Isso explicava por que ela ficou comigo na noite passada, pensei. E agora também, por sinal.

Ela iluminou-se. "Sou parecida com você, eu acho. Cresci nos últimos anos. Portanto, além de sermos excelentes surfistas, também temos isso em comum."

Eu ri. "Sim. Só que eu tive muito mais dificuldades do que você."

Ela inclinou-se novamente. "Segundo meu pai, quando você está em dificuldades, olhe as pessoas ao redor e verá que todas estão sofrendo por algo, e, para cada uma delas, a situação parece tão difícil como a que você está passando."

"Seu pai parece um homem inteligente."

"Mamãe e papai são. Acho que ambos se formaram entre os cinco primeiros na faculdade. Foi assim que se conheceram. Estudando na biblioteca. Educação era realmente importante para ambos, e eles provavelmente fizeram de mim o seu projeto. Quer dizer, eu já lia antes de entrar no jardim de infância, mas isso nunca pareceu uma obrigação. E, desde que me entendo por gente, eles conversam comigo como adulta."

Por um momento, eu me perguntei quão diferente teria sido minha vida se eles fossem meus pais, mas logo afastei esse pensamento. Sabia que meu pai fez o melhor que pôde, e não me arrependia de quem eu era. Lamentava talvez a viagem, não o destino. Tudo o que acontecera me levara até aquele momento, a uma cabana velha no centro da cidade, comendo camarão ao lado de uma garota que, eu já sabia, nunca esqueceria.

* * *

Depois do jantar, fomos para a casa, que estava surpreendentemente sossegada. Ainda havia música, mas a maioria das pessoas relaxava em volta do fogo, preparando-se para acordar cedo no dia seguinte. Tim estava sentado entre elas, absorto em uma conversa séria. Savannah me surpreendeu ao pegar minha mão e desviar meu caminho antes de chegarmos ao grupo.

"Vamos dar um passeio", disse. "Quero fazer um pouco de digestão antes de me sentar."

Acima de nós, umas poucas nuvens espalhavam-se entre as estrelas, e a lua, ainda cheia, pairava sobre o horizonte. Uma leve brisa tocou meu rosto, e eu ouvia o movimento incessante das ondas que quebravam na costa. A maré tinha baixado, e fomos caminhar na areia mais dura, à beira da água. Savannah pôs a mão no meu ombro para não perder o equilíbrio enquanto tirava uma sandália e depois a outra. Quando ela terminou, fiz o mesmo e caminhamos em silêncio por alguns passos.

"É tão bonito aqui. Quer dizer, eu amo as montanhas, mas isso tem um encanto todo próprio. É... pacífico."

Senti que as mesmas palavras poderiam ser usadas para descrevê-la, e não sabia o que dizer.

"Não posso acreditar que só conheci você ontem", acrescentou ela. "Parece que te conheço há muito mais tempo."

Sentia o calor e o conforto da mão dela junto à minha. "Estava pensando a mesma coisa, disse ela."

Ela abriu um sorriso sonhador e ficou estudando as estrelas. "Eu me pergunto o que Tim acha disso", ela murmurou e olhou para mim. "Ele acha que sou um pouco ingênua."

"Você é?"

"Às vezes", admitiu ela, e eu ri.

Ela continuou. "Quer dizer, quando vejo duas pessoas caminhando de mãos dadas como nós, penso: 'Ah, que lindo'. Não penso que vão se agarrar atrás das dunas. Mas o fato é que, às vezes, elas se agarram. Nunca percebo antes, e sempre me surpreendo quando fico sabendo depois. Não consigo evitar. Como na noite passada, depois que você saiu. Ouvi falar de duas pessoas que fizeram exatamente isso, e não pude acreditar."

"Eu ficaria mais surpreso se não tivesse acontecido."

"Aliás, é disso que não gosto na faculdade. É como se um monte de gente achasse que esse período não conta, então é permitido experimentar... qualquer coisa. Há uma visão tão despreocupada sobre coisas, como sexo, bebidas e mesmo drogas. Sei que pareço realmente antiquada, mas é que não entendo. Talvez por isso não queira me sentar perto do fogo como todo mundo. Para falar a verdade, estou decepcionada com essas duas pessoas de quem falei, e não quero sentar lá e tentar fingir que nada aconteceu. Sei que não devemos julgar e tenho certeza de que são boas pessoas, uma vez que estão aqui para ajudar, mas, ainda assim, qual é o objetivo? Você não deve se guardar para quem você ama? Para quem realmente signifique alguma coisa?"

Sabia que ela não esperava respostas, e não dei nenhuma.

"Quem te contou sobre o casal?", perguntei.

"Tim. Acho que ele também ficou decepcionado, mas o que ele vai fazer? Expulsá-los?"

Tínhamos andado um bom caminho pela praia, e nos viramos para voltar. A distância, avistávamos um círculo de silhuetas recortadas pelo fogo. A névoa tinha cheiro de sal, e caranguejos desapareciam sob a areia quando passávamos.

"Sinto muito", disse ela. "Acho que passei da linha."

"Por quê?"

"Por ficar tão... perturbada com isso. Eu não deveria julgar. Não é meu direito."

"Todo mundo julga", disse eu. "É da natureza humana."

"Eu sei. Mas... eu também não sou perfeita. No final, só o julgamento de Deus importa, e aprendi o suficiente para saber que ninguém pode presumir conhecer a vontade de Deus."

Sorri.

"O quê?", ela perguntou.

"O jeito que você fala me lembra nosso capelão. Ele diz a mesma coisa."

Caminhamos pela praia e, aos nos aproximarmos da casa, trocamos a beira da água pela areia fofa. Nossos pés deslizavam a cada passo, e Savannah apertava minha mão. Perguntava se ela se soltaria assim que chegássemos perto do fogo, e fiquei decepcionado quando ela o fez.

"Ei", Tim gritou com a voz amistosa. "Vocês voltaram."

Randy também estava lá com sua costumeira expressão de mau humor. Francamente, eu estava um pouco cansado daquele ressentimento. Brad estava em pé, atrás de Susan, que se recostava em seu peito. Susan parecia indecisa se ficava feliz para tentar extrair todos os detalhes de Savannah, ou se ficava chateada para demonstrar apoio a Randy. Os outros, obviamente indiferentes, voltaram para suas conversas. Tim levantou-se e abriu caminho até nós.

"Como foi o jantar?"

"Foi ótimo", disse Savannah. "Provei da cultura local. Fomos à Cabana do Camarão."

"Parece divertido", comentou.

Fiquei atento a qualquer sinal de ciúmes, mas não encontrei nenhum. Tim mexeu os ombros e seguiu em frente.

"Vocês não querem se juntar a nós? Estamos relaxando, nos preparando para amanhã."

"Na verdade, estou com um pouco de sono. Só vou acompanhar John até o carro dele e depois vou entrar. A que horas temos que levantar?"

"Seis. Vamos tomar café da manhã e chegar lá às sete e meia. Não esqueça o protetor solar. Vamos ficar no sol o dia todo."

"Não vou esquecer. Você deveria avisar os outros."

"Já avisei", disse ele. "E vou avisar de novo amanhã. Mas você vai ver – tem gente que não vai ouvir e vai torrar."

"Vejo você de manhã", disse ela.

"Tudo bem." Ele voltou a atenção para mim. "Legal você ter vindo hoje."

"Eu também gostei", disse eu.

"Olha, se você ficar entediado nas próximas duas semanas, a gente sempre pode precisar de uma mão extra."

Eu ri. "Sabia que essa hora iria chegar."

"Eu sou assim", disse ele, estendendo a mão. "Mas espero ver você de novo."

Apertamos as mãos. Tim sentou-se novamente, e Savannah indicou a casa. Caminhamos por entre as dunas, paramos para colocar nossas sandálias, percorremos o *deck* de madeira e o gramado e demos a volta na casa. Um minuto depois, estávamos no carro. Na escuridão, eu não conseguia distinguir a expressão dela.

"Eu me diverti muito hoje à noite", disse ela. "E durante o dia também."

Engoli. "Quando vou ver você de novo?"

Era uma pergunta simples, até mesmo esperada, mas fiquei surpreso ao ouvir o desejo em minha voz. Eu sequer a tinha beijado.

"Suponho", disse ela, "que depende de você. Você sabe onde me encontrar."

"Que tal amanhã à noite?", deixei escapar. "Conheço um lugar que tem uma banda, e é muito divertido."

Ela colocou uma mecha de cabelo atrás da orelha. "Que tal na noite seguinte? Seria bom? É que o primeiro dia na obra é sempre... cansativo e emocionante, ao mesmo tempo. Temos um grande jantar e eu realmente não devo faltar."

"Sim, tudo bem", disse eu, pensando que não estava nada bem.

Ela deve ter percebido alguma coisa na minha voz. "Como Tim disse, você pode passar por aqui, se quiser."

"Não, tudo bem. Terça-feira está ótimo."

Ficamos ali, em um daqueles momentos embaraçosos aos quais nunca vou me acostumar, mas ela desviou-se antes que eu pudesse tentar um beijo. Normalmente, eu teria me aproximado mais só para ver o que acontecia; posso não ser aberto em relação aos meus sentimentos, mas sou impulsivo e ajo rápido. Com Savannah, sentia-me estranhamente paralisado. Ela também parecia não ter pressa.

Um carro passou, quebrando o feitiço. Ela deu um passo em direção à casa, mas parou e colocou a mão no meu braço. Em um gesto inocente, ela me beijou no rosto. Foi quase fraternal, mas seus lábios eram macios e seu perfume me envolveu, permanecendo mesmo depois de se afastar.

"Realmente, me diverti muito", ela murmurou. "Acho que não vou me esquecer desta noite por muito tempo."

Ela tirou a mão do meu braço e, em seguida, em um susto, desapareceu escada acima.

Mais tarde naquela noite, em casa, fiquei virando na cama, revivendo os acontecimentos do dia. Finalmente me levantei, desejando ter dito a ela o quanto nosso dia tinha significado para mim. Fora da minha janela, vi uma estrela cadente cruzar o céu em um raio brilhante. Quis acreditar que era um presságio, mas hesitei. Em vez disso, só podia reprisar pela centésima vez o beijo de Savannah no meu rosto e tentar entender como podia estar me apaixonando pela garota que conhecera um dia antes.

• • • • • • •

CINCO

"Bom dia, pai", disse, cambaleando de sono na cozinha. Fechei um pouco os olhos por causa da forte luz da manhã e vi meu pai em pé em frente ao fogão. O cheiro de *bacon* enchia o ar.

"Ah... oi, John."

Enfiei-me na cadeira, ainda tentando acordar. "Sei que levantei cedo, mas queria encontrar você antes que saísse para o trabalho."

"Ah", disse ele. "Tudo bem. Deixe-me fazer um pouco mais de comida então."

Apesar dessa mudança na rotina, ele parecia quase animado. Momentos como esse me davam certeza de que ele estava feliz por eu estar em casa.

"Tem café?", perguntei.

"No bule", disse ele.

Servi uma xícara e fui me sentar. O jornal estava fechado sobre a mesa, do jeito que havia chegado. Meu pai sempre leu jornal durante o café da manhã, e eu sabia o bastante para não tocar no jornal. Ele sempre fez questão de ler primeiro, exatamente da mesma forma.

Esperava que ele perguntasse como tinha sido o encontro com Savannah, mas não disse nada, preferindo se concentrar no fogão. O relógio avisava que Savannah estaria saindo para a construção em poucos minutos, e cogitei se ela pensava em mim tanto quanto eu nela. Na pressa daquela manhã certamente caótica, eu duvidava. Tal pensamento causou-me uma dor inesperada.

"O que você fez ontem à noite?", finalmente perguntei, tentando esquecer Savannah. Ele continuou a cozinhar, como se não me ouvisse. "Pai?", eu disse.

"O quê?", ele questionou.

"Como foi a noite passada?"

"Como foi o quê?"

"Sua noite. Nada de emocionante aconteceu?"

"Não", disse ele, "nada". Ele sorriu para mim antes de virar as fatias de *bacon* na panela. Ouvi o barulho de fritura aumentar.

"Eu me diverti muito", comecei. "Savannah é realmente demais. Na verdade, fomos juntos à igreja ontem."

Achei que ele fosse querer saber detalhes. Admito, queria que ele perguntasse. Imaginei que poderíamos ter uma verdadeira conversa, do tipo que outros pais têm com os filhos, que ele fosse rir e fazer uma ou duas piadas. Em vez disso, ele acendeu outro queimador do fogão. Passou óleo em uma frigideira pequena e derramou os ovos batidos.

"Você se importaria de colocar um pouco de pão na torradeira?", perguntou.

Suspirei. "Não", eu disse, já sabendo que iria comer em silêncio. "Sem problemas."

* * *

Passei o resto do dia surfando, ou melhor, tentando surfar. O mar acalmou durante a noite, e as ondas não eram nada animadoras. Para piorar as coisas, a arrebentação estava mais próxima da praia do que no dia anterior. Portanto, mesmo quando conseguia pegar uma onda, a experiência logo acabava na praia. Em outros tempos, eu teria ido à Oak Island ou mesmo Atlantic Beach e pegaria carona até Shackleford Banks na esperança de encontrar algo melhor. Hoje, não estava a fim.

Em vez disso, surfei no mesmo lugar dos dias anteriores. A casa ficava um pouco adiante na praia e parecia quase desabitada. A porta de trás estava fechada, as toalhas tinham sumido, e ninguém passava em frente à janela ou saía ao *deck*. Imaginava quando todos voltariam. Provavelmente em torno de quatro ou cinco horas, e já tinha decidido ir embora muito antes desse horário. Não havia nenhuma razão para estar ali, afinal. E a última coisa que queria era que Savannah se sentisse perseguida.

Fui embora às três e passei no Leroy. O bar estava mais escuro e sombrio do que eu me lembrava, e odiei o lugar assim que passei pela porta. Sempre pensei no Leroy como um bar pró, ou seja, para bebedores profissionais, e encontrei uma prova disso nos homens solitários tentando escapar de seus problemas em um copo do melhor Tennessee. Leroy estava lá, e me reconheceu quando entrei. Assim que me sentei no balcão, ele automaticamente começou a encher um copo da cerveja da serpentina.

"Quanto tempo", comentou. "Está evitando encrencas?"

"Tentando", resmunguei. Olhei ao redor enquanto ele deslizava o copo até mim. "Gostei do que você fez com o lugar", disse, apontando por cima do meu ombro.

"Bom. Fiz tudo para você. Quer comer alguma coisa?"

"Não. Está bom assim, obrigado."

Ele limpou o balcão na minha frente, jogou o pano sobre o ombro e se afastou para atender outra pessoa. Um momento mais tarde, senti uma mão em meu ombro.

"Johnny! O que você está fazendo aqui?"

Eu me virei e vi um dos muitos amigos que passara a desprezar. Era assim que me sentia. Odiava tudo ali, inclusive meus amigos, e percebi que sempre tinha odiado. Não sabia por que tinha vindo, nem mesmo por que frequentara aquele bar durante tanto tempo, exceto o fato de não ter outro lugar aonde ir.

"Ei, Toby", eu disse.

Alto e magro, Toby sentou-se ao meu lado. Notei seus olhos vidrados. Ele cheirava como se não tomasse banho há dias, e sua camisa estava manchada. "Você ainda está brincando de Rambo?", ele perguntou com a voz arrastada. "Parece que você tem malhado."

"Sim", eu disse, sem querer entrar no assunto. "E você, o que tem feito?"

"Estou por aí... Pelo menos nas últimas duas semanas. Estava trabalhando na Quick Stop antes, mas o dono era um imbecil."

"Ainda morando com seus pais?"

"Claro", ele disse, soando quase orgulhoso. Ele abriu a garrafa e tomou um gole longo, depois reparou nos meus braços. "Você está bem. Tem malhado?", perguntou de novo.

"Um pouco", respondi, ciente de que ele não se lembrava de já ter perguntado antes.

"Você está forte."

Eu não conseguia pensar em mais nada para dizer. Toby pegou outra bebida.

"Ei, hoje à noite tem festa na Mandy", ele disse. "Você lembra da Mandy, certo?"

Sim, eu lembrava. Uma menina do meu passado, que durou menos de um fim de semana. Toby continuou a falar.

"Os pais dela estão em Nova York ou algo assim, e vai ser um estouro. Vamos fazer um esquenta antes para entrar no clima. Quer ir também?"

Ele apontou quatro caras em uma mesa de canto repleta de garrafas vazias. Reconheci dois deles, mas os outros eram desconhecidos.

"Não posso", disse eu, "tenho que jantar com meu pai. Mas obrigado pelo convite."

"Desencana dele. A festa vai ser demais. Kim também vai."

Outra mulher do meu passado, outra lembrança que me fez tremer por dentro. Eu mal podia suportar a pessoa que fora.

"Não posso", disse, balançando a cabeça. Levantei-me, deixando o copo quase cheio. "Eu prometi. E ele me deixou ficar na casa dele. Você sabe como é."

Isso fazia sentido para Toby, e ele concordou. "Então, vamos nos encontrar no fim de semana. Uma galera está indo surfar em Ocracoke."

"Talvez", eu disse, sabendo que não iria de jeito nenhum.

"O telefone do seu pai ainda é o mesmo?"

"Sim", eu disse.

Fui embora, certo de que ele nunca ligaria e de que eu jamais voltaria ao Leroy.

* * *

No caminho de casa, parei para comprar filés, salada, molho e batatas para o jantar. Sem carro, não foi fácil carregar as compras e minha prancha até em casa, mas eu realmente não me importei com a caminhada. Tinha feito isso durante anos, e meus sapatos eram muito mais confortáveis do que as botas que estava acostumado a usar.

Uma vez em casa, tirei a churrasqueira da garagem e mais um saco de carvão e fluído de isqueiro. A churrasqueira estava empoeirada, parecendo encostada há anos. Montei-a na varanda dos fundos, joguei fora o pó de carvão, lavei-a com a mangueira para eliminar as teias de aranha e coloquei-a para secar ao sol. Na cozinha, temperei os filés com sal, pimenta e alho, coloquei as batatas embrulhadas em papel alumínio no forno e despejei a salada em uma tigela. Quando a churrasqueira secou, acendi o carvão e arrumei a mesa.

Meu pai entrou exatamente no momento em que eu colocava os filés na churrasqueira.

"Oi, pai", eu disse. "Pensei em fazer o jantar para nós hoje."

"Ah", disse. Ele precisou de alguns instantes para entender que não cozinharia naquela noite. "Tudo bem", finalmente acrescentou.

"Como você gosta do seu bife?"

"Ao ponto", disse ele, ainda parado perto da porta de correr.

"Parece que você não usa a churrasqueira desde que fui embora", disse eu. "Mas deveria. Não há nada melhor do que um churrasco. Fiquei com água na boca o caminho todo."

"Vou trocar de roupa."

"O filé fica pronto em dez minutos."

Quando ele entrou, fui para a cozinha, peguei as batatas, a salada – e mais o molho de salada, a manteiga e o molho para a carne – e servi a mesa. Ouvi a porta de correr se abrir e meu pai surgiu carregando dois copos de leite, parecendo um turista em um navio de cruzeiro. Ele vestia bermuda, meias pretas, tênis e uma camisa florida havaiana. Suas pernas ofuscavam a vista de tão brancas, como se ele não usasse bermuda há anos – se é que alguma vez ele usou bermuda. Pensando bem, acho que nunca o vi com essa roupa. Fiz de tudo para fingir que ele estava normal.

"Bem na hora", disse, voltando para a churrasqueira. Coloquei os filés em dois pratos e entreguei um para ele.

"Obrigado", ele disse.

"O prazer é meu."

Ele serviu-se de salada, temperou-a, desembrulhou sua batata, acrescentou manteiga, e derramou molho sobre o filé, criando uma pequena poça. Normal e esperado, exceto pelo silêncio total.

"Como foi seu dia?", perguntei.

"O mesmo de sempre", ele respondeu. Como de rotina. Ele sorriu novamente, mas não disse mais nada.

Meu pai, o desajustado social. Perguntei-me novamente por que era tão difícil para ele conversar, e imaginei como teria sido sua juventude. Como ele conseguiu se casar com alguém? Sabia que a última pergunta soou mesquinha, mas não era despeito. Eu estava genuinamente curioso. Comemos um pouco, o barulho dos talheres era o único som à mesa.

"Savannah disse que gostaria de conhecer você", disse finalmente, tentando mais uma vez puxar conversa.

Ele cortou o filé. "A senhorita sua amiga?"

Só meu pai diria uma frase dessas. "Sim", disse. "Acho que você vai gostar dela."

Ele balançou a cabeça.

"Ela estuda na UNC", expliquei.

Ele sabia que era a vez dele, e senti seu alívio quando finalmente encontrou algo para perguntar. "Como você a conheceu?"

Contei toda a história da bolsa, tentando tornar o caso o mais engraçado possível, mas o riso lhe escapava.

"Isso foi a sua cara", observou ele.

Outro ponto final à conversa. Cortei um pedaço de filé. "Pai? Você se importaria se eu lhe fizesse uma pergunta?"

"Claro que não."

"Como você e mamãe se conheceram?"

Foi a primeira vez, em anos que perguntei sobre ela. Como ela nunca fez parte da minha vida, como eu não tinha lembranças, raramente sentira a necessidade de fazê-la. Mesmo agora, eu não me importava, só queria que ele conversasse comigo. Calmamente, ele colocou mais manteiga na batata, e eu soube que não queria responder.

"Nós nos conhecemos em um restaurante", disse finalmente. "Ela era garçonete."

Esperei. Parecia que não sairia mais nada dali.

"Ela era bonita?"

"Sim", respondeu.

"Como era ela?"

Ele amassou a batata e polvilhou sal cuidadosamente. "Ela era como você", concluiu.

"O que você quer dizer?"

"Umm...", hesitou. "Ela podia ser... teimosa."

Eu não sabia o que pensar nem o que ele quis dizer. Antes que pudesse refletir a respeito, ele se levantou da mesa e pegou o copo.

"Você gostaria de um pouco mais de leite?", perguntou, e eu sabia que não diria mais nada sobre ela.

• • • • • • •

Seis

O tempo é relativo. Sei que não sou o primeiro a perceber isso e estou longe de ser o mais famoso. Minha percepção também não tem nada a ver com energia, massa, velocidade da luz ou qualquer outro postulado de Einstein. Pelo contrário. Tem a ver com o arrastar das horas enquanto eu esperava por Savannah.

Depois que meu pai e eu terminamos o jantar, pensei nela. E pensei novamente ao acordar. Passei o dia surfando e, embora as ondas estivessem melhores do que no dia anterior, não consegui me concentrar e decidi parar no início da tarde. Pensei em comer um *cheeseburger* em um lugarzinho perto da praia – aliás, o melhor hambúrguer da cidade – mas, mesmo com vontade, fui para casa esperando convencer Savannah a ir comigo mais tarde. Li um pouco o último romance de Stephen King, tomei banho, vesti uma calça *jeans* e uma camisa polo, voltei a ler por umas duas horas até que olhei para o relógio e percebi que haviam se passado apenas vinte minutos. É isso que eu entendo sobre o tempo ser relativo.

Quando meu pai chegou, viu como eu estava vestido e ofereceu as chaves do carro.

"Você vai ver Savannah?"

"Sim", eu disse, levantando-me do sofá. Peguei as chaves. "Pode ser que eu volte tarde."

Ele coçou a parte traseira da cabeça. "Tudo bem", disse.

"Café da manhã amanhã?"

"Certo." Por algum motivo que me escapava, ele parecia quase nervoso.

"Tudo bem", eu disse. Vejo você depois, ok?"

"Provavelmente estarei dormindo."

"Não quis dizer isso literalmente."

"Ah", disse ele. "Ok."

Assim que abri a porta para sair, ouvi-o suspirar.

"Eu também gostaria de conhecer Savannah", disse ele, tão baixinho que mal ouvi.

* * *

O céu ainda estava claro e o sol refletia-se no mar quando cheguei à casa de Savannah. Percebi que estava nervoso. Eu não lembrava a última vez em que uma garota tinha me deixado nervoso, mas, por algum motivo, não parava de pensar que as coisas entre nós poderiam estar diferentes. Não sabia como ou por que me sentia assim, apenas que não saberia o que fazer se meus medos estivessem certos.

Não me incomodei em bater e simplesmente entrei. A sala estava vazia, mas ouvi vozes ao fundo do corredor, e lá estavam as pessoas de sempre no *deck* dos fundos. Perguntei por Savannah e fui informado de que ela estava na praia.

Corri até a areia e congelei quando a vi sentada perto da duna, ao lado de Randy, Brad e Susan. Ela não tinha me notado, e ouvi Savannah rindo de algo que Randy disse. Ela e Randy pareciam um casal, tanto quanto Susan e Brad. Eu sabia que não era o caso, que provavelmente eles só estavam conversando sobre a construção ou as experiências que tiveram nos últimos dias, mas não gostei. Não gostei do fato de Savannah estar sentada perto de Randy como tinha estado perto de mim. Naquele momento, cogitei se ela ainda se lembrava do nosso encontro. Mas, quando me viu, ela sorriu como se não houvesse nenhum problema.

"Aí está você", disse ela. "Eu estava me perguntando quando você iria aparecer."

Randy sorriu. Apesar do comentário de Savannah, ele tinha uma expressão quase vitoriosa. Quando o gato sai, os ratos fazem a festa, ele parecia dizer.

Savannah levantou-se e veio em minha direção. Ela usava uma blusa branca sem mangas e uma saia leve, que balançava quando caminhava. Notei o bronzeado em seus ombros, denunciando horas ao sol. Quando chegou perto o suficiente, ficou nas pontas dos pés e beijou meu rosto.

"Oi", disse ela, colocando um braço em volta da minha cintura.

"Oi."

Ela inclinou-se ligeiramente para trás, como se avaliando a minha expressão. "Parece que você sentiu minha falta", disse ela, me provocando.

Como de costume, não sabia o que responder, e ela piscou diante da minha incapacidade de admitir o óbvio. "Talvez eu também tenha sentido a sua", acrescentou.

Toquei seu ombro nu. "Está pronta para ir?"

"Como sempre", disse ela.

Partimos em direção ao carro e nos demos as mãos, o toque de sua pele fez parecer que tudo ia bem no mundo. Bem, quase...

Fui direto ao assunto. "Vi você falando com Randy", disse, tentando manter a voz neutra.

Ela apertou minha mão. "Você viu, é?"

Tentei novamente. "Acho que vocês se conheceram melhor durante o trabalho."

"Com certeza. Eu estava certa. Ele é um sujeito legal. Depois daqui, ele vai para Nova York fazer um estágio de seis semanas no Morgan Stanley."

"Humm", resmunguei.

Ela riu baixinho. "Não me diga que você está com ciúmes."

"Não estou."

"Bom", concluiu ela, apertando minha mão de novo. "Porque não há nenhum motivo para estar."

Agarrei-me a essas últimas palavras. Ela não precisava dizer nada, mas fiquei muito feliz por ter se dado ao trabalho. Chegamos ao carro, abri a porta para ela.

"Estava pensando em levar você ao Oysters", disse. "É uma casa noturna um pouco adiante da praia. Vai ter uma banda mais tarde, e podemos dançar."

"O que vamos fazer antes?"

"Você está com fome?", perguntei, pensando no *cheeseburger* que deixara de comer mais cedo. "Um pouco", disse ela. "Fiz um lanche quando cheguei, por isso não estou com muita fome ainda."

"Que tal uma caminhada na praia?"

"Humm. . . Talvez mais tarde."

Era óbvio que ela tinha algo em mente. "Por que você não me diz o que quer fazer?"

Ela se iluminou. "Que tal se fôssemos dar oi a seu pai?"

Eu não tinha certeza de ter ouvido direito. "Sério?"

"É sério", disse. "Só um pouquinho. Depois, podemos comer alguma coisa e ir dançar."

Quando hesitei, ela colocou a mão no meu ombro. "Por favor!"

* * *

Não fiquei muito contente, mas, do jeito que pediu, era impossível negar. Eu estava me acostumando a isso, mas preferia ter ficado com ela só para mim pelo resto da noite. Também não entendi por que ela queria ver o meu pai naquela noite, a menos que isso significasse que não estava tão entusiasmada como eu com a perspectiva de ficarmos sozinhos. Para ser honesto, o pensamento me deprimiu.

Ainda assim, ela estava de bom humor, contando sobre o trabalho realizado nos últimos dois dias. Na manhã seguinte eles planejavam começar as janelas. Randy, descobri, trabalhou ao seu lado em ambos os dias, o que explica a amizade recém-descoberta. Foi assim que ela descreveu. Eu duvidava de que Randy tivesse descrito seu interesse da mesma forma.

Estacionamos alguns minutos mais tarde, e notei a luz acesa no escritório do meu pai. Desliguei o motor e chacoalhei um pouco as chaves antes de sair.

"Eu disse que meu pai não fala muito, não disse?"

"Sim", ela respondeu. "Não importa. Eu só quero conhecê-lo."

"Por quê?", perguntei. Sei que soou tenso, mas não pude evitar.

"Porque", ela respondeu, "ele é sua única família. E foi ele quem criou você."

* * *

Recuperado do choque de me ver de volta trazendo Savannah, assim que as apresentações foram feitas, meu pai passou as mãos pelos cabelos ralos e olhou para o chão.

"Desculpe não termos telefonado antes, mas não foi culpa de John", explicou-se. "Foi culpa minha."

"Ah", disse ele. "Está tudo bem".

"Chegamos em um momento ruim?"

"Não." Ele olhou para cima, em seguida, para o chão novamente. "É um prazer conhecê-la", cumprimentou.

Por um momento, ficamos todos na sala de estar, todos em silêncio. Savannah tinha um sorriso aberto, mas não sei se meu pai percebera.

"Deseja beber alguma coisa?", ele perguntou, como se de repente lembrasse que era o dono da casa.

"Estou bem, obrigada", respondeu. "John me disse que o senhor é um grande colecionador de moedas."

Ele se virou para mim, como se perguntando se deveria responder. "Eu tento", disse finalmente.

"É isso que estamos interrompendo tão rudemente?", ela perguntou, no mesmo tom brincalhão que usava comigo. Para minha surpresa, ouvi meu pai dar uma risada nervosa. Não alta, mas ainda assim uma risada. Incrível.

"Não, você não interrompeu nada. Eu estava só examinando uma moeda nova que consegui hoje."

Enquanto falava, ele tentava avaliar como eu reagiria. Savannah não percebeu ou fingiu não perceber. "Sério?", ela perguntou. "Que tipo?"

Meu pai mudou o peso de um pé para o outro. Então, para meu espanto, olhou para cima e perguntou: "Gostaria de vê-la?"

* * *

Passamos quarenta minutos no escritório.

Na maior parte do tempo, fiquei sentado ouvindo meu pai contar as histórias que eu conhecia de cor. Como a maioria dos colecionadores sérios, mantinha apenas algumas moedas em casa, e eu não tinha ideia de onde o resto estava guardado. Ele revezava parte da coleção a cada duas semanas, com as moedas novas aparecendo como que por magia. Geralmente, nunca havia mais de uma dúzia em seu escritório, e nunca nada de valioso, mas tenho a impressão de que ele poderia ter mostrado a Savannah um centavo comum e ela ficaria fascinada. Ela fez dezenas de perguntas, perguntas que poderiam ser respondidas por mim ou por um livro qualquer sobre moedas. Mas, com o passar do tempo, suas perguntas se tornaram mais pessoais. Em vez de perguntar por que uma moeda pode ser particularmente valiosa, quis saber quando e onde ele a encontrara, e foi presenteada com histórias sobre os fins de semana chatos da minha juventude passados em lugares como Atlanta, Charleston, Raleigh e Charlotte.

Meu pai falava muito sobre essas viagens. Bem, pelo menos para os padrões dele. Ele ainda tinha a tendência a ficar introspectivo por vários instantes, mas provavelmente ele falou mais nesses quarenta minutos do que em todas as nossas conversas desde a minha chegada. Do meu ponto de vista, constatei a paixão a que Savannah se referira, mas era uma paixão mil vezes conhecida, e não mudou minha opinião de que meu pai usava as moedas para evitar a vida, em vez de vivê-la. Parei de conversar com ele sobre as moedas porque queria falar sobre outros assuntos; ele parou de falar porque sabia como eu me sentia e não era capaz de discutir mais nada.

E, no entanto. . .

Meu pai estava feliz, e eu sabia. Via seus olhos brilhando ao apontar a marca da Casa da Moeda, a nitidez da gravação, ou como o valor de uma moeda podia mudar pelo fato de haver setas ou guirlandas. Ele mostrou a Savannah provas de moedas, moedas feitas em West Point, um de seus tipos favoritos na coleção. Pegou uma lupa para mostrar suas falhas, e quando Savannah segurou a lupa, notei a animação no rosto dele. Apesar dos meus sentimentos em relação a moedas, não pude evitar e sorri simplesmente por vê-lo tão feliz.

Mas ele ainda era meu pai, e não houve milagre. Depois de mostrar as moedas e contar como as tinha encontrado, seus comentários diminuíram. Percebeu que começara a se repetir, o que o deixou mais retraído e silencioso. Com o tempo, Savannah percebeu seu crescente desconforto, pois apontou as moedas em cima da mesa e disse:

"Obrigado, senhor Tyree. Eu realmente aprendi muita coisa."

Ele sorriu, obviamente esgotado, e aproveitei a deixa para me manifestar.

"Sim, foi ótimo. Mas nós temos de ir agora", disse.

"Ah... tudo bem."

"Foi maravilhoso conhecer o senhor."

Quando meu pai assentiu, Savannah inclinou-se e deu-lhe um abraço.

"Vamos fazer isto de novo", ela sussurrou. Embora meu pai tenha correspondido, lembrei-me dos abraços sem vida que recebera na infância. Gostaria de saber se ela se sentiu tão desconfortável quanto ele.

* * *

No carro, Savannah parecia perdida em pensamentos. Eu teria perguntado o que ela achara do meu pai, mas não tinha certeza se queria ouvir a resposta. Sei que ele e eu não tínhamos o melhor dos relacionamentos, mas ela estava certa sobre ele ser minha única família e ter me criado. Eu podia reclamar dele, mas a última coisa que desejava era ouvir outra pessoa fazendo o mesmo.

Ainda assim, não acho que ela diria algo negativo, simplesmente por sua natureza. Quando se virou para mim, ela sorria.

"Obrigado por ter me trazido para conhecê-lo", disse. "Ele tem um... bom coração."

Nunca ouvi ninguém descrevê-lo dessa maneira, mas gostei.

"Estou feliz por você ter gostado dele."

"Gostei, sim", disse ela, parecendo sincera. "Ele é... gentil." Ela olhou para mim. "Mas acho que entendo por que você teve tantos problemas quando era mais jovem. Ele não me parece o tipo de pai que impõe limites."

"Não mesmo", concordei.

Ela olhou para mim fazendo careta. "E você, com seu antigo modo rebelde de ser, aproveitou-se disso."

Eu ri. "Sim, suponho que sim."

Ela balançou a cabeça. "Você deveria ter sido mais esperto."

"Eu era apenas uma criança."

"Ah, a velha desculpa da juventude. Você sabe que não cola, não é? Eu nunca me aproveitei dos meus pais."

"Sim, a filha perfeita. Acho que você mencionou."

"Você está tirando sarro de mim?"

"Não, claro que não."

Ela continuou a olhar para mim. "Acho que sim", finalmente decidiu.

"Ok, talvez um pouco."

Ela pensou sobre minha resposta. "Bem, talvez eu mereça isso. Mas, só para que você saiba, eu não fui perfeita."

"Não?"

"Claro que não. Lembro muito claramente, por exemplo, que tirei B em uma prova na quarta série."

Fingi choque. "Não! Não me diga isso!"

"É verdade."

"Como você se recuperou?"

"Como é que você acha?", ela deu de ombros. "Disse a mim mesmo que isso nunca mais aconteceria."

Não duvido. "Você já está com fome?"

"Achei que você não iria mais perguntar."

"Você está a fim do quê?"

Ela juntou os cabelos em um rabo de cavalo malfeito, e em seguida os soltou. "Que tal um grande e suculento *cheeseburger*?"

Assim que disse isso, pensei que Savannah era boa demais para ser verdade.

• • • • • • •

Sete

"Devo admitir que você me traz para comer nos lugares mais interessantes", disse Savannah. A distância, além da duna, avistávamos uma longa fila de clientes crescendo cada vez mais, para longe do Joe's Burger no meio de um estacionamento de cascalho.

"É o melhor da cidade", comentei, mordendo meu hambúrguer gigante.

Savannah sentou-se perto de mim na areia, de frente para a água. Os hambúrgueres estavam excelentes, grossos e apetitosos, e as batatas fritas, apesar de um pouco engorduradas, também estavam deliciosas. Savannah olhava o mar enquanto comia, e, ao cair da noite, notei que ela parecia mais à vontade do que eu.

Pensei novamente em como ela falou com meu pai. No modo como falava com todo mundo, inclusive comigo. Tinha a rara habilidade de dizer exatamente o que as pessoas precisavam ouvir e, ainda assim, permanecer fiel a si mesma. Não conseguia pensar em ninguém remotamente semelhante, em aparência ou personalidade, e me perguntei de novo porque ela tinha gostado de mim. Nós éramos tão diferentes. Savannah era uma garota da montanha, doce e talentosa, criada por pais atenciosos, que desejava ajudar os necessitados; eu era um soldado do Exército, tatuado, nada refinado, e um estranho em minha própria casa. Pelo jeito como ela se comportara com meu pai, dava para dizer com quanta elegância fora criada pelos pais. Ali sentada ao meu lado, desejei ser mais parecido com ela.

"O que você está pensando?"

Sua voz, curiosa, porém gentil, afastou-me dos meus pensamentos.

"Eu estava imaginando por que você está aqui", confessei.

"Porque gosto da praia. Não consigo vir com muita frequência. Não existem ondas ou barcos pesqueiros de onde eu venho."

Quando viu minha expressão, tocou a minha mão. "Isso foi irreverente", disse. "Desculpe. Estou aqui porque quero."

Coloquei os restos do hambúrguer de lado, ponderando por que me importava tanto. Era um sentimento novo para mim, ao qual eu certamente nunca me acostumaria. Ela tocou meu braço e virou-se novamente para a água.

"É lindo aqui. Bastava um pôr do sol sobre o mar e seria perfeito."

"Para isso, teríamos de atravessar o país", disse eu.

"Sério? Você está tentando me dizer que o sol se põe no Oeste?"

Notei o brilho travesso em seus olhos.

"Pelo menos foi o que eu ouvi falar."

Ela tinha comido só metade do cheeseburger. Colocou o resto no saco de papel junto com as sobras do meu sanduíche. Depois de fechar o saco para que o conteúdo não se espalhasse na areia, esticou as pernas e se virou para mim, com um olhar inocente.

"Você quer saber no que eu estava pensando?", perguntou ela.

Esperei, mergulhado nos olhos dela.

"Estava pensando que queria ter passado os últimos dois dias com você. Quer dizer, gostei de conhecer todo mundo melhor. Nós todos almoçamos juntos, e o jantar na noite passada foi muito divertido, mas parecia que algo estava errado, que estava faltando alguma coisa. Só quando vi você na praia, percebi que era você."

Engoli em seco. Em outra vida, em outra época, eu a teria beijado em seguida, mas, ainda que o quisesse, não o fiz. Em vez disso, apenas olhei nos olhos dela. Ela correspondeu ao meu olhar sem uma pitada de embaraço.

"Quando você perguntou por que eu estava aqui, brinquei porque pensei que a resposta era óbvia. Ficar com você parece... o certo, de alguma forma. É fácil, como deve ser. Como é com meus pais. Eles se sentem confortáveis juntos e cresci pensando que um dia eu também queria me sentir assim." Ela fez uma pausa. "Gostaria que você os conhecesse."

Minha garganta secou. "Eu também gostaria de conhecê-los."

Ela encaixou sua mão na minha, nossos dedos entrelaçados.

Ficamos em silêncio pacificamente. Na beira da água, andorinhas enfiavam os bicos na areia em busca de alimento; um bando de gaivotas voou com a chegada de uma onda. O céu escureceu e as nuvens engrossaram. Na praia, avistávamos casais passeando sob o céu quase negro.

Sentados ali, ouvíamos o barulho das ondas quebrando na praia. Fiquei maravilhado como tudo parecia novo. Novo e também confortável, como se nos conhecêssemos desde sempre. No entanto, ainda não éramos sequer um casal de verdade. Mas, uma voz que martelava na minha cabeça me lembrou, é provável que um dia sejamos. Dali a pouco mais de uma semana, eu voltaria para a Alemanha e tudo estaria acabado. Passei tempo o suficiente com meus companheiros para saber que não bastam alguns dias especiais para que um relacionamento transatlântico sobreviva. Ouvi vários sujeitos do meu pelotão contarem que se apaixonaram durante a licença — e talvez tenham mesmo se apaixonado —, mas nunca durou.

Os momentos ao lado de Savannah me fizeram cogitar se era possível desafiar a norma. Eu queria mais dela e, não importando o que acontecesse conosco, sabia que nunca a esqueceria. Por mais louco que pareça, ela estava se tornando parte de mim, e eu já temia o fato de não poder passar o dia seguinte com ela. Nem depois de amanhã, ou depois de depois de amanhã. Talvez, disse a mim mesmo, pudéssemos ser a exceção à regra.

"Olha ali!", ela gritou e apontou para o mar. "Na arrebentação."

Examinei toda a extensão do oceano cinzento, mas não vi nada. Savannah se levantou de repente e começou a correr em direção à água.

"Corre!", ela gritou por cima do ombro. "Depressa!"

Levantei-me e comecei a correr atrás dela perplexo. Acelerei o ritmo até alcançá-la. Ela parou na beira da água, com a respiração ofegante.

"O que está acontecendo?", perguntei.

"Bem ali!"

Apertei os olhos e vi a que ela se referia. Três deles furavam as ondas, um após o outro, e sumiam momentaneamente do nosso campo de visão para reaparecer um pouco mais perto da praia.

"Filhotes de golfinho", disse eu. "Eles passam pela ilha quase todas as noites."

"Eu sei", disse ela, "mas parece que eles estão surfando."

"Sim, parece mesmo. Eles estão apenas se divertindo. Agora que não tem ninguém no mar, eles se sentem seguros para brincar."

"Quero ir até lá. Sempre quis nadar com os golfinhos."

"Eles vão parar de brincar, ou simplesmente vão para um ponto que você não consegue alcançar. Eles são engraçados. Eu os vi enquanto surfava. Se estiverem curiosos, chegam a poucos metros e examinam você dos pés à cabeça, mas, se você tentar segui-los, eles te deixam para trás."

Continuamos a olhar os golfinhos se afastarem até desaparecem de vista sob o céu sem luz.

"Acho que devemos ir", eu disse.

Percorremos o caminho de volta para o carro, parando para pegar os restos do nosso jantar.

"Não tenho certeza de que a banda já esteja se apresentando, mas não deve demorar muito."

"Não importa", disse ela. "Tenho certeza de que vamos encontrar algo para fazer. Além disso, devo avisá-lo, não sou muito de dançar."

"Não precisamos ir se você não quiser. Podemos ir a outro lugar se você preferir."

"Como onde?"

"Você gosta de navios?"

"Que tipo de navios?"

"Grandes", respondi. "Conheço um lugar onde podemos ver o USS North Carolina."

Ela fez uma careta, e entendi que a resposta era não. Não foi a primeira vez que desejei ter minha própria casa. Embora não tivesse ilusões de que ela iria comigo caso eu morasse sozinho. Se eu fosse ela, também não iria. Mas eu sou humano.

"Espere", disse ela. "Sei aonde podemos ir. Quero mostrar uma coisa para você."

Intrigado, perguntei: "Onde?"

* * *

Considerando que o grupo de Savannah havia começado a trabalhar no dia anterior, a casa estava bem adiantada. A maior parte da estrutura estava em pé e o telhado já tinha sido coberto. Savannah olhou para fora pela janela do carro e depois se virou para mim.

"Você gostaria de dar uma olhada? Ver o que estamos fazendo?"

"Eu adoraria", respondi.

Segui-a para fora do carro, observando seu rosto iluminado ao luar. Caminhando por entre o entulho da construção, ouvi um rádio ligado, provavelmente em uma das janelas da cozinha das casas vizinhas. A poucos passos da entrada, Savannah circulou em torno da estrutura da casa com evidente orgulho. Aproximei-me o suficiente para abraçá-la, e ela encostou a cabeça no meu ombro, apoiando-se relaxada contra o meu corpo.

"Foi aqui que passei os últimos dois dias", ela praticamente sussurrou no silêncio da noite. "O que você acha?"

"Muito bom", disse. "Aposto que a família está ansiosa."

"Está mesmo. É uma família tão incrível. Eles realmente merecem este lugar, pois têm passado muitas dificuldades. O furacão Fran destruiu a casa deles, e, como tantas outras famílias, não tinham seguro contra inundações. É uma mãe solteira com três filhos - o marido foi embora há um ano —, e você iria adorá-los se os conhecesse. As crianças vão bem na escola e participam do coro juvenil na igreja. São muito educados e gentis... dá para ver que a mãe batalhou muito para garantir que eles fossem bons meninos, sabe?"

"Você os conhece, certo?"

Ela assentiu e indicou a casa. "Eles passaram por aqui nos últimos dias." Ela se endireitou. "Você gostaria de olhar lá dentro?"

Relutante, eu a soltei. "Vá na frente."

Não era uma casa grande — mais ou menos o tamanho da casa do meu pai — mas a planta era mais aberta, o que aumentava a sensação de espaço. Savannah pegou minha mão e me conduziu por todos os cômodos, ressaltando as características e preenchendo os detalhes com sua imaginação. Ela discorreu sobre o papel de parede ideal para a cozinha, a cor dos azulejos da entrada, o tecido das cortinas da sala de estar, a decoração da lareira. Sua voz tinha a mesma maravilha e alegria que ela expressara ao ver os botos. Por um instante, tive uma visão de como ela deve ter sido na infância.

Savannah levou-me de volta para a porta da frente. À distância, ouvimos o primeiro estrondos dos trovões. Parados à porta, puxei-a para mais perto de mim.

"Também vai ter um alpendre", ela disse, "com espaço suficiente para duas cadeiras de balanço, ou mesmo uma rede. Eles poderão sentar-se aqui nas noites de verão e se reunirem depois da igreja." Ela apontou para fora. "A igreja deles é ali. Por isso a localização é tão perfeita para a família."

"Parece que você os conhece bem."

"Não, na verdade não", respondeu. "Conversei pouco com eles, estou apenas imaginando. Fiz isso em todas as casas que ajudei a construir - percorro a casa e tento imaginar como será a vida dos proprietários. Torna o trabalho muito mais divertido."

A lua estava oculta atrás das nuvens, escurecendo o céu. Relampejava no horizonte, e momentos depois começou uma leve garoa, tamborilando contra o telhado. Os carvalhos repletos de folhas que ladeavam a rua balançava ao vento, e um trovão ecoou pela casa.

"Se você quiser ir embora, devemos sair antes que comece o temporal."

"Não temos para onde ir, lembra? Além disso, sempre adorei tempestades."

Puxei-a ainda mais perto, respirando seu perfume. O cabelo dela tinha um cheiro doce, como morangos doces.

Enquanto observávamos, a garoa transformou-se em chuva pesada, caindo na diagonal. A única luz vinha dos postes, deixando metade do rosto de Savannah na sombra.

Um trovão explodiu sobre o teto, e a chuva caia torrencialmente. Ao lado da casa, a chuva forte formava largas poças no chão coberto de serragem. Fiquei contente, pois, apesar da chuva, o clima continuava agradável. Vi algumas caixas vazias em um dos cantos. Deixei Savannah um instante para buscá-las. Empilhei os caixotes criando um banco improvisado. Não era muito confortável, mas era melhor do que ficar em pé.

Quando Savannah sentou-se junto a mim, soube que ter ido lá foi a coisa certa a ser feita. Foi a primeira vez que realmente ficamos sozinhos. Mas, assim que sentamos lado a lado, pareceu estarmos juntos há uma eternidade.

• • • • • • •

Oito

Os caixotes, duros e desconfortáveis, fizeram-me questionar minha perspicácia, mas Savannah não parecia incomodada. Ou fingia não parecer. Ela recostou-se no caixote e, ao sentir a madeira pressionar sua pele, endireitou-se novamente.

"Desculpe", disse. "Achei que fosse mais confortável."

"Tudo bem. Minhas pernas estão cansadas e os meus pés doem. Está ótimo."

Estava mesmo ótimo, pensei. Lembrei-me das noites que passara de guarda, em que me imaginava ao lado da garota dos meus sonhos e com sensação de que tudo ia bem no mundo. Agora sabia o que havia perdido todos esses anos. Quando Savannah pousou a cabeça em meu ombro, desejei nunca ter me alistado. Desejei não estar servindo no exterior. Desejei ter escolhido um caminho diferente na vida, que me permitisse fazer parte do mundo dela. Estudar em Chapel Hill, passar parte do verão construindo casas, montar a cavalo com ela.

"Você está assustadoramente calado", ela comentou.

"Desculpe", respondi. "Estava pensando sobre esta noite."

"Coisas boas, espero."

"Sim, coisas boas", eu disse.

Ela ajeitou-se sobre o caixote e senti sua perna roçar a minha. "Eu também. Mas estava pensando em seu pai", disse. "Ele sempre foi assim? Tímido, do tipo que desvia o olhar quando fala com as pessoas?"

"Sim", eu disse. "Por quê?"

"Só por curiosidade", respondeu.

A poucos metros de distância, a tempestade atingiu seu ápice, quando outra torrente despencou das nuvens. Escorria água por todos os lados da casa, formando pequenas cachoeiras. Relampejou novamente, desta vez mais perto, e os trovões retumbaram como canhões. Se a casa tivesse janelas, elas teriam batido nos caixilhos.

Savannah aproximou-se mais, e coloquei meu braço em torno dela. Ela cruzou as pernas nos tornozelos e recostou-se em mim. Eu poderia ficar a vida toda com ela em meus braços.

"Você é diferente da maioria dos caras que conheço", observou ela, sussurrando com intimidade em meu ouvido. "Mais maduro, menos... volúvel, eu acho."

Eu sorri, gostando do que ela dizia. "Não esqueça o corte de cabelo e as tatuagens."

"O cabelo, sim. As tatuagens... bem, elas fazem parte do pacote, mas ninguém é perfeito."

Apertei-a de leve e fingi estar ofendido. "Bem, se eu soubesse sua opinião, não teria feito nenhuma."

"Não acredito em você", disse ela, voltando atrás. "Mas, desculpe, não deveria ter dito isso. Na verdade, é o que penso sobre querer fazer uma tatuagem. Em você, no entanto, elas projetam uma certa... imagem, que eu acho muito adequada."

"Que imagem é essa?"

Ela apontou para as tatuagens, uma por uma, começando pelo ideograma chinês. "Esta me diz que você vive por suas próprias regras e nem sempre se importa com o que as pessoas pensam. A da infantaria mostra que você está orgulhoso do que faz. E o arame farpado... essa combina com sua personalidade quando você era mais jovem."

"Esse é bem o perfil psicológico. E eu aqui pensando que apenas tivesse gostado dos desenhos."

"Estou pensando em fazer uma especialização em psicologia."

"Acho que você já tem."

Embora o vento continuasse forte, a chuva finalmente começou a abrandar.

"Você já amou alguém?", ela perguntou, mudando de assunto repentinamente.

Fiquei surpreso. "Você me pegou desprevenido."

"Já me disseram que ser imprevisível aumenta o mistério em uma mulher."

"Com certeza. Mas, para responder sua pergunta, não sei."

"Como pode você não saber?"

Hesitei, tentando pensar no que dizer. "Namorei uma garota há alguns anos. Na época, sabia que estava apaixonado. Pelo menos, é o que dizia a mim mesmo. Agora, no entanto, quando penso... não tenho mais certeza. Importava-me com ela, gostava de ficar com ela, mas eu quase não pensava nela quando estávamos longe um do outro. Nós ficamos juntos, mas nunca fomos um casal, se isso faz algum sentido. Quando terminamos, não fiquei nem um pouco triste. Tudo continuou como de costume."

Ela considerou a minha resposta, mas não disse nada. Após alguns momentos, virei-me para ela. "E você? Já amou alguém?"

Seu rosto cobriu-se de sombras. "Não", disse ela.

"Mas você pensou que amava. Como eu, não é?" Ela respirou fundo e continuei a falar. "No meu pelotão, também tenho de usar um pouco de psicologia. E meus instintos dizem-me que havia um namorado sério no seu passado."

Ela sorriu, mas com um toque de tristeza. "Sabia que você ia descobrir", disse ela. em voz baixa. "Mas, para responder à sua pergunta: sim, houve. Durante meu primeiro ano na faculdade. E, sim, eu achava que o amava."

"Você tem certeza de que não o amava?"

Ela levou um longo tempo para responder. "Não", ela murmurou. "Não tenho."

Olhei para ela. "Você não tem que me contar."

"Tudo bem", disse ela, levando um dedo aos meus lábios, para me calar. "Mas é difícil. Tentei esquecer, e é algo que sequer contei aos meus pais. Ou a qualquer pessoa, aliás. É tão clichê, sabe? Garota do interior entra na faculdade e conhece veterano bonitão que é presidente da fraternidade. Ele é popular, rico e charmoso, e a caloura fica admirada ao perceber que ele pode se interessar por alguém como ela. Ele a faz se sentir especial, e ela sabe que outras calouras estão enciumadas, por isso começa de fato a se sentir especial. Ela concorda em ir para o baile de inverno e ficar com ele em um desses hotéis bacanas nos arredores da cidade, junto com outros casais. Mesmo tendo sido avisada de que o cara não é tão sensível como parece e que, na verdade, é do tipo que faz uma marca na madeira para cada mulher que já levou para cama."

Ela fechou os olhos, como se reunindo forças para continuar. "Ela vai contra o bom-senso de seus amigos e, embora não beba e ele lhe traga um refrigerante sem protestar, ela começa a ficar tonta mesmo assim, e ele se oferece para levá-la de volta ao quarto de hotel para que ela possa se deitar. No minuto seguinte, os dois estão na cama se beijando. Ela gosta no início, mas o quarto está girando muito rápido, e só muito mais tarde lhe vem à cabeça que talvez alguém – talvez ele – tenha colocado algo na bebida dela, e que fazer uma marca na madeira com o nome dela possa ter sido o objetivo dele o tempo todo."

Savannah falava cada vez mais rápido, despejando as palavras umas sobre as outras. "E então ele começa a apalpar os seios dela, rasga seu vestido e a calcinha também. Ele está em cima dela e é tão pesado que ela não consegue empurrá-lo, sentindo-se impotente; quer que ele pare, pois nunca fez aquilo antes, mas já está tão tonta que mal consegue falar nem pedir ajuda, e ele provavelmente teria conseguido o que queria se o outro casal hospedado no quarto não aparecesse de repente. Ela sai do quarto cambaleando e segurando o vestido, consegue chegar até o banheiro do *lobby* e fica lá chorando, até que chegam as outras meninas que viajaram com ela, veem o rímel borrado, o vestido rasgado, mas, em vez de serem solidárias, riem dela, como se ela devesse saber o que iria acontecer e acabou tendo o que mereceu. Por fim, ela telefona para um amigo que pula no carro e dirige até lá para buscá-la, e é inteligente o suficiente para não fazer nenhuma pergunta durante todo o caminho de volta."

Quando Savannah terminou, eu estava tenso de raiva. Não sou nenhum santo com as mulheres, mas nunca na vida cogitei forçar uma mulher a fazer o que ela não queira.

"Sinto muito", foi tudo o que consegui dizer.

"Você não tem que se desculpar. Você não fez nada."

"Eu sei. Mas não sei o que mais dizer. A não ser..." Mudei de tom, e ela se virou para mim, as lágrimas escorrendo pelo seu rosto, e o fato de ela chorar em silêncio me deu uma grande dor.

"A não ser o quê?"

"A menos que você queira... não sei. Que eu encha a cara dele de porrada."

Ela sorriu com tristeza. "Você não tem ideia de quantas vezes eu quis fazer exatamente isso."

"Eu faço", disse. "Só me dá um nome, eu prometo deixar você fora disso. Farei o que for preciso."

Ela apertou minha mão. "Sei que você faria."

"Estou falando sério", disse.

Ela deu um sorriso amarelo, parecendo ao mesmo tempo vivida e dolorosamente jovem. "É por isso que não vou dizer. Mas, acredite em mim, estou tocada. É muito doce da sua parte."

Gostei do modo como ela disse isso, e ficamos juntos, as mãos firmemente entrelaçadas. A chuva finalmente tinha parado, e eu ouvia de novo o som do rádio na casa vizinha. Eu não conhecia a música, mas sabia que era algo do início da era do jazz. Um dos caras do meu pelotão era fanático por jazz.

"De qualquer modo", ela prosseguiu, "foi isso que quis dizer quando contei que meu primeiro ano na faculdade não foi exatamente fácil. E foi o motivo de eu querer sair da faculdade. Meus pais, que Deus os abençoe, pensaram que eu estava com saudades de casa, e por isso me fizeram ficar. Mas... por pior que tenha sido, aprendi algo sobre mim mesma. Que eu pude passar por algo assim e sobreviver. Quer dizer, eu sei que poderia ter sido pior, muito pior, mas, para mim, era tudo que eu poderia aguentar na época. E aprendi com essa experiência."

Quando ela terminou, lembrei-me de algo que dissera. "Foi Tim quem trouxe você de volta do hotel naquela noite?"

Ela olhou assustada.

"Para quem mais você ligaria?", eu disse, à guisa de explicação.

Ela assentiu. "Sim, acho que você está certo. E ele foi ótimo. Até hoje ele nunca quis saber os detalhes, e eu também não contei. Mas, desde então, ele tem sido um pouco superprotetor, e não fico incomodada com isso."

Em silêncio, pensei na coragem que ela tivera, não só naquela noite, mas depois também. Se Savannah não me contasse, nunca teria suspeitado que algo ruim tivesse acontecido com ela. Fiquei maravilhado de conseguir manter sua visão otimista do mundo apesar do acontecido.

"Prometo ser um perfeito cavalheiro", disse eu.

Ela virou-se para mim. "Do que você está falando?"

"Hoje à noite. Amanhã à noite. Sempre. Não sou como aquele cara." Ela acariciou meu queixo e senti minha pele formigar com seu toque. "Eu sei", disse, com a voz alegre. "Por que você acha que estou aqui com você agora?"

A voz dela era tão suave, e de novo tive que reprimir o desejo de beijá-la. Não era o que ela precisava, não naquele momento, embora fosse difícil pensar em outra coisa.

"Você sabe o que Susan disse após a primeira noite? Quando você foi embora e eu me juntei ao grupo?"

Esperei.

"Ela disse que você era assustador. Como se você fosse a última pessoa do mundo com quem ela ficaria sozinha."

Sorri. "Já ouvi coisa pior", assegurei-lhe.

"Espera, deixa eu continuar. Lembro-me de ter pensado que ela não sabia do que estava falando, porque, quando você me deu minha bolsa na praia, vi honestidade, confiança e até mesmo alguma ternura, mas nada assustador. Sei que parece loucura, mas parecia que eu já conhecia você."

Virei-me, sem responder. Sob a iluminação da rua, via-se uma névoa desprender-se do chão, um resquício do calor do dia. Os grilos cantavam uns para os outros. Engoli, tentando aliviar a secura repentina na minha garganta. Olhei para Savannah, depois para o teto, então para os meus pés e por fim novamente para Savannah. Ela apertou minha mão, e soltei um suspiro maravilhado com o fato de, durante uma licença ordinária, em um lugar ordinário, eu ter me apaixonado por uma garota extraordinária chamada Savannah Lynn Curtis.

Ela notou minha expressão, mas entendeu errado. "Desculpe-me se deixei você incomodado", sussurrou. "Faço isso às vezes. Quer dizer, sou muito direta. Acabo deixando escapar o que estou pensando sem levar em conta como os outros vão interpretar."

"Você não me deixou incomodado", disse, virando o rosto dela para mim. "É que ninguém nunca disse nada parecido para mim antes."

Quase parei por aí, sabendo que, se me mantivesse calado, o momento iria passar, e eu escaparia sem demonstrar meus sentimentos.

"Você não tem ideia o quanto os últimos dias significaram para mim", comecei. "Conhecer você foi a melhor coisa que já aconteceu comigo." Hesitei, sabendo que, se parasse agora, nunca seria capaz de dizer a ninguém. "Eu amo você", sussurrei.

Sempre imaginei que seria difícil dizer essas palavras, mas não foi. Nunca tive tanta certeza em toda a minha vida. E, embora esperasse ouvir as mesmas palavras de Savannah, o que mais importava era saber que o amor era meu para dar, sem condições ou expectativas.

Lá fora, o ar esfriava, e as poças d'água brilhavam à luz do luar. As nuvens começaram a se dissipar e uma estrela ocasional brilhou entre elas, como para me lembrar do que eu acabara de admitir.

"Você já tinha imaginado algo assim?", ela perguntou em voz alta. "Você e eu, quero dizer?"

"Não", disse.

"Isso me assusta um pouco."

Meu estômago virou, e, de repente, tive certeza de que ela não sentia o mesmo que eu.

"Você não tem que dizer o mesmo para mim", comecei. "Não foi por isso que eu disse."

"Eu sei", ela interrompeu. "Você não entende. Não estou com medo por causa do que você disse. Fiquei assustada porque também quero dizer. Eu amo você, John."

Até hoje ainda não sei como aconteceu. Em um instante estávamos conversando, no seguinte, ela inclinou-se sobre mim. Por um segundo, quis saber se o beijo quebraria o feitiço que nos envolvia, mas já era tarde demais para parar. Quando os lábios dela tocaram os meus, soube que poderia viver cem anos e visitar o mundo todo e nada se compararia ao momento único em que beijei a mulher dos meus sonhos e soube que meu amor duraria para sempre.

• • • • • • •

Nove

Acabamos ficando na rua até tarde. Depois que saímos da casa, levei Savannah para a praia e caminhamos longamente pela areia até ela começar a bocejar. Acompanhei-a até a porta de casa e nos beijamos de novo enquanto mariposas rodeavam a luz da varanda.

Eu tinha passado o dia anterior pensando, mas nada se comparava à minha obsessão por ela no dia seguinte, embora os sentimentos fossem diferentes. Eu ria sem motivo, e até meu pai percebeu quando chegou do trabalho. Ele não comentou — e eu nem esperava, é claro — mas ele não pareceu surpreso quando dei dois tapinhas em suas costas ao saber que ele planejava fazer lasanha. Falei sem parar sobre Savannah e, depois de algumas horas, ele voltou para o escritório. Mesmo tendo falado pouco, acho que ele ficou feliz por mim e ainda mais satisfeito por minha disposição em dividir com ele. Tive certeza disso quando voltei para casa mais tarde naquela noite e encontrei um prato de biscoitos de manteiga de amendoim recém assados sobre o balcão, junto com um bilhete informando que havia bastante leite na geladeira.

Levei Savannah para tomar sorvete e depois fomos para a parte turística do centro de Wilmington. Passeamos pelas lojas, onde descobri que ela se interessava por antiguidades. Mais tarde, eu a levei para ver o navio de guerra, mas não demoramos muito. Savannah tinha razão: foi chato. Depois, levei-a para casa, onde sentamos em volta da fogueira com os colegas dela.

Nas duas noites seguintes, Savannah foi até minha casa. Meu pai cozinhou nas duas vezes. Na primeira, ela não fez nenhuma pergunta sobre moedas, e a conversa foi difícil. Na maior parte do tempo, meu pai só ouviu e, embora Savannah - sempre simpática - tentasse incluí-lo, a força do hábito nos levou a conversar entre nós enquanto ele se concentrava em seu prato. Quando saímos, tinha um ar intrigado. Mesmo que eu não quisesse acreditar, sabia que sua primeira impressão sobre meu pai havia mudado.

Surpreendentemente, ela pediu para voltar na noite seguinte, quando mais uma vez ela e meu pai foram para o escritório falar de moedas. Enquanto os observava, me perguntava o que Savannah achava daquela situação à qual eu já me acostumara. Ao mesmo tempo, rezei para que ela fosse mais compreensiva do que eu. Assim que saímos, percebi que não tinha com o que me preocupar. Enquanto voltávamos para a praia, ela falou de meu pai em termos elogiosos - sobretudo, o modo como ele me criara. Embora não soubesse o que dizer, suspirei de alívio por ela aparentemente aceitar meu pai do jeito que ele era.

No fim de semana, minha presença na casa de praia já era um fato costumeiro. A maioria das pessoas na casa sabia meu nome, apesar de demonstrarem pouco interesse por mim, esgotados pelo trabalho árduo do dia. Na quinta-feira, a maioria preferiu assistir à televisão lá pelas sete ou oito da noite, em vez de beber e paquerar na praia. Todos tinham a pele queimada e *band-aids* nos dedos para cobrir as bolhas.

No sábado à noite, as pessoas encontraram novas reservas de energia e cheguei no momento em que um grupo de rapazes descarregava caixa após caixa de cerveja da traseira de uma van. Ajudei a levá-las para cima e me dei conta de que, desde a primeira noite em que vi Savannah, não tinha tomado um gole de álcool. Como no fim de semana anterior, havia churrasco e comemos junto à fogueira; depois, fomos passear na praia. Eu tinha levado um cobertor e uma cesta de piquenique cheia de petiscos noturnos. Deitados de costas, vimos um show de estrelas cadentes, olhando com espanto os flashes de luz branca riscando o céu. Era uma daquelas noites perfeitas, com brisa suficiente para espantar o calor e não nos deixar com frio, e conversamos e nos beijamos por horas antes de adormecermos nos braços um do outro.

Quando o sol começou a nascer no mar, na manhã de domingo, sentei-me ao lado de Savannah. Seu rosto estava iluminado com o brilho da aurora, e seus cabelos espalharam-se sobre o cobertor. Ela tinha um braço sobre o peito e outro acima da cabeça, e eu só pensava como gostaria de acordar ao lado dela todas as manhãs pelo resto da minha vida.

Fomos à igreja no domingo, e Tim continuava o boa praça de sempre, apesar de mal termos trocado duas palavras durante toda a semana. Ele me perguntou de novo se eu gostaria de ajudar na casa. Disse-lhe que iria embora na sexta-feira seguinte, e que por isso não fazia ideia do quanto eu poderia ser útil.

"Acho que você está acabando com ele", Tim disse a Savannah, sorrindo.

Ele levantou as mãos. "Pelo menos você não pode dizer que não tentei."

Foi talvez a semana mais especial de toda minha vida. Meus sentimentos por Savannah só aumentavam, mas, com o passar do dia, comecei a sentir a ansiedade roendo por dentro, pensando que tudo terminaria em breve. Sempre que esses sentimentos se manifestavam, eu tentava afastá-los, mas na noite de domingo eu mal consegui dormir. Fiquei rolando na cama, pensando em Savannah e tentando imaginar como poderia ser feliz sabendo que ela estava do outro lado do oceano e rodeada por homens, e que um deles poderia sentir por ela exatamente o mesmo que eu.

* * *

Quando cheguei à casa na segunda-feira à noite, não encontrei Savannah. Pedi para alguém olhar no quarto dela, e verifiquei todos os banheiros da casa. Ela não estava no *deck* dos fundos, tampouco na praia com os outros.

Comecei a perguntar na praia, recebendo evasivas indiferentes. Algumas pessoas nem chegaram a perceber que ela tinha saído, até que finalmente uma das meninas — Sandy ou Cindy, não tenho certeza — apontou para um lado da praia e disse que tinha visto Savannah andando naquela direção há cerca de uma hora.

Demorei muito tempo para encontrá-la. Percorri a praia em ambos os sentidos e, por fim, concentrei-me no cais perto da casa. Por intuição, subi as escadas, ouvindo as ondas arrebentarem logo abaixo. Quando a avistei, imaginei que ela tivesse vindo ao cais para procurar por golfinhos ou assistir aos surfistas. Ela estava sentada com os joelhos dobrados, encostada em um poste, e só quando me aproximei percebi que ela chorava.

Nunca soube o que fazer diante de uma mulher chorando. Para ser franco, nunca soube o que fazer diante de qualquer pessoa chorando. Meu pai nunca chorou, pelo menos não na minha frente. E a última vez que eu chorei foi na terceira série, quando caí da casa da árvore e torci o pulso. No meu pelotão, vi alguns caras chorarem. Em geral, eu dava um tapinha nas costas e ia embora, deixando os porquês e o como-posso-te-ajudar para alguém com mais experiência.

Antes que eu pudesse decidir o que fazer, Savannah me viu. Ela rapidamente limpou os olhos vermelhos e inchados, respirou fundo algumas vezes. A bolsa que eu tinha resgatado do mar estava entre suas pernas.

"Você está bem?", perguntei.

"Não", ela respondeu, e meu coração ficou apertado.

"Quer ficar sozinha?"

Ela pensou. "Não sei", respondeu, finalmente.

Não sabendo mais o que fazer, fiquei onde eu estava.

Savannah suspirou. "Vou ficar bem."

Coloquei as mãos nos bolsos e assenti com a cabeça. "Você prefere ficar sozinha?", perguntei novamente.

"Eu realmente tenho que dizer?"

Eu hesitei. "Sim."

Ela deu uma risada melancólica. "Você pode ficar", disse. "Na verdade, seria bom se você se sentasse ao meu lado."

Sentei-me e após um breve período de indecisão a abracei. Por um tempo, ficamos assim sem dizer nada. Savannah puxava o ar lentamente, e sua respiração se normalizou. Ela enxugou as lágrimas que continuavam a escorrer pelo rosto.

"Comprei uma coisa para você", ela disse depois de um tempo. "Espero que você goste."

"Tenho certeza que sim", murmurei.

Ela fungou. "Você sabe no que eu estava pensando quando vim aqui?" Ela não esperou a resposta. "Estava pensando em nós", disse. "Em como nos conhecemos, como conversamos na primeira noite, como você fez questão de mostrar suas tatuagens e olhou feio para Randy. E sua cara de pateta na primeira vez em que fomos surfar, depois de eu pegar a primeira onda..."

Quando ela mudou de tom, apertei sua cintura. "Tenho certeza de que há um elogio aí no meio."

Ela tentou abrir um sorriso trêmulo, mas não foi muito bem sucedida. "Lembro-me de tudo, dos primeiros dias", disse. "E o mesmo vale para a semana inteira. Visitar seu pai, sair para tomar sorvete, até mesmo ver aquele barco estúpido."

"Nós não vamos voltar", prometi, mas ela levantou as mãos para me calar. "Você não vai me deixar acabar", disse ela. "E você está desviando o assunto. O fato é que amei cada momento, e não esperava por isso. Não vim aqui para isso, assim como não vim aqui para me apaixonar por você. Ou, de uma maneira diferente, por seu pai."

Arrasado, não disse nada.

Ela ajeitou uma mecha de cabelo atrás da orelha. "Acho seu pai fantástico. Ele fez um trabalho maravilhoso criando você e sei que você não, não..."

Quando ela pareceu ficar sem palavras, balancei a cabeça, perplexo. "E é por isso que você estava chorando? Por causa dos meus sentimentos pelo meu pai?"

"Não", disse ela. "Você não estava me ouvindo?"

Ela fez uma pausa, como se tentando organizar seus pensamentos caóticos. "Eu não queria me apaixonar por alguém", disse. "Não estava pronta para isso. Já passei por isso uma vez e depois foi um caos. Sei que é diferente, mas você vai embora em poucos dias e tudo estará terminado... e vai ser um caos de novo."

"Não tem que terminar", protestei.

"Mas vai", ela disse. "Sei que podemos escrever e telefonar de vez em quando, e nos ver quando vier para casa de licença. Mas não será a mesma coisa. Não vou ver suas caretas. Não vamos deitar juntos na praia olhando as estrelas. Não vamos sentar um de frente para o outro, conversar e contar segredos. Não vou sentir seu abraço, como agora."

Eu me virei, com uma sensação crescente de frustração e de pânico. Tudo o que ela dizia era verdade.

"Só me toquei hoje", ela prosseguiu, "enquanto estava na livraria. Fui comprar um livro para você e, quando o achei, fiquei imaginando qual seria sua reação ao recebê-lo. O fato é que eu sabia que iria te encontrar algumas horas mais tarde e ficaria sabendo sua reação, então tudo bem. Porque, mesmo se você ficasse chateado, eu sabia que poderíamos resolver as coisas, conversar cara a cara. Foi o que percebi sentada aqui. Quando estamos juntos, tudo é possível." Ela hesitou, mas continuou em seguida. "Muito em breve, isso não será mais possível. Desde que nos conhecemos, sei que você só ficaria aqui por duas semanas, mas não pensei que seria tão difícil dizer adeus."

"Eu não quero dizer adeus", reagi, virando o rosto dela para o meu, gentilmente.

Eu ouvia as ondas arrebentando contra as estacas abaixo de nós. Um bando de gaivotas nos sobrevoou. Inclinei-me para beijá-la, nossos lábios mal se roçaram. Seu hálito cheirava a canela e menta, e novamente pensei em voltar para casa.

Com a esperança de dissipar esses pensamentos sombrios, apertei-a levemente e apontei para a bolsa. "Então, que livro você comprou para mim?"

Ela pareceu confusa a princípio; então, lembrou-se de já ter mencionado o fato. "Sim, acho que já é o momento, não?"

Pelo tom de sua voz, entendi que ela não tinha comprado para mim o mais novo Hiaasen. Esperei e quando tentei olhá-la nos olhos, ela desviou o olhar.

"Se eu der a você", disse ela, com voz grave, "você tem que prometer que irá ler."

Eu não sabia com certeza como interpretar aquilo. "Claro", eu disse. "Prometo."

Ainda assim, ela hesitou. Em seguida, tirou o livro da bolsa e me entregou. Li o título. No início, não sabia o que pensar. Era um livro – na verdade, mais parecido com um livro acadêmico – sobre autismo e síndrome de Asperger. Eu já tinha ouvido falar das duas doenças e achava que sabia o mesmo que a maioria das pessoas, ou seja, não muito.

"É de uma professora minha", ela explicou. "Ela é a melhor professora que tive na faculdade. As aulas estão sempre lotadas, e os alunos que não conseguiram se matricular às vezes aparecem para falar com ela. Ela é uma das principais especialistas em todas as formas de transtornos de desenvolvimento, e uma das poucas que focou sua pesquisa em adultos."

"Fascinante", disse, sem me preocupar em esconder minha falta de entusiasmo.

"Acho que você pode aprender alguma coisa", ela insistiu.

"Tenho certeza", disse. "Parece que há um monte de informações aqui."

"É mais do que isso", ela disse, com a voz tranquila. "Quero que você leia por causa de seu pai. E do relacionamento de vocês."

Pela primeira vez, fiquei tenso. "O que uma coisa tem a ver com a outra?"

"Não sou especialista", ela disse, "mas este livro foi usado nos dois semestres em que tive aula com ela, e eu o estudava

todas as noites. Como mencionei, ela entrevistou mais de trezentos adultos com transtornos."

Retirei o braço. "E?"

Sabia que ela notara a tensão na minha voz, e ela me observou com um traço de apreensão.

"Sei que sou apenas uma estudante, mas passei muitas horas de laboratório trabalhando com crianças que têm Asperger... Vi como é de perto, e também tive a chance de conhecer uma série de adultos que foram entrevistados pela minha professora." Ela se ajoelhou na minha frente e tocou meu braço. "Seu pai é muito parecido com alguns deles."

Eu sabia aonde ela queria chegar, mas, por algum motivo, queria ouvir de sua boca. "O que isso quer dizer?", disse, me forçando a não me afastar.

A resposta dela demorou a chegar. "Acho que seu pai pode ter Asperger."

"Meu pai não é retardado..."

"Eu não disse isso", disse ela. "Asperger é um transtorno de desenvolvimento."

"Eu não me importo com o que é", disse, levantando a voz. "Meu pai não tem isso. Ele me criou, ele trabalha e paga suas contas. Ele foi casado."

"Você pode ter Asperger e viver normalmente..."

Enquanto Savannah falava, lembrei-me de algo que ela tinha dito anteriormente. "Espere", disse, tentando lembrar a expressão exata e sentindo minha boca secar. "Outro dia, você disse que achava maravilhoso como meu pai me criou."

"Sim", ela disse, "e quis dizer exatamente isso..."

Meu queixo trincou quando entendi o que ela realmente dissera e foi como se eu a visse pela primeira vez. "Mas é porque você acha que ele é como Rain Man. Considerando o problema, ele fez um bom trabalho."

"Não... você não entende. Há um espectro de Asperger, de leve a grave."

Eu mal ouvia. "E você o respeita pelo mesmo motivo. Mas não é como se você realmente gostasse dele."

"Não, espere."

Eu me afastei e fiquei em pé. Precisando repentinamente de espaço, caminhei até o parapeito oposto. Pensei em seus pedidos contínuos para visitar meu pai... não porque gostasse dele. Mas porque queria estudá-lo.

Com o estômago embrulhado, eu a confrontei. "Foi por isso que você foi até lá, não é?"

"O quê?"

"Não porque gostasse dele, mas porque queria ter certeza."

"Não."

"Pare de mentir!", gritei.

"Não estou mentindo!"

"Você estava lá com ele, fingindo interesse em suas moedas, mas, na verdade, você estava avaliando-o como a um macaco em sua jaula."

"Não foi assim!", ela disse, se levantando. "Eu respeito seu pai."

"Porque ele tem problemas e você vê ali um exemplo de superação", rosnei, terminando a frase dela. "Sim, eu entendo."

"Não, você está errado. Eu gosto do seu pai..."

"E por isso você fez sua experiência, certo?" Eu estava com a cara fechada. "Veja, eu devo ter me esquecido de que, quando gosta de alguém, você faz coisas desse tipo. É isso o que você está tentando dizer?"

Ela balançou a cabeça. "Não!" Pela primeira vez, ela parecia questionar o que fizera, e seus lábios começaram a tremer.

Quando ela falou de novo, tinha a voz trêmula. "Você está certo. Eu não deveria ter feito isso. Só queria que você o entendesse."

"Por quê?", indaguei, dando um passo na direção dela. Eu sentia meus músculos tensos. "Eu o entendo muito bem. Cresci com ele, lembra? Morei com ele."

"Eu estava tentando ajudar", disse ela, olhos baixos. "Só queria que você conseguisse se relacionar com ele."

"Não pedi sua ajuda. Não quero a sua ajuda. E por que você acha que isso é da sua conta, afinal?"

Ela se virou e enxugou uma lágrima. "Não é", ela disse, a voz era quase inaudível. "Achei que você gostaria de saber."

"Saber o quê?", eu questionava. "Que você acha que há algo errado com ele? Que eu não devo esperar ter um relacionamento normal com ele? Que eu tenho que falar sobre moedas se quiser conversar com ele?"

Não disfarcei a raiva na minha voz, e com o canto dos olhos vi dois pescadores se aproximando. Meu olhar os manteve à distância, o que provavelmente era uma boa coisa. Com meu olhar nos olhos de Savannah, não esperava por uma resposta, e francamente não queria ouvir qualquer uma. Ainda estava tentando passar por cima do fato de que as visitas a meu pai não tinham passado de um jogo.

"Talvez", ela sussurrou.

Pisquei, sem ter certeza de que ela tinha dito o que eu achava que ela tinha dito. "O quê?"

"Você me ouviu." Ela encolheu os ombros. "Talvez seja o único assunto sobre o qual seu pai vai conversar. Pode ser o máximo que ele consegue."

Cerrei os punhos. "Então, você quer dizer que depende de mim?"

Eu não esperava uma resposta, mas ela veio.

"Não sei", ela disse, olhando nos meus olhos. Eu ainda via as lágrimas, mas a voz dela estava surpreendentemente segura. "Por isso, comprei o livro. Para você ler. Como você mesmo disse, você conhece seu pai melhor do que eu. Nunca disse que ele é incapaz de levar uma vida normal, porque obviamente ele leva. Mas pense um pouco. A rotina imutável, o fato de ele não olhar para as pessoas quando fala com elas, suas relações sociais inexistentes..."

Virei-me com vontade de bater em alguma coisa. Qualquer coisa.

"Por que você está fazendo isso?", perguntei baixinho.

"Porque, se fosse eu, gostaria de saber. Não disse isso porque quero magoar você ou insultar seu pai. Disse porque queria que você o entendesse."

Sua franqueza tornou dolorosamente claro que ela acreditava no que estava dizendo. Mesmo assim, não me importei. Virei-me e comecei a andar. Só queria fugir. Dali, dela.

"Aonde você vai?", ela gritou. "John! Espere!"

Eu a ignorei. Acelerei o ritmo e um minuto depois cheguei às escadas. Desci até a areia e fui na direção da casa. Não tinha certeza se Savannah estava me seguindo e, ao me aproximar do grupo, todos os rostos se viraram para mim. Sabia que parecia irritado. Randy estava segurando uma cerveja, e ele deve ter visto Savannah se aproximar porque tentou bloquear o meu caminho. Dois outros caras de fraternidade fizeram o mesmo.

"O que está acontecendo?", ele gritou. "Qual o problema com Savannah?"

Eu o ignorei e senti que ele agarrou meu pulso. "Ei, estou falando com você."

Não foi uma atitude sábia. Eu sentia o cheiro de cerveja no hálito dele e sabia que o álcool lhe dera coragem.

"Solta", disse.

"Ela está bem?", ele perguntou.

"Solta", disse de novo, "ou vou quebrar seu pulso."

"Ei, o que está acontecendo?", ouvi Tim dizer atrás de mim.

"O que você fez com ela?", Randy perguntava. "Por que ela está chorando? Você tentou machucá-la?"

Eu sentia a adrenalina em minha corrente sanguínea. "Última chance", avisei.

"Não há nenhum motivo para isso!", Tim gritou, agora mais perto. "Relaxem, caras! Parem com isso!"

Senti alguém tentar me agarrar por trás. O que aconteceu em seguida foi instintivo, em uma questão de segundos. Dei um golpe com o cotovelo contra o plexo solar e ouvi um gemido repentino; agarrei e torci a mão de Randy rapidamente até o ponto de fratura. Ele gritou e caiu de joelhos, e naquele instante percebi alguém correndo em minha direção. Girei o cotovelo sem olhar e senti o baque; ouvi cartilagem quebrar quando me virei, pronto para quem viesse a seguir.

"O que você fez?", Savannah gritou. Ela deve ter vindo correndo quando viu o que estava acontecendo.

Na areia, Randy tremia segurando o pulso, o cara que me agarrou por trás estava ofegante e de quatro.

"Você o machucou", ela choramingava quando passou por mim. "Ele só estava tentando apartar a briga!"

Virei-me. Tim estava jogado no chão com as mãos no rosto, e o sangue escorria entre seus dedos. A visão paralisara a todos, exceto Savannah, que caiu de joelhos ao lado dele.

Tim gemeu e, apesar do coração acelerado no peito, senti um buraco no estômago. Por que tinha de ser ele? Queria perguntar se ele estava bem; queria dizer que não tinha a intenção de machucá-lo e que não foi culpa minha. Eu não tinha começado. Mas isso não importava. Não agora. Eu não podia fingir que eles iriam perdoar e esquecer, não importa o quanto eu desejasse isso.

Eu mal podia ouvir Savannah se lamentando quando eu comecei a me afastar. Olhei os outros com cuidado, certificando-me de que eles me deixariam sair, não querendo ferir ninguém.

"Minha nossa... Oh, não. Você está sangrando muito... Temos que levar você para o hospital..."

Continuei a me afastar, então virei-me e subi a escada. Atravessei a casa rapidamente e cheguei ao meu carro. Antes que me desse conta, estava na rua, amaldiçoando a mim e àquela noite.

• • • • • • •

Dez

Eu não sabia para onde ir. Então, dirigi sem rumo por um tempo, os acontecimentos da noite se repetindo na minha cabeça. Ainda estava com raiva de mim e do que tinha feito a Tim – mas não aos outros, admito – e com raiva de Savannah pelo que acontecera no cais.

Eu mal conseguia lembrar como tudo tinha começado. Em um minuto eu achava que a amava mais do que é possível; no minuto seguinte, estávamos brigando. Estava indignado com seus subterfúgios; ainda assim, não entendia por que sentia tanta raiva. Não que meu pai e eu fôssemos próximos; nem que eu pensasse conhecê-lo de verdade. Então, por que tinha ficado tão irritado? E por que ainda estava tão irritado?

Porque, disse uma vozinha dentro de mim, há uma chance de ela ter razão.

No entanto, não importa. Se ele era ou não era, e daí? Como isso vai mudar alguma coisa? E por que isso seria da conta dela?

Enquanto dirigia, passava da raiva à aceitação e à raiva novamente. Revivi a sensação de esmagar o nariz de Tim com meu cotovelo, o que só piorou a situação. Por que ele veio para cima de mim? Por que não foi para cima deles? Não fui eu quem começou.

E Savannah... sim, eu poderia ir até lá amanhã e me desculpar. Sabia que ela sinceramente acreditava no que dissera e, do jeito dela, estava tentando ajudar. E talvez, se ela estivesse certa, eu gostaria de saber. Isso explicaria muitas coisas...

Mas depois do que fiz com Tim? Como ela iria reagir a isso? Ele era o melhor amigo dela e, mesmo que eu jurasse ter sido um acidente, faria diferença? E o que eu tinha feito aos outros? Ela sabia que eu era um soldado, mas agora que vira uma parte do que isso significava, ainda sentiria o mesmo por mim?

Quando finalmente cheguei em casa, já era meia-noite. Entrei às escuras, dei uma olhada no escritório do meu pai e fui para o quarto. Naturalmente, ele não estava de pé. Tinha ido para a cama no horário de sempre. Um homem de rotina, como eu sabia e Savannah ressaltara.

Deitei-me na cama, sabendo que não iria dormir e desejando que aquela noite recomeçasse do zero. Pelo menos a partir do momento em que ela havia me dado o livro. Não queria pensar em mais nada. Não queria pensar no meu pai, em Savannah ou no nariz do Tim. Mas passei a noite toda olhando para o teto, incapaz de escapar dos meus pensamentos.

* * *

Levantei-me quando ouvi meu pai na cozinha. Eu usava a mesma roupa da noite anterior, mas duvido que ele tivesse percebido.

"Bom dia, pai", murmurei.

"Ei John," ele disse. "Quer café da manhã?"

"Claro", disse. "O café está pronto?"

"No bule."

Servi uma xícara. Enquanto meu pai cozinhava, olhei as manchetes do jornal, sabendo que ele começaria a leitura pelo primeiro caderno e depois passaria para a seção de cidades. Ele ignoraria os cadernos de esportes e estilo de vida. Um homem de rotina.

"Como foi sua noite?", perguntei.

"O mesmo de sempre", disse ele. Não fiquei surpreso por ele não devolver a pergunta. Em vez disso, mexeu os ovos com a espátula. O *bacon* já estava fritando. Em um determinado momento, ele se virou para mim e eu sabia qual seria sua pergunta.

"Você se importaria de colocar um pouco de pão na torradeira?"

* * *

Meu pai saiu para o trabalho exatamente às 7h35.

Depois que ele saiu, corri os olhos pelo jornal, nem um pouco interessado nas notícias, sem saber o que faria a seguir. Não tinha vontade de surfar, nem mesmo de sair de casa, e ponderei se eu deveria voltar para a cama para tentar descansar um pouco quando ouvi um carro parar na frente da minha casa. Achei que poderia ser alguém entregando panfletos e oferecendo-se para limpar as calhas ou lavar o mofo do telhado, e fiquei surpreso ao ouvir uma batida na porta.

Congelei ao atender, fui apanhado completamente desprevenido. Tim mudou o peso de um pé para o outro. "Oi, John," ele disse. "Sei que é cedo, mas você se importa se eu entrar?"

Seu nariz estava coberto como uma larga faixa de esparadrapo, e a pele em volta dos olhos dele estava escura e inchada.

"Não... claro", eu disse dando passagem e tentando processar o fato de ele estar ali.

Tim passou por mim e entrou na sala. "Quase não consegui encontrar sua casa", disse ele. "Quando te trouxe da outra vez, era tarde e eu não estava prestando muita atenção. Passei por aqui umas duas vezes até reconhecer a casa."

Ele sorriu novamente, e percebi que trazia um pequeno saco de papel.

"Quer café?", perguntei, saindo do choque. "Acho que ainda há o suficiente para uma xícara no bule."

"Não, obrigado. Passei a maior parte da noite acordado e prefiro não tomar cafeína. Espero deitar um pouco quando voltar para casa."

Assenti. "Ei, escute... sobre o que aconteceu na noite passada", comecei o assunto. "Desculpe. Eu não tinha a intenção..."

Ele gesticulou dando a entender que eu não precisava falar nada. "Está tudo bem. Sei que você não tinha intenção. Eu devia ter imaginado. Deveria ter tentado agarrar um dos outros caras."

Examinei o rosto dele. "Está doendo?"

"Está tudo bem", disse ele. "Foi só uma daquelas noites no pronto-socorro. Demorou um pouco para o médico me atender, e ele quis chamar outra pessoa para arrumar meu nariz. Mas jurou que vai ficar bonito como antes. Pode ser que sobre uma pequena saliência, mas espero que isso me faça parecer mais durão."

Sorri, e me senti mal por ter sorrido. "Como eu disse, me desculpe."

"Aceito seu pedido de desculpas", disse ele. "E fico feliz por isso. Mas essa não foi a razão que me trouxe aqui." Ele apontou para o sofá. "Você se importa se eu me sentar? Ainda estou um pouco tonto."

Sentei-me na beirada da poltrona inclinado para a frente, apoiando os cotovelos nos joelhos. Tim sentou no sofá, com dificuldades para se acomodar. Colocou de lado o saco de papel.

"Quero falar com você sobre Savannah", disse. "E sobre o que aconteceu ontem à noite."

O som do nome dela trouxe tudo de volta, e desviei o olhar.

"Você sabe que nós somos bons amigos, certo?" Ele não esperou a resposta. "Na noite passada, no hospital, conversamos por horas, e quis vir aqui pedir que você não fique zangado com ela por causa do que ela fez. Ela sabe que cometeu um erro e não era o papel dela diagnosticar o seu pai.Você tinha razão sobre isso."

"Por que, então, ela não veio?"

"Neste momento, ela está na construção. Alguém tem de ficar no comando enquanto me recupero. E ela também não sabe que estou aqui."

Balancei a cabeça. "Em primeiro lugar, não sei por que fiquei tão louco."

"Porque você não queria ouvir", disse ele, com a voz calma. "Eu me sentia do mesmo jeito quando ouvia alguém falar sobre meu irmão, Alan. Ele é autista."

Levantei o rosto. "Alan é seu irmão?"

"Sim, por quê?", perguntou ele. "Savannah falou sobre ele?"

"Um pouco", respondi, lembrando que, mais do que sobre Alan, ela falara sobre o irmão que fora tão paciente com ele e a inspirara a estudar educação especial.

No sofá, Tim estremeceu ao tocar o ferimento sob o olho. "Queria que você soubesse", ele prosseguiu, "que concordo com você. Não era papel dela, e eu disse isso a ela. Você se lembra de quando falei que às vezes ela é ingênua? Foi isso que eu quis dizer. Ela quer ajudar as pessoas, mas, às vezes, não soa dessa maneira."

"Não foi só ela", disse. "Fui eu também. Como disse, eu exagerei na reação."

Havia firmeza no olhar dele. "Você acha que ela pode estar certa?"

Uni as mãos. "Não sei. Não acho, mas..."

"Mas você não tem certeza. E se ela estiver certa, você não sabe se isso importa, certo?"

Ele não esperou a resposta. "Passei por isso", Tim disse. "Lembro-me do que eu e meus pais passamos com Alan. Durante muito tempo, não sabíamos o que havia de errado com ele, se é que alguma coisa estava errada. E você sabe o que eu decidi depois de todo esse tempo? Que não importa. Eu ainda o amo, cuido dele e sempre cuidarei. Mas... saber mais sobre o transtorno ajudou a melhorar as coisas entre nós. Depois que soube... acho que parei de esperar que ele se comportasse de determinada maneira. Sem expectativas, foi mais fácil aceitá-lo."

Eu digeri aquilo. "E se ele não tiver síndrome de Asperger?", perguntei.

"Pode ser."

"E se eu achar que ele tem?"

Ele suspirou. "Não é tão simples, especialmente em casos mais leves", Tim respondeu. "Não é como se você pudesse fazer um exame de sangue e saber. Vai chegar um ponto em que você vai achar que é o mais provável, e acabou aí. Mas você nunca saberá com certeza. Segundo o que Savannah me contou sobre seu pai, sinceramente, não acho que muita coisa vá mudar. E por que deveria? Ele trabalha, ele criou você... o que mais você poderia esperar de um pai?"

Pensava sobre isso enquanto imagens do meu pai passavam pela minha cabeça.

"Savannah comprou um livro para você", disse ele.

"Não sei onde está", admiti.

"Está comigo", disse ele. "Trouxe-o de casa." Ele me entregou o saco de papel. De alguma forma, o livro parecia mais pesado do que na noite anterior.

"Obrigado."

Ele se levantou, e eu sabia que a conversa tinha chegado ao fim. Ele foi até a porta e virou-se para mim já com a mão na maçaneta.

"Você sabe que não é obrigado a lê-lo", disse.

"Eu sei."

Ele abriu a porta, depois parou. Sabia que queria dizer mais alguma coisa, mas, surpreendentemente, não se virou. "Você se importaria se eu pedisse um favor?"

"Vá em frente."

"Não magoe Savannah, ok? Eu sei que ela te ama, e só quero que ela seja feliz."

Soube, então, que estava certo quanto aos sentimentos dele por Savannah. Pela janela, observei enquanto ele caminhava até o carro, certo de que ele também estava apaixonado por ela.

* * *

Coloquei o livro de lado e fui caminhar; quando voltei para casa, evitei-o novamente. Não sei dizer por que agi assim, exceto que me sentia estranhamente assustado.

Após algumas horas, porém, obriguei-me a afastar tal sentimento e passei o resto da tarde absorvendo o conteúdo daquele livro e revivendo as lembranças de meu pai.

Tim tinha razão. Não houve nenhum diagnóstico exato, não havia regras simples e claras, não havia jeito de eu ter certeza. Algumas pessoas com Asperger tinham QI baixo, enquanto outras, inclusive com autismo mais severo – como o personagem de Dustin Hoffman em "Rain Man" –, eram consideradas gênios em assuntos específicos. Alguns conseguiam viver tão bem em sociedade que ninguém jamais saberia de sua condição; outros tinham de ser internados. Li perfis de pessoas com Asperger que foram prodígios na música ou na matemática, mas aprendi que eram raras entre a população em geral. Mais importante ainda, descobri que, quando meu pai era criança, pouquíssimos médicos compreendiam as características ou os sintomas da doença, e os pais dele nunca saberiam se havia algo errado. O mais comum era as crianças com Asperger ou autismo serem classificadas como retardadas ou tímidas. Caso elas não fossem internadas, o único conforto dos pais era a esperança de que com o tempo aquilo passaria. A diferença entre Asperger e autismo pode ser resumida do seguinte modo: uma pessoa com autismo vive em seu próprio mundo, enquanto uma pessoa com Asperger vive no nosso mundo, do modo que ela escolheu.

Por esse critério, seria possível dizer que a maioria das pessoas tinha Asperger.

Mas havia alguns indícios em meu pai sobre os quais Savannah tinha razão. A rotina imutável, a inaptidão social, a falta de interesse em outros temas além de moedas, o desejo de ficar sozinho, tudo isso parecia uma série de caprichos comuns a qualquer pessoa, mas com meu pai era diferente. Enquanto os outros podiam fazer essas escolhas livremente, meu pai, como algumas pessoas com Asperger, parecia forçado a viver essa vida com opções pré-determinadas. No mínimo, descobri que isso poderia explicar o comportamento do meu pai e, nesse caso, não era que ele não quisesse mudar, mas sim, que não podia mudar. Mesmo com toda a implícita incerteza, considerei essa descoberta reconfortante. E percebi que isso poderia explicar duas questões sobre minha mãe que sempre me perseguiram: o que ela tinha visto nele? E por que ela o deixou?

Sabia que jamais descobriria e não tinha intenção de me aprofundar mais. No entanto, com a imaginação fervilhando em uma casa tranquila, pude ver um rapaz tímido que puxou conversa sobre sua rara coleção de moedas com uma garçonete pobre e jovem durante o jantar, uma mulher que passara suas noites deitada na cama e sonhando com uma vida melhor. Talvez ela tenha se insinuado para ele, talvez não; mas ele sentiu-se atraído por ela e continuou a aparecer no restaurante. Ao longo do tempo, ela pôde perceber a gentileza e a paciência que ele demonstrou na minha criação. Possivelmente, ela interpretou aquela natureza calma com precisão e soube que ele nunca se irritaria e jamais seria violento. Mesmo sem amor, era o bastante, então ela concordou em se casar, pensando que iria vender as moedas e viver, se não feliz para sempre, pelo menos confortável para sempre. Ela ficou grávida e, posteriormente, quando descobriu que ele não podia sequer imaginar vender as moedas, percebeu que estava presa a um marido que não se interessava por nada do que ela fazia. Talvez a solidão tenha acabado com o que havia de bom nela, ou talvez ela fosse apenas egoísta. De qualquer forma, ela queria por um fim naquilo. Depois que o bebê nasceu, ela agarrou a primeira oportunidade e foi embora.

Ou talvez não, pensei.

Duvidava de que jamais soubesse a verdade, e realmente não me importava. Preocupava-me, entretanto, com meu pai. Se ele sofria com algum dano cerebral, compreendi de repente que ele criou um conjunto de regras para a vida, regras que o ajudaram a se encaixar no mundo. Talvez ele não fosse completamente normal, mas, ainda assim, encontrara um modo de ajudar a me tornar o homem que sou. E que, para mim, foi mais que suficiente.

Ele era meu pai e tinha feito o seu melhor. Sabia disso agora. Quando finalmente fechei o livro e coloquei-o de lado, fiquei olhando pela janela, pensando como tinha orgulho dele e tentando engolir o nó que se formara na minha garganta.

* * *

Quando voltou do trabalho, meu pai mudou de roupa e foi até a cozinha para começar a fazer espaguete. Estudei-o enquanto ele se movia pela cozinha, consciente de estar fazendo exatamente o que eu condenara com tanta ira em Savannah. É estranho como o conhecimento muda nossa percepção.

Notei a precisão de seus movimentos, a maneira como ele abriu ordenadamente a caixa de macarrão antes de separá-la, o jeito que ele trabalhava com a espátula em ângulos retos quando tostava a carne. Sabia que ele adicionaria sal e pimenta, o que aconteceu um momento depois. Sabia que ele abriria a lata de molho logo em seguida, e acertei novamente. Como de costume, ele não perguntou sobre o meu dia, preferindo trabalhar em silêncio. Ontem, eu atribuía isso ao fato de sermos como estranhos; hoje, entendi que havia a possibilidade de o sermos para sempre. Mas, pela primeira vez na minha vida, isso não me incomodou.

Durante o jantar, perguntei sobre o dia dele, sabendo que não haveria resposta. Contei a ele sobre Savannah e como tinha sido o tempo que passamos juntos. Depois, ajudei-o com os pratos, continuando meu monólogo. Quando acabamos, ele pegou o pano novamente. Limpou o balcão pela segunda vez, depois girou os frascos de sal e pimenta, até colocá-los exatamente na mesma posição em que estavam quando ele chegara em casa. Tive a sensação de que ele queria participar da conversação e não sabia como, mas suponho que eu estava tentando me sentir melhor. Não importava. Sabia que ele estava pronto para retirar-se para o escritório.

"Ei pai", eu disse. "Que tal me mostrar algumas das moedas que você comprou recentemente? Quero saber tudo sobre elas."

Ele olhou para mim duvidando ter ouvido direito, depois olhou para o chão. Passou os dedos entre os cabelos raros, e notei uma careca cada vez maior bem no topo da cabeça. Quando olhou para mim novamente, ele parecia quase assustado.

"Ok", disse finalmente.

Caminhamos juntos para o escritório e, quando ele colocou gentilmente a mão nas minhas costas, só conseguia pensar que não me sentira assim tão próximo a ele em muitos anos.

• • • • • • •

ONZE

Na noite seguinte, no cais, eu admirava o luar prateado brincando com as ondas e me perguntava se Savannah iria aparecer. Na noite anterior, depois de passar horas examinando moedas com meu pai e curtindo a emoção com que ele as descrevia, eu fui até a praia. Ao meu lado, no banco do carro, o bilhete que eu escrevera para Savannah, pedindo que ela me encontrasse aqui. Deixara o bilhete em um envelope fechado no carro de Tim. Sabia que ele o entregaria sem abri-lo, não importa o quanto quisesse fazê-lo. Apesar de conhecê-lo há pouco tempo, já acreditava que Tim, a exemplo de meu pai, era um homem muito melhor do que eu jamais viria a ser.

Era a única coisa que eu podia fazer. Sabia que não era bem-vindo na casa da praia, e também não queria ver Randy, Susan, ou qualquer um dos outros, o que tornara o contato com Savannah impossível. Ela não tinha celular, e eu não sabia o número de telefone na casa de praia. Assim, o bilhete era minha única opção.

Eu estava errado. Exagerei e sabia disso. Não só com ela, mas também com os outros na praia. Deveria simplesmente ter ido embora. Mesmo levantando pesos e considerando-se verdadeiros atletas, Randy e seus amigos não tinham qualquer chance contra alguém treinado para desarmar pessoas de forma rápida e eficiente. Se tivesse acontecido na Alemanha, eu poderia ter sido preso pelo que fizera. O Estado não aprecia quem usa as habilidades adquiridas em treinamentos governamentais para fins não aprovados pelo Governo.

Então tinha deixado o bilhete, e passado o dia todo checando as horas, perguntando-me se ela apareceria. A hora chegou e passou e fiquei olhando compulsivamente para os lados até suspirar de alívio quando avistei uma figura a distância. Pelo modo como se movia, soube que tinha de ser Savannah. Debrucei-me no parapeito enquanto a esperava.

Ao me ver, ela desacelerou o passo até parar perto de mim. Nada de abraço, nenhum beijo – a formalidade repentina doeu-me por dentro.

"Recebi o bilhete", disse ela.

"Estou contente que você tenha vindo."

"Tive de sair escondida para que ninguém soubesse que você estava aqui", disse. "Ouvi algumas pessoas falando o que fariam se você aparecesse de novo."

"Sinto muito", disparei, sem preâmbulo. "Sei que você estava apenas tentando ajudar, e acabei indo para o caminho errado."

"E?"

"E desculpe-me pelo que fiz a Tim. Ele é um cara maravilhoso, eu deveria ter tido mais cuidado."

Ela não piscava. "E?"

Cruzei os pés, sabendo que não seria sincero no que estava prestes a dizer, mas que ela queria ouvir de qualquer maneira. Suspirei. "E Randy e o outro rapaz, também."

Ainda assim, ela continuava a olhar fixamente. "E?"

Fiquei perplexo. Procurei minha mente antes de encontrar os olhos dela. "E...", perdi a voz.

"E o quê?"

"E..." Tentei, mas não consegui dizer nada. "Não sei", confessei. "Mas, seja o que for, sinto muito por isso também."

Ela tinha uma expressão curiosa. "É isso?"

Eu pensei a respeito. "Não sei o que dizer", admiti.

Meio segundo depois, observei um pequeno indício de sorriso. Ela se aproximou de mim. "É isso?", ela repetiu, a voz mais suave. Fiquei calado. Ela se aproximou e, surpreendendo-me, passou os braços em volta do meu pescoço.

"Você não tem que pedir desculpas", ela sussurrou. "Não há nenhuma razão para se arrepender. Eu provavelmente teria reagido da mesma maneira."

"Então por que a inquisição?"

"Porque", ela disse, "assim eu soube que estava certa sobre você desde o início. Sabia que você tinha um bom coração."

"O que você está falando?"

"Só o que eu disse", ela respondeu. "Mais tarde – depois daquela noite, quero dizer – Tim me convenceu de que eu não tinha o direito de fazer o que fiz. Você estava certo. Eu não tenho capacidade de fazer qualquer tipo de avaliação profissional, mas fui arrogante o suficiente para pensar que tinha. Quanto ao que aconteceu na praia, eu vi a coisa toda. Não foi sua culpa. Mesmo o que aconteceu com Tim não foi sua culpa, mas foi bom ouvir suas desculpas mesmo assim. Só por saber que você pode repetir isso no futuro."

Ela se recostou em mim. Fechei os olhos e soube que o que eu mais queria era abraçá-la daquele jeito para sempre.

* * *

Mais tarde, depois de passarmos boa parte da noite conversando e nos beijando na praia, acariciei o rosto dela e sussurrei: "Obrigado."

"Por quê?"

"Por causa do livro. Entendo meu pai um pouco melhor agora. Passamos horas muito boas ontem à noite."

"Fico feliz."

"E obrigado por ser quem você é."

Ela franziu a testa e beijei sua cabeça. "Se não fosse por você", acrescentei, "eu não poderia dizer isso sobre meu pai. Você não sabe o quanto isso significa para mim."

* * *

Embora ela devesse ir trabalhar no dia seguinte, Tim foi compreensivo quando ela explicou que seria a última oportunidade de nos vermos antes de eu voltar para a Alemanha. Quando fui buscá-la, ele desceu a escada da casa e ficou de cócoras ao lado do carro, seu rosto no nível da janela. Os hematomas tinham virado manchas negras. Tim enfiou a mão pela janela.

"Foi um prazer conhecê-lo, John."

"O prazer foi meu", eu disse, sendo verdadeiro.

"Se cuide, ok?"

"Vou tentar", respondi, enquanto apertava a mão dele, intrigado com a estranha sensação de que um dia o veria outra vez.

Savannah e eu passamos a manhã no Aquário Fort Fisher, enfeitiçados pelas estranhas criaturas exibidas lá. Vimos peixes-agulha com seu nariz longo e cavalos-marinhos miniaturas; no maior tanque, havia tubarões-enfermeiros e salmonetes. Rimos quando brincamos com os caranguejos--ermitões; Savannah comprou-me um chaveiro de presente na loja de souvenires. Por alguma estranha razão, tinha um pinguim no chaveiro, o que a divertiu imensamente.

Depois do passeio, levei-a até um restaurante ensolarado perto da praia, e ficamos de mãos dadas sobre a mesa assistindo aos veleiros deslizarem suavemente no mar. Enfeitiçados um com o outro, mal percebemos o garçom, que teve de ir três vezes até a mesa antes mesmo de abrirmos o *menu*.

Fiquei maravilhado com o jeito aberto de Savannah demonstrar suas emoções e a ternura na expressão dela enquanto eu falava sobre meu pai. Quando ela me beijou mais tarde, provei a doçura de seu hálito. Peguei sua mão.

"Vou me casar com você um dia, sabe."

"Isso é uma promessa?"

"Se você quer que seja."

"Bem, então você tem que prometer que vai voltar para mim quando sair do Exército. Não posso me casar com você se não estiver por aqui."

"Fechado."

Mais tarde, demos uma volta pelo terreno da fazenda Oswald, uma casa do período anterior à Guerra Civil belamente restaurada que ostentava alguns dos mais belos jardins no Estado. Passeamos pelos caminhos de cascalho, contornando cachos de flores silvestres de milhares de cores diferentes que floresceram ao calor preguiçoso do Sul.

"A que horas você pega o avião amanhã?", ela perguntou. O sol iniciava sua descida gradual em um céu sem nuvens.

"Cedo", eu disse. "Provavelmente, estarei no aeroporto antes de você acordar."

Ela concordou. "E você vai passar a noite com seu pai hoje, certo?"

"Estava planejando fazer isso. Acho que não passei tanto tempo com ele quanto deveria, mas tenho certeza de que ele vai entender."

Ela balançou a cabeça para me deter. "Não, não mude seus planos. Quero que você fique com seu pai. Esperava que você fizesse isso. Por isso estou aqui com você hoje."

Percorremos um corredor todo ladeado de arbustos. "Então, que você quer fazer?", perguntei. "A nosso respeito, quero dizer."

"Não vai ser fácil", disse ela.

"Sei que não vai", respondi. "Mas não quero que termine." Detive-me, sabendo que palavras não seriam o suficiente. Então abracei-a por trás e puxei seu corpo para junto ao meu. Beijei seu pescoço, sua orelha, saboreando a pele aveludada. "Vou ligar o máximo que puder, escrever sempre que puder e vou ter outra licença no ano que vem. Onde quer que você esteja, é para lá que eu vou."

Ela inclinou-se para trás, tentando vislumbrar meu rosto. "Você vai?"

Apertei-a. "Claro. Quer dizer, não estou feliz em deixar você, e desejo mais do que qualquer coisa servir em um lugar perto daqui, mas isso é tudo que posso prometer agora. Posso pedir transferência assim que voltar, e é isso que farei, mas nunca se sabe como essas coisas vão acontecer."

"Eu sei", ela murmurou. Por alguma razão, sua expressão solene me deixou nervoso.

"Você vai me escrever?", perguntei.

"Bobo", brincou, e meu nervosismo desapareceu. "Claro que vou", disse, sorrindo. "Você não precisava nem pedir! Vou escrever o tempo todo. E só para você saber, eu escrevo as cartas mais incríveis."

"Não duvido."

"Estou falando sério", disse ela. "Na minha família, é o que fazemos em absolutamente todos os feriados. Escrevemos cartas para as pessoas de quem gostamos muito. Dizemos o que eles significam para nós e o quanto esperamos o momento de revê-los."

Beijei o pescoço dela novamente. "Então, o que eu significo para você? E o quanto você está ansiosa em me rever?"

Ela inclinou-se para trás. "Você terá que ler minhas cartas."

Eu ri, mas senti meu coração partido. "Vou sentir saudades", disse.

"Também vou sentir saudades."

"Você não parece muito triste com isso."

"É porque já chorei por causa disso, lembra? Além do mais, não é que eu nunca mais vá ver você. Finalmente percebi isso. Sim, vai ser difícil, mas o tempo passa rápido: vamos nos reencontrar, eu sei. Eu sinto. Assim como sinto o quanto você se importa comigo e o quanto eu te amo. Sinto no meu coração que não acabou, e que vamos superar isso. Muitos casais conseguem. E os que não conseguem é porque não têm o que nós temos."

Eu queria acreditar nela. Queria mais do que qualquer coisa, mas me perguntava se era realmente tão simples.

Quando o sol desapareceu no horizonte, nós voltamos para o carro, e eu a levei para a casa de praia. Parei um pouco afastado, na rua, para que ninguém na casa nos visse. Saímos do carro e eu a abracei. Nós nos beijamos e eu a abracei mais forte, sabendo com certeza que o ano à nossa frente seria o mais longo da minha vida. Desejei ardentemente nunca ter me alistado, ser um homem livre. Mas eu não era.

"Acho que está na hora de ir."

Ela assentiu com a cabeça, começando a chorar. Senti um nó formar-se em meu peito.

"Vou escrever para você", prometi.

"Tá", ela respondeu. Enxugou as lágrimas e enfiou a mão na bolsa. Tirou uma caneta e um pedaço pequeno de papel e escreveu alguma coisa. "Este é o meu endereço e o meu telefone ok? E meu endereço de e-mail, também."

Assenti.

"Lembre-se de que vou mudar de alojamento no ano que vem, mas, assim que tiver o novo endereço, passo para você. E você sempre pode entrar em contato comigo no endereço dos meus pais. Eles vão entregar todas as suas cartas."

"Eu sei", disse. "Você ainda tem os meus dados, certo? Mesmo se for enviado em missão para algum lugar, as cartas chegam até mim. E-mails também. O Exército é muito bom em acessar computadores, mesmo no meio do nada."

Ela cruzou os braços como uma criança abandonada. "Isso me assusta", ela disse. "Quero dizer, você ser um soldado."

"Eu vou ficar bem", tranquilizei-a.

Abri a porta do carro. Guardei o papel em que ela escrevera na minha carteira, e depois abri os braços novamente. Ela veio até mim e abracei-a longamente, memorizando a sensação do corpo dela junto ao meu.

Desta vez, foi ela que se afastou. Ela enfiou a mão na bolsa novamente e tirou um envelope.

"Escrevi isto para você na noite passada. Para lhe dar algo para ler no avião. Não vá ler antes, hein?"

Concordei e beijei-a pela última vez. Em seguida, entrei no carro, no banco do motorista. Dei a partida e, quando começava a me afastar, ela gritou: "Diga olá para o seu pai. Diga a ele que talvez eu dê uma passada por lá nas próximas semanas, ok?"

Ela deu um passo para trás quando o carro começou a andar. Eu ainda a via pelo espelho retrovisor. Pensei em parar. Meu pai ia entender. Ele sabia o quanto Savannah significava para mim, e ele gostaria que tivéssemos uma última noite juntos.

Mas continuei em frente, vendo a imagem no espelho ficar cada vez menor, sentindo o meu sonho escapar de mim.

* * *

O jantar com meu pai foi mais calmo do que o habitual. Não tive energia para tentar puxar conversa, e até ele percebeu. Sentei-me à mesa enquanto ele cozinhava, mas, em vez de se concentrar no fogão, ele espiava na minha direção vez ou outra com uma preocupação muda no olhar. Fiquei surpreso quando ele desligou o fogo e se aproximou de mim.

Quando chegou junto a mim, colocou a mão nas minhas costas. Ele não disse nada, nem precisava. Soube que entendeu que eu estava sofrendo, e ficou ali parado, como se tentasse absorver minha dor, na esperança de tomá-la para si.

* * *

De manhã, meu pai me levou para o aeroporto e ficou ao meu lado no portão de embarque, enquanto eu esperava a chamada para o voo. Quando chegou o momento, levantei-me. Meu pai estendeu a mão, mas eu lhe dei um abraço. O corpo dele estava rígido, mas não me importei. "Te amo, pai."

"Eu também amo você, John."

"Encontre algumas moedas boas, ok?", acrescentei, me afastando. "Quero saber tudo sobre elas."

Ele olhou para o chão. "Eu gosto de Savannah", disse. "Ela é uma boa garota."

Saiu do nada, mas, de certa forma, foi exatamente o que eu queria ouvir.

* * *

Sentei-me no avião levando nas mãos a carta que Savannah havia me escrito. Embora eu quisesse abri-la imediatamente, esperei até que o avião tivesse decolado. Da janela, eu avistava a costa e procurei primeiro o cais e depois a casa na praia. Imaginava se ela ainda estaria dormindo, mas gostaria de pensar que ela estava na praia olhando para o avião.

Quando eu me senti pronto, abri o envelope. Dentro, encontrei uma foto dela e, de repente, desejei ter deixado com ela uma foto minha também. Admirei aquele rosto por um longo tempo, e depois a coloquei de lado. Respirei fundo e comecei a ler.

Querido John,

Há tanta coisa que quero dizer para você, mas não tenho certeza por onde devo começar. Devo começar dizendo que te amo? Ou que os dias que passei com você foram os mais felizes da minha vida? Ou que, no curto espaço de tempo que nos conhecemos, passei a acreditar que fomos feitos um para o outro? Poderia dizer todas essas coisas e tudo seria verdade, mas, enquanto releio estas palavras, a única coisa que passa pela minha cabeça é que queria estar com você agora, segurando sua mão e olhando seu sorriso elusivo.

No futuro, sei que vou reviver o tempo que passamos juntos mil vezes. Vou ouvir seu riso, ver seu rosto e sentir seus braços em torno de mim. Vou sentir falta de tudo isso, mais do que você pode imaginar. Você é um cavalheiro raro, John, eu estimo isso em você. Todo o tempo em que estivemos juntos, nunca me pressionou para dormir com você, e eu não posso dizer o quanto isso significou para mim. Tornou o que temos ainda mais especial, e é assim que eu quero me lembrar para sempre do período que passamos juntos. Como uma luz branca e pura, cuja contemplação é de tirar o fôlego.

Penso em você todos os dias e sei que, quando nos encontrarmos amanhã, dizer adeus será a coisa mais difícil que já fiz. Parte de mim teme que chegue um momento no qual você não sinta mais o mesmo sentimento, que por algum motivo você esqueça o que nós compartilhamos, então é isso que eu quero fazer. Onde quer que você esteja e não importa o que esteja acontecendo em sua vida, na primeira noite de lua cheia – como na noite em que nos conhecemos – quero que você a encontre no céu noturno. Quero que você pense em mim e na semana que partilhamos, porque, seja onde for, seja o que estiver acontecendo na minha vida, é exatamente isso o que vou fazer. Se não podemos estar juntos, pelo menos podemos compartilhar isso, e talvez entre nós sejamos capazes de fazer isso durar para sempre

Eu te amo, John Tyree, e eu vou agarrar-me à promessa que uma vez você fez para mim. Se você voltar, vou me casar com você. Se você quebrar a sua promessa, vai partir meu coração.

Com amor,
Savannah

Além da janela e através das lágrimas que escorriam dos meus olhos, eu via uma camada de nuvens que se espalhava debaixo de mim. Eu não tinha ideia de onde o avião estava. Só sabia que queria fazer a volta e retornar para casa, para estar no lugar ao qual eu estava destinado.

• • • • • • •

PARTE II

Doze

Horas depois, na primeira noite solitária de volta à Alemanha, reli a carta rememorando o tempo que passáramos juntos. Era fácil, as memórias vinham me assombrar e, por vezes, pareciam mais reais do que minha vida de soldado. Senti a mão de Savannah na minha, e a vi tirar o excesso de água do mar dos cabelos. Ri em voz alta quando me lembrei da minha surpresa ao vê-la pegar sua primeira onda até a praia. O tempo ao lado de Savannah provocara mudanças em mim, e os homens do meu pelotão notaram a diferença. Ao longo das semanas seguintes, meu amigo Tony provocou-me sem parar, presunçoso na crença de que finalmente provara estar certo sobre a importância da companhia feminina. Foi culpa minha, pois contei a ele sobre Savannah. Tony, porém, quis saber mais do que eu estava disposto a compartilhar. Enquanto eu lia, muitas vezes ele se sentava na cadeira à minha frente, sorrindo como um idiota.

"Conte novamente sobre o seu selvagem romance de férias", ele dizia.

Forçava-me a manter os olhos na página, fazendo o melhor para ignorá-lo.

"Savannah, certo? Sa-va-nnah. Poxa, eu amo esse nome. Soa tão... apetitoso, mas aposto que ela era um furacão na cama, certo?"

"Cala a boca Tony."

"Não fala isso. Eu não me preocupei com você todo esse tempo? Disse que você tinha que sair? Você finalmente ouviu, e agora é hora de vingança. Quero os detalhes."

"Não é da sua conta."

"Mas você bebeu tequila, certo? Eu disse que sempre funciona."

Não disse nada. Tony ergueu as mãos. "Vai, isso você pode contar, não?"

"Não quero falar sobre isso."

"Por que você está apaixonado? Sim, é o que você disse, mas estou começando a achar que você está inventando tudo."

"Isso mesmo! Inventei tudo. Paramos por aqui?"

Ele balançou a cabeça e se levantou. "Você é um cachorrinho apaixonado."

Eu não disse nada. Quando ele saiu, sabia que ele estava certo. Eu estava completamente maluco por Savannah. Teria feito qualquer coisa para estar com ela, e pedira transferência para os Estados Unidos. Meu oficial-comandante linha dura pareceu considerar o pedido seriamente. Quando perguntou o motivo, contei sobre o meu pai, não sobre Savannah. Ele escutou por um tempo, depois se recostou na cadeira e disse: "as probabilidades são pequenas, a menos que a saúde do seu pai seja um problema". Saindo do escritório, eu sabia que não iria a lugar nenhum pelo menos nos próximos dezesseis meses. Não me preocupei em esconder minha decepção, e na lua cheia seguinte, deixei o alojamento e fui até uma das áreas gramadas que usávamos como campo de futebol. Deitei-me de barriga para cima e olhei a lua, lembrando-me de tudo e odiando estar tão longe.

Desde o início, os telefonemas e cartas entre nós foram constantes. Também nos falávamos por *e-mail,* mas logo percebi que Savannah preferia escrever cartas, e queria que eu fizesse o mesmo. "Sei que não é tão imediato como o *e-mail,* mas eu prefiro", ela escreveu. "Gosto da surpresa de encontrar uma carta na caixa de correio e da antecipação ansiosa que sinto quando estou prestes a abri-la. Gosto do fato de poder levar as cartas comigo para ler no meu tempo livre, encostada em uma árvore, sentindo a brisa no rosto enquanto vejo as palavras que você escreveu. Gosto de imaginá-lo no ato de escrever: o que estava vestindo, o que havia ao seu redor, como você segurou a caneta. Sei que é clichê e provavelmente não é assim na verdade, mas continuo imaginando-o sentado em uma tenda, diante de uma mesa improvisada, com um lampião a gás ao seu lado enquanto o vento sopra lá fora. É muito mais romântico do que ler algo na mesma máquina que você usa para baixar músicas ou pesquisar artigos."

Isso me fez sorrir. De fato, ela estava errada sobre a tenda, a mesa improvisada e o lampião a gás, mas tive de admitir que ela pintara um quadro mais interessante do que a realidade da escrivaninha de madeira com luz fluorescente fornecida pelo Governo para mobiliar o alojamento de madeira.

Com o passar dos dias e semanas, meu amor por Savannah parecia se fortalecer e aumentar cada vez mais. Às vezes, eu fugia dos caras para ficar sozinho. Pegava a fotografia dela e a examinava de perto, estudando cada traço. Estranhamente, embora a amasse muito e recordasse cada minuto que passamos juntos, quando o verão virou outono e depois se tornou inverno, eu ficava cada vez mais grato pela fotografia. Sim, eu dizia a mim mesmo que era capaz de me lembrar exatamente de tudo, mas quando fui honesto comigo mesmo, percebi que os detalhes começavam a me escapar. Ou talvez, percebi que nunca os havia notado. Por exemplo, na foto notei que Savannah tinha uma pequena verruga abaixo do olho esquerdo, algo que eu de alguma forma havia negligenciado. Ou que, de perto, seu sorriso era ligeiramente torto. Essas imperfeições tornavam-na ainda mais perfeita aos meus olhos, mas eu odiava o fato de percebê-las em uma foto.

De algum jeito, levei a vida adiante. Por mais que pensasse em Savannah, por mais que sentisse saudades dela, eu tinha um trabalho a fazer. No início de setembro, devido a um conjunto de circunstâncias que mesmo o Exército teve dificuldade em explicar, meu pelotão foi enviado a Kosovo pela segunda vez, para se juntar à Primeira Divisão Blindada, em mais uma missão de paz, enquanto praticamente todo mundo da infantaria era enviado de volta para a Alemanha. Foi relativamente calmo e não disparei minha arma, mas isso não significa que passei os dias colhendo flores e me lembrando de Savannah. Preparei a arma, fiquei atento a qualquer maluco e, quando se é forçado a ficar alerta durante horas, o cansaço é grande ao anoitecer. Digo honestamente que poderia passar dois ou três dias sem imaginar o que Savannah estaria fazendo e nem mesmo pensar sobre ela. Isso torna meu amor menos real? Fiz essa pergunta a mim mesmo dezenas de vezes durante a viagem, mas a resposta sempre foi não, pelo simples fato de que a imagem de Savannah me surpreendia quando eu menos esperava, oprimindo-me com a mesma dor que senti no dia em que nos separamos. Qualquer coisa podia ser o motivo: um amigo falando da esposa, a visão de um casal de mãos dadas, ou mesmo o jeito que alguns moradores sorriam à nossa passagem.

As cartas de Savannah chegavam a cada dez dias ou menos, e foram se acumulando até que eu voltasse para a Alemanha. Nenhuma era como a carta que eu lera no avião, a maioria era casual e loquaz, e ela reservava a expressão de seus sentimentos para o final. Entretanto, conheci os detalhes de sua vida cotidiana: que eles tinham terminado a primeira casa com atraso, o que tornou as coisas mais difíceis quando começaram a construir a segunda. Eles tiveram que trabalhar mais horas por dia, apesar de todos os envolvidos estarem mais eficientes em suas tarefas. Soube que, depois de terem concluído a primeira casa, fizeram uma grande festa para toda a vizinhança e passaram a tarde brindando e recebendo agradecimentos. Soube que o grupo de trabalho havia comemorado indo à Cabana do Camarão e que Tim declarara ter encontrado ali a melhor atmosfera entre todos os restaurantes que ele conhecera. Soube que ela conseguiu vaga na maioria dos cursos de outono para os quais se inscrevera e que estava animada para a aula de psicologia do adolescente com o Dr. Barnes, que tinha acabado de ter um artigo importante publicado em uma esotérica revista de psicologia. Não preciso acreditar que Savannah tenha pensado em mim a cada vez que bateu um prego ou ajudou a colocar uma janela, ou achar que, no meio de uma conversa com Tim, ela sempre desejasse que eu estivesse no lugar dele. Gostava de pensar que tínhamos algo mais profundo do que isso, e, com o passar do tempo, essa crença fez meu amor por ela aumentar ainda mais.

Claro, eu queria saber que ela gostava de mim, e nesse ponto Savannah nunca me decepcionou. Suponho ter sido esse o motivo que me fez guardar todas as cartas dela. Ao final de cada uma, sempre havia algumas frases, talvez até mesmo um parágrafo, no qual ela escrevia coisas que me faziam parar, palavras que me faziam lembrar, e eu acabava relendo tais passagens e imaginando a voz dela enquanto as lia. Como esta, da segunda carta que recebi:

Quando penso em você e mim e no que compartilhamos, sei que para os outros seria fácil menosprezar o tempo que passamos juntos simplesmente como um subproduto dos dias e noites à beira-mar, uma "aventura" que, a longo prazo, não significa absolutamente nada. É por isso que não conto às pessoas sobre nós. Elas não iriam entender, e não sinto necessidade de explicar, simplesmente porque sei em meu coração como foi real. Quando penso em você, não posso deixar de sorrir, porque sei que você me completa. Eu te amo, não só agora, mas sempre, e sonho com o dia em que você vai me abraçar novamente.

Ou esta, da resposta à carta em que eu enviara uma foto minha:

E, finalmente, quero agradecer pela foto. Já coloquei na minha carteira. Você parece saudável e feliz, mas tenho que dizer que chorei quando a vi. Não de tristeza — embora eu tenha ficado triste, pois sei que não posso te ver —, mas de felicidade. A foto é uma lembrança de que você é a melhor coisa que já me aconteceu.

E esta, de uma carta que ela escreveu enquanto eu estava no Kosovo:

Tenho que dizer que sua última carta me deixou preocupada. Eu quero saber, eu preciso saber, mas acabo prendendo a respiração e ficando assustada sempre que você conta como é sua vida de verdade. Aqui estou eu, preparando-me para ir para casa no feriado de Ação de Graças e preocupada com as provas finais, e você em um lugar perigoso, cercado por pessoas que querem machucá-lo. Eu só queria que essas pessoas conhecessem você como eu conheço, porque então você estaria seguro. Assim como me sinto segura quando estou em seus braços.

O Natal daquele ano foi melancólico, mas é sempre triste quando se está longe de casa. Não era o meu primeiro Natal sozinho nos anos de Exército. Passei os feriados na Alemanha, e dois caras do nosso quartel montaram uma espécie de árvore – uma lona verde atada a uma vara e decorada com piscas. Mais da metade dos meus amigos tinham ido para casa. Fui um dos azarados que tiveram de ficar – para o caso de nossos amigos russos colocarem na cabeça que ainda éramos inimigos mortais –, e a maioria marchou até a cidade para comemorar a véspera de Natal enchendo a cara com a boa cerveja alemã. Eu já havia aberto o presente enviado por Savannah – um suéter que lembrava algo que Tim usaria e um pacote de biscoitos caseiros – e sabia que ela tinha recebido o perfume que mandei. Mas eu estava sozinho e, como um presente para mim mesmo, decidi esbanjar fazendo-lhe um telefonema. Ela não esperava a ligação, e rememorei a emoção na voz dela, semanas após o telefonema. Acabamos nos falando por mais de uma hora. Eu sentia saudades do som daquela voz. Tinha esquecido o seu sotaque, que se tornou mais pronunciado quando ela começou a falar rapidamente. Recostei-me na cadeira, imaginando que ela estava comigo ao ouvi-la descrever a neve caindo. Ao mesmo tempo, percebi que estava nevando fora de minha janela, o que, pelo menos por um instante, fez-me sentir como se estivéssemos juntos.

Em janeiro de 2001, comecei a contar os dias para vê-la novamente. Minha licença de verão seria em junho, e eu deixaria o Exército em menos de um ano. Eu acordava de manhã e literalmente dizia a mim mesmo que faltavam 360 dias, depois 359 e 358 até eu cair fora, e que veria Savannah em 178 dias, depois 177 e 176 e assim por diante. Era concreto e real, próximo o suficiente para que eu pudesse sonhar em voltar para a Carolina do Norte; por outro lado, infelizmente, fazia o tempo passar mais devagar. Não é sempre assim quando realmente se deseja alguma coisa? Lembro-me dos dias compridos de quando eu era criança e ansiava pelas férias de verão. Se não fosse pelas cartas de Savannah, não tenho dúvidas de que a espera teria parecido muito mais longa.

Meu pai também escrevia. Não com a frequência de Savannah, mas segundo sua própria programação mensal. Para minha surpresa, as cartas dele eram duas ou três vezes mais extensas do que a página e meia a que eu estava acostumado. As páginas adicionais falavam exclusivamente sobre moedas. No meu tempo livre, visitava o centro de computadores e fazia um pouco de pesquisa. Buscava moedas específicas, descobria sua história e contava para ele nas minhas cartas. Juro que, após a primeira vez que fiz isso, pensei ter visto lágrimas na carta seguinte enviada por ele. Não, não de verdade - sei que era só minha imaginação já que ele nunca sequer mencionou o fato de eu ter escrito sobre moedas -, mas queria acreditar que ele se debruçara sobre as informações com a mesma intensidade com que estuda o *Greysheet*.

Em fevereiro, embarquei para manobras com outras tropas da OTAN, um desses "exercícios de fingir que estamos em uma batalha em 1944", no qual deveríamos enfrentar um ataque de tanques no interior da Alemanha. Algo sem sentido, se você me perguntar. Esse tipo de guerra acabou há muito tempo, assim como galeões espanhóis dispararem canhões de curta distância ou a Cavalaria Americana partir para o resgate a cavalo. Hoje em dia, eles nunca dizem quem são os inimigos, mas todo mundo sabe que são os russos, o que faz ainda menos sentido, já que agora eles supostamente são nossos aliados. Mesmo que eles não fossem aliados, a questão é que não têm mais muitos tanques em operação, e, mesmo se estivessem construindo milhares deles em segredo em alguma fábrica na Sibéria, com a intenção de marchar sobre a Europa, qualquer onda de tanques provavelmente seria combatida por ataques aéreos ou por nossas divisões blindadas em vez da infantaria. Mas quem sou eu para dizer, não é? O clima também estava horrível, com uma absurda e impiedosa frente fria descendo do Ártico quando as manobras começaram. Foi um épico, com neve, gelo, granizo e ventos de cinquenta milhas por hora, que me fizeram pensar na retirada das tropas de Napoleão de Moscou. Estava tão frio que o gelo se formava nas minhas sobrancelhas, doía para respirar, e meus dedos grudavam no cano da arma se eu a tocasse acidentalmente. Doía como o inferno desgrudá-los, e perdi um bocado de pele nesse processo. Mas mantive o rosto coberto e as mãos sobre o cabo depois disso, marchando pela lama gelada formada após as nevascas sem fim, tentando ao máximo não virar uma estátua de gelo enquanto fingia lutar contra o inimigo.

Passamos dez dias assim. Metade de meus homens teve partes do corpo congeladas, a outra metade sofreu hipotermia e, quando terminamos, meu pelotão reduziu-se a três ou quatro e todos acabaram na enfermaria quando voltamos à base. Inclusive eu. A experiência foi absolutamente a coisa mais ridícula e idiota que o Exército me fez fazer. E isso significa muito, pois fiz um monte de coisas idiotas para o bom e velho Tio Sam e A Vermelha. No final, nosso comandante veio à ala felicitar a equipe pelo bom trabalho. Tive vontade de dizer que nosso tempo teria sido mais bem empregado aprendendo táticas modernas de guerra ou, no mínimo, assistindo ao Weather Channel. Em vez disso, respondi com uma saudação e uma continência, como bom peão do Exército que sou.

Depois disso, passei os meses seguintes na base, sem que nada acontecesse. Claro, fizemos as ocasionais aulas sobre armas ou navegação, e vez ou outra eu ia para a cidade tomar uma cerveja com os rapazes, mas na maior parte do tempo eu malhava, corria e dava um pau em Tony sempre que subíamos ao ringue de boxe.

A primavera na Alemanha não foi tão ruim quanto pensei após o desastre das manobras. A neve derreteu, flores desabrocharam e o ar ficou mais quente. Bem, não exatamente quente, mas acima de zero, o suficiente para a maioria dos meus amigos e eu usarmos bermudas e jogarmos *frisbee* e *softball* ao ar livre. Com junho chegando ao fim, senti um comichão para retornar à Carolina do Norte. Savannah já tinha se formado e estava tendo aulas de verão para o mestrado; portanto, planejei viajar para Chapel Hill. Teríamos duas gloriosas semanas juntos – mesmo quando eu fosse ver meu pai em Wilmington, ela planejara me acompanhar – e passei a me sentir alternadamente nervoso, entusiasmado e assustado com a ideia.

Sim, nós nos correspondíamos e conversávamos ao telefone. Sim, eu tinha ido observar a lua na primeira noite de lua cheia, e ela disse que havia feito o mesmo em suas cartas. Mas eu não a via há quase um ano, e não tinha nenhuma ideia de como ela reagiria quando estivéssemos cara a cara novamente. Ela correria para meus braços assim que eu descesse do avião ou teria uma reação mais contida, talvez um beijo no rosto? Conseguiríamos conversar livremente logo de cara ou quando nos encontrássemos falaríamos sobre o clima e nos sentiríamos deslocados um ao lado do outro? Eu não sabia e ficava acordado à noite, imaginando mil cenários diferentes.

Tony sabia o que eu estava passando, embora tivesse tato o suficiente para não deixar transparecer explicitamente. Em vez disso, com a aproximação da data, ele me deu um tapa nas costas.

"Vai vê-la em breve", disse ele. "Está preparado?"

"Sim."

Ele sorriu. "Não se esqueça de pegar uma tequila no caminho."

Eu fiz uma careta, e Tony riu.

"Vai dar tudo certo", disse ele. "Ela te ama cara. Ela tem que te amar, considerando o quanto você gosta dela."

• • • • • • •

TREZE

Em junho de 2001, recebi minha licença e parti imediatamente para casa, voando de Frankfurt para Nova York e em seguida para Raleigh. Era sexta-feira à noite, e Savannah prometeu me buscar no aeroporto e me levar a Lenoir para conhecer seus pais. Ela revelou essa surpresa no dia anterior ao voo. Veja bem, eu não tinha nada contra conhecer os pais dela, quero deixar claro. Tinha certeza de que eles eram pessoas maravilhosas e tudo o mais, mas, se pudesse fazer do meu jeito, preferiria ter ficado a sós com ela pelo menos nos primeiros dias. É meio difícil de recuperar o tempo perdido com os pais por perto. Mesmo que não tivéssemos intimidades físicas — conhecendo Savannah, tinha quase certeza de que isso não aconteceria, mas ainda assim cruzava os dedos -, como os pais dela me tratariam se eu e sua filha ficássemos fora até altas horas, mesmo que só olhando as estrelas? Certo, ela era adulta, mas os pais são engraçados quando se trata dos próprios filhos, e eu não tinha ilusões de que eles seriam compreensivos nesse caso. Ela seria sempre a menininha deles, se você me entende.

Mas Savannah tinha um bom argumento. Eu tinha dois fins de semana livres e, se pretendia ver o meu pai no segundo fim de semana, tinha de conhecer os dela no primeiro. Além disso, ela parecia tão animada com a coisa que só pude responder estar ansioso para conhecê-los. Ainda assim, perguntei-me se seria capaz de segurar sua mão, e especulava se conseguiria convencê-la a fazer um pequeno desvio no caminho para Lenoir.

Tão logo o avião pousou, minha ansiedade aumentou e senti meu coração batendo mais rápido. Eu não sabia como agir. Deveria correr para ela assim que a visse ou andar casualmente, frio e controlado? Eu hesitava, mas antes de poder me decidir, já estava em meio ao fluxo de pessoas que se deslocam até o corredor. Lancei a mochila sobre os ombros quando entrei na rampa de acesso ao terminal. Não a vi logo de cara, havia gente demais circulando. Quando examinei a área das esteiras de bagagem pela segunda vez, avistei-a do lado esquerdo e percebi imediatamente que todas as minhas preocupações tinham sido inúteis, pois ela me viu e veio correndo a toda. Mal tive tempo de soltar minha mochila antes de ela pular no meu colo, e o beijo que se seguiu foi como adentrar em um reino mágico, com sua linguagem e geografia especiais, repleto de mitos fabulosos e maravilhas antigas. Quando ela se afastou e sussurrou "Senti tanta saudade", parecia que eu estava inteiro de novo, depois de ter passado um ano pela metade.

Não sei quanto tempo ficamos ali parados, mas, quando finalmente começamos a nos dirigir para a saída, tomei a mão dela, sabendo não só que a amava mais do que da última vez, como também mais do que jamais amaria outra pessoa.

Durante a viagem, conversamos facilmente, e fizemos nosso pequeno desvio. Encostamos o carro em uma parada de descanso e namoramos como adolescentes. Foi maravilhoso – vamos deixar por isso mesmo –, e duas horas depois chegamos à casa dela. Seus pais estavam esperando na varanda de uma impecável casa vitoriana de dois andares. Surpreendendo-me, a mãe dela me abraçou assim que nos aproximamos, e logo me ofereceu uma cerveja. Recusei, principalmente porque sabia que seria o único a beber, mas apreciei a intenção. Jill, a mãe de Savannah, era muito parecida com a filha: amigável, aberta, e muito mais direta do que eu imaginara. O pai era exatamente igual, e foi realmente agradável conversar com eles. Não atrapalhou o fato de Savannah ter segurado minha mão o tempo todo, parecendo completamente à vontade. Quase no fim da noite, Savannah e eu saímos para um longo passeio ao luar. Quando voltamos para casa, parecia que nunca tínhamos nos separado.

Ninguém precisou dizer que eu dormiria no quarto de hóspedes. Eu não esperava nada diferente, e o quarto era muito melhor do que a maioria dos lugares em que eu me hospedara, com mobiliário clássico e um colchão confortável. No entanto, a noite estava abafada e abri a janela esperando que o ar da montanha trouxesse um bem-vindo frescor. Foi um dia longo – eu ainda estava no fuso da Alemanha – e adormeci de imediato, apenas para acordar uma hora depois quando ouvi minha porta abrir. Savannah, vestindo um confortável pijama de algodão e meias, fechou a porta atrás de si veio em direção à cama na ponta dos pés.

Ela trouxe um dedo sobre os lábios sinalizando para eu me manter em silêncio. "Meus pais me matam se souberem que estou fazendo isso", sussurrou. Ela enfiou-se na cama ao meu lado e puxou as cobertas até o pescoço, como se fosse acampar no Ártico. Eu a abracei, amando a sensação de seu corpo contra o meu.

Nós nos beijamos e rimos a noite toda, até ela voltar para seu quarto furtivamente. Adormeci de novo, provavelmente antes de ela chegar ao quarto, e acordei com o sol entrando pela janela. O cheiro de café da manhã invadiu o ar do quarto. Coloquei *jeans* e camiseta e desci para a cozinha. Savannah estava na mesa, conversando com sua mãe enquanto seu pai lia o jornal, e eu senti todo o peso de sua presença quando entrei. Tomei um lugar à mesa. A mãe dela me serviu uma xícara de café e em seguida fez um prato de *bacon* e ovos para mim. Savannah, sentada à minha frente já banhada e vestida, estava falante e absurdamente fresca sob a luz suave da manhã.

"Você dormiu bem?", ela perguntou, os olhos brilhando de malícia.

Assenti. "Na verdade, tive um sonho maravilhoso", disse eu.

"Oh?", a mãe perguntou. "O sonho era sobre o que?"

Senti Savannah me chutar por baixo da mesa. Ela balançou a cabeça quase imperceptivelmente. Tenho que admitir que eu gostei de ver Savannah ensaiando uma careta, mas tinha sido o bastante. Fingi concentração. "Eu não me lembro agora", disse.

"Odeio quando isso acontece", disse a mãe. "O café da manhã está bom?"

"O cheiro está delicioso", disse. "Obrigado." Olhei para Savannah. "O que vamos fazer hoje?"

Ela se inclinou sobre a mesa. "Estava pensando que poderíamos andar a cavalo. Você acha que está disposto?"

Quando hesitei, ela riu. "Você vai ficar bem", acrescentou. "Eu prometo."

"Fácil para você dizer isso."

* * *

Ela iria montar Midas; para mim, sugeriu um quarto de milha chamado Pepper, no qual o pai costumava cavalgar. Passamos a maior parte do dia nas trilhas, galopando por campos abertos, e explorando esse pedaço do seu mundo. Ela preparou um piquenique para o almoço, e comemos em um local com vista para Lenoir. Ela me mostrou as escolas em que estudara e as casas das pessoas que conhecia. Ocorreu-me então que ela não só amava este lugar, como não queria viver em nenhum outro.

Passamos seis ou sete horas cavalgando, e fiz o melhor que pude para acompanhá-la. No entanto, era quase impossível. Não acabei de cara no chão, mas houve alguns momentos perigosos aqui e ali, quando Pepper se animou e precisei me esforçar muito para me manter na sela. Só quando Savannah e eu estávamos nos preparando para jantar, percebi no que havia me metido. Pouco a pouco, comecei a perceber que meu andar ficou bamboleante. E os músculos na parte interna da coxa pareciam ter sido surrados durante horas por Tony.

No sábado à noite, Savannah e eu fomos jantar em um aconchegante restaurante italiano. Na sequência, ela sugeriu que fôssemos dançar, mas nessa hora eu mal conseguia me mexer. Vendo que eu mancava na direção do carro, ela adotou uma expressão inquiridora e estendeu a mão para me deter.

Inclinando-se, agarrou minha perna. "Dói quando eu aperto aqui?"

Eu pulei e gritei. Por alguma razão, ela achou aquilo divertido.

"Por que você está fazendo isso? Dói!"

Ela sorriu. "Só checando."

"Checando o quê? Eu já disse, estou dolorido."

"Só queria ver se a menininha aqui poderia fazer um cara grande e durão do Exército gritar."

Eu esfregava minha perna. "Sim, bom, não vamos mais checar isso, ok?"

"Tudo bem", disse ela. "Desculpa."

"Você não parece culpada."

"Bem, eu sinto", disse. "Mas é engraçado, você não acha? Quer dizer, eu montei tanto quanto você e estou bem."

"Você monta o tempo todo."

"Eu não montava fazia mais de um mês."

"Tá bom."

"Vai. Admita. Foi engraçado, não foi?"

"Nem um pouco."

* * *

No domingo, fomos à igreja em família. Eu estava muito dolorido para fazer qualquer outra coisa no resto do dia, então me joguei no sofá e assisti a um jogo de *baseball* com o pai dela. A mãe de Savannah trouxe sanduíches, e passei a tarde toda gemendo quando tentava me ajeitar e o jogo entrava na prorrogação. Era fácil conversar com o pai dela, e o papo passava da vida militar para a profissão de professor e por fim para algumas crianças que ele treinava e suas esperanças para o futuro. Eu gostava dele. Do sofá, eu ouvia Savannah e a mãe conversando na cozinha, e vez ou outra, Savannah aparecia na sala com um cesto de roupa para passar, enquanto sua mãe colocava mais uma carga na máquina de lavar. Embora tecnicamente ela já fosse formada e adulta, ainda trazia a roupa suja para a casa da mamãe.

Naquela noite, voltamos para Chapel Hill, e Savannah mostrou-me seu novo apartamento. Havia poucos móveis, mas era relativamente novo e tinha uma lareira de gás e uma pequena varanda com vista para o campus. Apesar do clima quente, ela acendeu a lareira e fizemos um lanche com bolachas e queijo, que era tudo o que ela tinha a oferecer além de cereal. Pareceu indescritivelmente romântico para mim, embora eu viria a perceber que estar a sós com ela sempre me parecia muito romântico, e eu me regozijava. Conversamos até quase meia-noite, mas Savannah falou menos do que o habitual. Em uma certa hora, foi para o quarto. Como não voltava, fui atrás dela. Ela estava sentada na cama, e eu parei na porta.

Ela apertou as mãos e deu um suspiro longo. "Então...", ela começou.

"Então...", eu respondi, enquanto ela permanecia em silêncio.

Ela respirou fundo mais uma vez. "Está ficando tarde. E eu tenho aula amanhã cedo."

Assenti. "Você provavelmente precisa dormir um pouco."

"Sim", ela disse. Assentiu com a cabeça, como se não tivesse pensado naquilo antes, e voltou-se para a janela. Através das cortinas, eu via feixes de luz que partiram do estacionamento. Ela ficava bonita quando estava nervosa.

"Então...", ela disse novamente, como se estivesse falando com as paredes.

Levantei minhas mãos. "Que tal eu dormir no sofá?"

"Você não se importaria?"

"Nem um pouco", eu disse. Na verdade, não era o que eu gostaria, mas compreendi.

Ainda olhando para a janela, ela não fez nenhum movimento para se levantar. "Eu ainda não estou pronta", disse ela, com voz suave. "Quer dizer, pensei que estava, e parte de mim realmente quer. Venho pensando nisso nas últimas semanas, e cheguei a me decidir e parecia tudo bem, sabe? Eu te amo e você me ama, e é isso que as pessoas fazem quando estão apaixonadas. Era fácil pensar assim quando você não estava aqui, mas agora...", ela se calou.

"Está tudo bem", eu disse.

Finalmente ela se virou para mim. "Você ficou com medo? Na sua primeira vez?"

Ponderei sobre a melhor forma de responder. "Acho que é diferente para homens e mulheres", disse.

"Sim. Acho que sim." Ela fingiu arrumar os cobertores. "Você está irritado?"

"Nem um pouco."

"Mas você está decepcionado."

"Bem...", eu admiti, e ela riu.

"Sinto muito", ela disse.

"Não há nenhum motivo para se desculpar."

Ela pensou a respeito. "Então por que sinto que tenho de pedir desculpas?"

"Bem, sou um soldado solitário", observei, e ela riu novamente. Eu ainda sentia o nervosismo na sua risada.

"O sofá não é muito confortável", ela lamentou. "É pequeno. Você não vai conseguir se esticar. E eu não tenho cobertores extras. Deveria ter pego alguns em casa, mas esqueci."

"Isso é um problema."

"Sim", disse ela. Eu esperei.

"Acho que você poderia dormir comigo", ela arriscou.

Esperei, enquanto ela debatia a questão internamente. Finalmente ela deu de ombros. "Você quer tentar? Apenas dormir?"

"O que você disser."

Pela primeira vez, seu ombros relaxaram. "Ok, então. Fica combinado. Só dê um minuto para eu me trocar."

Ela levantou da cama, atravessou o quarto e abriu uma gaveta. Escolheu um pijama parecido com o que havia usado na casa dos pais, e eu voltei para a sala, onde coloquei *shorts* de treino e uma camiseta. Quando retornei, ela já estava debaixo das cobertas. Fui para o outro lado e ajeitei-me ao seu lado. Ela chacoalhou as cobertas antes de apagar a luz, depois deitou de costas, olhando para o teto. Eu me deitei de lado, para ficarmos frente a frente.

"Boa noite", ela sussurrou.

"Boa noite."

Sabia que não iria dormir. Pelo menos, não por algum tempo. Eu estava muito... agitado para isso. Mas não queria ficar me mexendo, no caso de ela conseguir pegar no sono.

"Ei", ela finalmente sussurrou novamente.

"Sim?"

Ela virou o rosto para mim. "Só quero que você saiba que esta é a primeira vez na minha vida que durmo com um homem. A noite toda, quer dizer. É um passo, certo?"

"Sim", eu disse. "É um passo."

Ela acariciou os pelos do meu braço. "E agora, se alguém perguntar, você poderá dizer que nós dormimos juntos."

"É verdade", eu disse.

"Mas você não vai contar a ninguém, não é? Quer dizer, eu não quero ficar com fama, você sabe."

Eu sufoquei uma gargalhada. "Vai ser nosso segredinho."

* * *

Os dias seguintes transcorreram em uma rotina tranquila e relaxante. Savannah tinha aulas de manhã e, geralmente, voltava um pouco depois do almoço. Teoricamente, suponho, isso me deu a oportunidade de dormir até mais tarde – algo que todos os recrutas do Exército sonham fazer quando pensam nas folgas –, mas os anos acordando antes do amanhecer criaram um hábito impossível de desfazer. Em vez disso, eu acordava antes dela e colocava o café para coar antes de ir até a esquina pegar o jornal. Ocasionalmente, comprava dois *croissants* ou *bagels*; outras vezes, simplesmente comíamos o cereal que havia em casa. Era fácil considerar nossa pequena rotina como uma prévia dos primeiros anos da nossa vida futura em comum, uma felicidade sem esforço, boa demais para ser verdade.

Ou, pelo menos, tentei me convencer disso. Quando ficamos com os pais dela, Savannah era exatamente a garota de que eu me lembrava. O mesmo na nossa primeira noite sozinhos. Mas depois... comecei a notar diferenças. Acho que não tinha percebido claramente que ela vivia uma vida repleta e gratificante, mesmo sem mim. O calendário na porta da geladeira listava algo para fazer quase todos os dias: shows, palestras, meia dúzia de festas de vários amigos. O nome de Tim, notei, também estava escrito sinalizando almoços ocasionais. Ela assistia a quatro aulas e ministrava uma, como assistente, e nas tardes de quinta-feira trabalhava com um professor em um estudo de caso, que ela tinha certeza de que seria publicado. Sua vida era exatamente do jeito que ela descrevera em suas cartas, e, quando ela voltava para o apartamento, contava-me sobre seu dia enquanto preparava algo para comer na cozinha. Ela adorava o trabalho que estava fazendo, e o orgulho em sua voz era evidente. Falava animadamente enquanto eu escutava, e fazia apenas as perguntas suficientes para manter o fluxo da conversa.

Nada de anormal, admito. Sabia o suficiente para perceber que seria um problema muito maior se ela não dissesse absolutamente nada sobre seu dia. Mas cada nova história me fazia sentir naufragar, por mais que tivéssemos mantido contato, por mais que gostássemos um do outro, de algum modo, ela ia para a direita enquanto eu ia para esquerda. Desde que a vira pela última vez, ela havia concluído a licenciatura, jogado o capelo para o alto na formatura, encontrado trabalho como professora assistente, se mudado e mobiliado um apartamento. Sua vida entrara em uma nova fase. Embora suponho que fosse possível dizer o mesmo de mim, o fato é que quase nada havia mudado afinal, a menos que se considere que eu sabia montar e desmontar oito tipos de armas em vez de seis e levantava 30 quilos a mais de peso. E, claro, havia feito minha parte em dar aos russos algo para pensar caso eles cogitassem invadir a Alemanha com dezenas de divisões mecanizadas.

Não me interpretem mal. Eu ainda estava louco por Savannah, e houve momentos em que vi a força de seus sentimentos por mim. Muitas vezes, na verdade. Na maior parte, foi uma semana maravilhosa. Enquanto ela estava fora, eu caminhava pelo campus ou corria na pista descoberta próxima ao campo de atletismo, aproveitando o tão necessário descanso. Em poucos dias, descobri uma academia onde eu pude me exercitar pela primeira vez desde que chegara. E, como eu era do Exército, eles nem me cobraram nada. Em geral, quando Savannah chegava em casa, eu já estava de banho tomado após a malhação, e nós passávamos o resto da tarde juntos. Na terça-feira à noite, fomos jantar com um grupo de colegas dela no centro de Chapel Hill. Foi mais divertido do que pensei, principalmente considerando que eu estava saindo com um monte de intelectuais e que a maior parte da conversa girava em torno da psicologia dos adolescentes. Na tarde de quarta-feira, Savannah levou-me para conhecer suas aulas e apresentou-me seus professores. Mais tarde, nos encontramos com um casal que eu conhecera na noite anterior. À noite, pegamos comida chinesa e comemos no apartamento. Ela usava uma regata de alcinhas que acentuava seu bronzeado, e era a mulher mais *sexy* que eu já vira.

Na quinta-feira, eu queria passar algum tempo sozinho com ela e decidi surpreendê-la com uma noite especial. Enquanto ela estava na aula, trabalhando no estudo de caso, fui ao *shopping* e gastei uma pequena fortuna em um terno e gravata e outra pequena fortuna em sapatos. Eu queria vê-la arrumada, e eu fiz reserva para o jantar em um restaurante que, segundo o vendedor de sapatos, era o melhor da cidade.

Cinco estrelas, cardápio exótico, garçons elegantemente vestidos, aquela coisa toda. Certo, eu não contei a Savannah de antemão, afinal de contas era para ser surpresa. Mas assim que ela entrou pela porta, descobri que ela planejara passar outra noite com os mesmos amigos que tínhamos visto nos dias anteriores. Ela parecia tão animada que nem me preocupei em contar o que havia planejado.

Eu não estava apenas decepcionado, mas sim eu estava com raiva. Na minha cabeça, era muito legal passar uma noite com os amigos dela, e até mesmo uma tarde a mais. Mas quase todos os dias? Depois de um ano distantes, quando tivemos tão pouco tempo juntos? Incomodou-me ela não parecer compartilhar o mesmo desejo. Nos últimos meses, eu imaginara passar o máximo de tempo com ela, compensando o ano de separação. Mas eu estava chegando à conclusão de que poderia estar enganado. Isso significava... o quê? Que eu não era tão importante para ela como ela para mim? Eu não sabia, mas dado meu estado de espírito, eu provavelmente deveria ter ficado no apartamento e a deixado ir sozinha. Em vez disso, sentei-me meio afastado, recusei-me a participar da conversa e praticamente desviava o olhar de qualquer um que olhasse para mim. Eu me tornara bom em intimidação ao longo dos anos, e estava em rara forma naquela noite. Savannah percebeu que eu estava com raiva, mas toda vez que ela perguntou se algo me incomodava, eu respondia que não havia absolutamente nada errado, no melhor estilo passivo-agressivo.

"Só estou cansado", dizia.

Ela tentou melhorar as coisas, tenho que admitir. Procurava minha mão vez ou outra, sorria para mim sempre que percebia que eu estava olhando e tentou me agradar com refrigerante e fritas. Depois de um tempo, porém, ela se cansou da minha atitude e praticamente desistiu. Não que eu a culpe. Deixei bem claro o meu ponto, e o fato de ela começar a ficar com raiva de mim provocou uma leve satisfação de revanche. Nós quase não nos falamos no caminho de casa e, quando fomos para a cama, nós dormimos em lados opostos do colchão. De manhã, eu estava mais do que pronto para esquecer tudo. Infelizmente, ela não. Enquanto fui buscar o jornal, ela saiu sem comer, e acabei tomando café da manhã sozinho.

Sabia que tinha ido longe demais, e planejei compensá-la assim que ela chegasse em casa. Eu queria expor minhas preocupações, contar sobre o jantar que eu tinha planejado, e pedir desculpas por meu comportamento. Supus que ela compreenderia. Ela era, eu sabia, uma pessoa melhor do que eu. Superaríamos tudo aquilo com um jantar romântico em um restaurante. Era tudo de que precisávamos, já que partiríamos para Wilmington no dia seguinte para passar o fim de semana com meu pai.

Acredite ou não, eu queria vê-lo, e percebi que ele também ansiava pela minha visita à sua própria maneira. Ao contrário de Savannah, eu não tinha nenhuma expectativa em relação a meu pai. Pode não ter sido justo, mas Savannah tinha um papel diferente a desempenhar na minha vida então.

Balancei minha cabeça. Savannah. Sempre Savannah. Tudo nessa viagem, tudo em minha vida, percebi, sempre me levava de volta para ela.

* * *

À uma hora, eu já tinha malhado, tomado banho, arrumado quase todas as minhas malas e ligado para o restaurante para renovar minha reserva. Eu já conhecia os horários de Savannah, e por isso presumi que chegaria a qualquer momento. Sem mais nada para fazer, sentei-me no sofá e liguei a televisão. *Game,* shows, novelas, "infomerciais" e programas de entrevistas eram intercalados por comerciais de advogados que prometiam indenizações milionárias para qualquer um. O tempo se arrastou enquanto eu esperava. Fiquei perambulando no pátio, procurando avistar o carro dela no estacionamento. Chequei minhas coisas três ou quatro vezes. Savannah seguramente está a caminho de casa, pensei, e me ocupei esvaziando a lava-louças. Poucos minutos depois, escovei os dentes pela segunda vez e em seguida espiei novamente pela janela. Nada ainda de Savannah. Liguei o rádio, escutei algumas músicas, e troquei de estação seis ou sete vezes antes de desligá-lo. Fui até o pátio novamente. Nada. Já eram quase duas horas. Imaginava onde ela estaria, e senti os resquícios da raiva se manifestarem, mas obriguei-os a se calar. Disse a mim mesmo que provavelmente ela tinha uma explicação legítima e repeti sempre que cogitava mudar de ideia. Abri minha mala e tirei o último livro de Stephen King.

Enchi um copo com água e gelo, me acomodei no sofá, mas, quando percebi que estava lendo a mesma frase várias vezes, coloquei o livro de lado.

Outros quinze minutos se passaram. Depois trinta. Até que ouvi o carro dela estacionar na garagem, meu maxilar cerrado e meus dentes rangendo. Às três e quinze, ela abriu a porta. Era toda sorrisos, como se nada estivesse errado.

"Ei John", ela gritou. Foi até a mesa e começou a descarregar a mochila. "Desculpe o atraso, mas na saída uma aluna veio dizer que adora minha aula e por minha causa, queria se formar em educação especial. Você acredita nisso? Ela queria conselho sobre o que fazer, que aulas frequentar, quais eram os melhores professores... e o jeito que ela ouviu minhas respostas..." Savannah balançou a cabeça. "Foi... muito gratificante. O jeito como essa menina prestou atenção a tudo o que eu disse... bem, me fez sentir como se eu realmente estivesse fazendo diferença na vida de alguém. Você ouve professores contarem sobre experiências como essa, mas nunca imaginei que iria acontecer comigo."

Forcei um sorriso, e ela interpretou como um sinal para ir adiante.

"Enfim, ela perguntou se eu tinha tempo para conversar, e, embora eu dissesse que tinha apenas alguns minutos, uma coisa levou à outra e acabamos indo almoçar. Ela é realmente algo, apenas 17 anos, formou-se um ano mais cedo na escola. Ela passou em um monte de provas por isso já está no segundo ano, e está fazendo as aulas de verão para ficar ainda mais à frente. Você tem que admirá-la."

Ela queria um eco de seu entusiasmo, mas eu não era capaz de corresponder.

"Ela parece ótima", disse.

Após essa resposta, Savannah pareceu realmente olhar para mim pela primeira vez, e não fiz nenhum esforço para esconder meus sentimentos.

"O que há de errado?", ela perguntou.

"Nada", menti.

Ela colocou a mochila de lado, com um suspiro de desgosto. "Você não quer falar sobre isso? Tudo bem. Mas deve saber que isso está começando a ficar um pouco cansativo."

"O que isso quer dizer?"

Ela girou em minha direção. "Isso! A maneira como você está agindo", disse ela. "Você não é tão difícil de ler, John. Você está com raiva, mas não quer me dizer por quê."

Hesitei, sentindo-me na defensiva. Quando finalmente falei, fiz um esforço para manter a voz firme. "Certo", disse. "Achei que você estaria em casa horas atrás..."

Ela gesticulou. "É disso que se trata? Eu já expliquei. Acredite ou não, tenho responsabilidades agora. E se não estou equivocada, pedi desculpas pelo atraso assim que cheguei."

"Eu sei, mas..."

"Mas o quê? Meu pedido de desculpas não foi bom o suficiente?"

"Eu não disse isso."

"Então o que é?"

Quando eu não conseguia encontrar as palavras, ela colocou as mãos nos quadris. "Você quer saber o que eu acho? Você ainda está com raiva por ontem à noite. Mas deixe-me adivinhar, você não quer falar sobre isso, certo?"

Fechei os olhos. "Na noite passada, você..."

"Eu?", ela interrompeu e começou a abanar a cabeça. "Ah não, não me culpe pela noite passada! Eu não fiz nada de errado. Não fui eu quem começou isso! Ontem à noite, poderia ter sido divertido – seria divertido –, mas você tinha que agir como se quisesse atirar em alguém."

Ela estava exagerando. Ou então, novamente, talvez ela não estivesse. De qualquer modo, fiquei quieto.

Ela continuou. "Você sabe que eu tive que inventar desculpas por você hoje? E como isso me fez sentir? Lá estava eu, elogiando você o ano todo, contando aos meus amigos que cara legal você é, como você é maduro, como eu tinha orgulho do trabalho que você está fazendo. E eles acabaram vendo um lado seu que eu não conhecia. Você foi simplesmente... rude."

"Em algum momento você pensou que agi dessa forma porque não queria estar lá?"

Isso a deteve, mas só por um instante. Ela cruzou os braços. "Talvez sua atitude ontem à noite seja a razão do meu atraso hoje."

Essa declaração me pegou desprevenido. Eu não tinha considerado isso, mas essa não era a questão.

"Estou arrependido por ontem à noite."

"Você deve mesmo estar!", ela gritou, interrompendo-me novamente. "Esses são meus amigos!"

"Eu sei que eles são seus amigos!", disparei, levantando do sofá. "Encontramos com eles a semana toda!"

"O que isso quer dizer?"

"Só o que eu disse. Talvez eu queria ficar sozinho com você. Você já pensou nisso?"

"Você quer ficar sozinho comigo?", ela perguntou. "Bem, deixe-me dizer, você não está agindo de modo a dar essa impressão. Estávamos sozinhos esta manhã. Estávamos sozinhos quando cheguei agora. Estávamos sozinhos quando tentei ser agradável e deixar isso para trás, mas tudo o que você quer fazer é brigar."

"Não quero brigar!", disse, tentando a todo custo não gritar, mas sabendo que havia falhado. Virei-me, tentando controlar a raiva, mas, quando voltei a falar percebi o tom ameaçador na minha voz. "Só quero que as coisas sejam como antes. Como no verão passado."

"Como assim no verão passado?"

Odiei aquilo. Não queria dizer a ela que não me sentia mais importante. O que eu queria era o equivalente a pedir para alguém te amar, e isso nunca funcionou. Em vez disso, tentei rodear o assunto.

"No verão passado, parece que passamos mais tempo juntos."

"Não, não passamos", ela rebateu. "Trabalhei nas casas o dia inteiro, lembra?"

Ela estava certa, é claro. Pelo menos parcialmente. Tentei novamente. "Não estou dizendo que faz muito sentido, mas parece que tínhamos mais tempo para conversar no ano passado."

"E é isso que está incomodando você? Que eu esteja ocupada? Que eu tenha uma vida? O que você quer que eu faça? Falte às aulas a semana toda? Diga que estou doente quando tenho que ensinar? Deixe de fazer a lição de casa?"

"Não..."

"Então o que você quer?"

"Eu não sei."

"Mas você está disposto a me humilhar na frente dos meus amigos?"

"Eu não humilhei você", protestei.

"Não? Então por que Tricia me puxou de lado hoje? Por que ela sentiu a necessidade de dizer que nós não temos nada em comum e que eu poderia conseguir coisa muito melhor?"

Isso me feriu, mas não tenho certeza se ela percebeu como soou. A raiva, às vezes, torna isso impossível, como eu bem sabia.

"Eu só queria ficar sozinho com você na noite passada. É tudo que estou tentando dizer."

Minhas palavras não tiveram efeito sobre ela.

"Então por que você não disse?", ela exigiu saber. "Por que não falou algo como 'tudo bem se a gente fizesse outra coisa? Não estou com vontade de sair com outras pessoas. Bastava dizer isso. Eu não leio mentes, John."

Abri a boca para responder, mas não disse nada. Em vez disso, virei-me e fui para o outro lado da sala. Olhei a porta do pátio, não muito irritado com o que ela dissera, apenas... triste. Pareceu-me que a havia perdido, e não sabia se era porque estava fazendo tempestade em copo d'água ou porque compreendi bem demais o que estava realmente acontecendo entre nós.

Não queria mais falar. Nunca fui bom em falar, e percebi que desejava mesmo vê-la atravessar a sala, me abraçar e dizer que entendia o que realmente me incomodava e que não havia nada com que me preocupar.

Mas nenhuma dessas coisas aconteceu. Em vez disso, falei virado para a janela, sentindo-me estranhamente sozinho. "Você está certa", disse. "Eu deveria ter falado. Desculpe. Sinto muito por minha atitude na noite passada, e eu sinto muito por ter ficado chateado com seu atraso. É só que eu queria passar o maior tempo possível com você nesta viagem."

"Você diz como se duvidasse que eu quero a mesma coisa."

Virei-me. "Para ser honesto", disse, "não tenho tanta certeza."

Com isso, saí de casa.

* * *

Fiquei fora até anoitecer.

Não sabia para onde ir ou mesmo por que tinha saído, exceto que precisava ficar sozinho. Comecei a atravessar o campus debaixo de um sol escaldante e tive que me mover da sombra de uma árvore para outra. Não chequei para ver se ela estava me seguindo, sabia que não estava.

Com o tempo, parei e comprei uma água gelada no centro estudantil, mas, apesar do lugar estar relativamente vazio e fresco, não fiquei lá. Tinha necessidade de suar, como para me purificar da raiva, da tristeza e da decepção que não conseguia tirar de mim.

Uma coisa era certa: Savannah tinha entrado em casa pronta para discutir. Suas respostas saíram muito rapidamente, e percebi que pareciam menos espontâneas do que ensaiadas, como se a raiva dela estivesse fervilhando o dia todo. Ela sabia exatamente qual seria minha reação, e embora eu merecesse sua raiva por conta da minha atitude na noite anterior, o fato de ela não se importar com sua própria parcela de culpa ou com meus sentimentos corroeu-me durante toda a tarde.

As sombras se alongaram quando o sol começou seu poente, mas eu ainda não estava pronto para voltar. Em vez disso, comprei duas fatias de *pizza* e uma cerveja em uma dessas lojinhas minúsculas que dependem dos estudantes para sobreviver. Terminei de comer, andei um pouco mais e finalmente comecei a caminhada de volta ao apartamento. Já eram quase 9 horas, e a montanha-russa emocional pela qual eu passara me deixara exausto. Aproximando-me da rua, notei o carro de Savannah ainda estacionado no mesmo local. Dava para ver a luz acesa no interior do quarto. O resto do apartamento estava às escuras.

Fiquei pensando se a porta estaria fechada, mas a maçaneta moveu-se livremente quando a girei. A porta do quarto estava meio fechada, derramando luz sobre o corredor, e eu debatia se entrava ou ficava na sala. Não queria enfrentar a raiva dela, mas respirei fundo e atravessei o curto corredor. Enfiei a cabeça pela porta. Ela estava sentada na cama vestindo uma camisa enorme, que cobria a metade de suas coxas. Ela olhou por cima da revista, e eu abri um sorriso hesitante.

"Oi", eu disse.

"Oi."

Atravessei o quarto e sentei-me na beirada da cama.

"Desculpe", disse. "Por tudo. Você estava certa. Fui um idiota ontem à noite, e não deveria ter envergonhado você na frente dos seus amigos. E não deveria ter ficado tão irritado por você ter se atrasado. Não vai acontecer novamente."

Ela me surpreendeu batendo no colchão. "Venha aqui", sussurrou.

Eu obedeci. Encostei-me à cabeceira da cama e passei um braço em volta dela. Ela se aconchegou junto a mim, e senti o pulsar constante em seu peito.

"Não quero mais discutir", disse ela.

"Eu também não."

Enquanto eu acariciava seu braço, ela suspirou. "Aonde você foi?"

"A lugar nenhum, na verdade", disse. "Apenas caminhei pelo campus. Comi uma pizza. Pensei muito."

"Sobre mim?"

"Sobre você. Sobre mim. Sobre nós."

Ela assentiu. "Eu também", disse. "Você ainda está com raiva?"

"Não", eu disse. "Eu fiquei, mas estou cansado demais para sentir raiva."

"Eu também", repetiu. Ela levantou a cabeça para me encarar. "Quero dizer uma coisa sobre a qual refleti enquanto você estava fora", ela disse. "Posso falar?"

"Claro", respondi.

"Percebi que eu é quem deveria ter pedido desculpas. Sobre passar tanto tempo com meus amigos. Acho que é por isso que fiquei com tanta raiva mais cedo. Sabia o que você estava tentando dizer, mas não quis ouvir porque sabia que você estava certo. Pelo menos em parte. Mas seus motivos estavam errados."

Olhei para ela com dúvidas. Ela continuou.

"Você acha que te fiz passar tanto tempo com meus amigos porque não é mais tão importante para mim como antes, não é?" Ela não esperou por uma resposta. "Mas não é esse o motivo. Na verdade, é o contrário. Fiz isso porque você é importante demais para mim. Não tanto porque queria que você conhecesse meus amigos, ou eles conhecessem você, mas por minha causa."

Ela se deteve, indecisa.

"Não entendo o que você está tentando dizer."

"Você se lembra de quando eu disse que estar com você me dava forças?"

Quando assenti com a cabeça, ela deslizou os dedos em meu peito. "Eu não estava brincando. O verão passado significou muito para mim. Mais do que você pode imaginar. Quando você foi embora, fiquei um caco. Pergunte a Tim. Mal trabalhei nas casas. Sei que enviei cartas fazendo você acreditar que tudo estava bem, mas não estava. Chorei todas as noites, e todos dias fiquei em casa imaginando, esperando e desejando que você aparecesse caminhando na praia. Toda vez que via alguém com cabelo à escovinha, sentia meu coração bater mais rápido, embora soubesse que não era você. Mas essa era a questão. Eu queria que fosse você. Todas as vezes. Sei que o que você faz é importante, e entendo que esteja servindo no exterior, mas acho que não entendi como seria difícil quando estivesse longe. Parecia que estava quase me matando, e demorou um tempo para eu começar a me sentir normal de novo. E desta vez, por mais que eu queira ver você, por mais que eu te ame, parte de mim está aterrorizada por eu vir a me despedaçar de novo quando nosso tempo juntos acabar. Estou sendo puxada em duas direções, e minha reação foi fazer qualquer coisa a meu alcance para evitar o que passei no ano passado. Então tentei manter-nos ocupados, sabe? Para evitar que meu coração se partisse de novo."

Senti a garganta apertar, mas não disse nada. Após algum tempo, ela continuou.

"Hoje, percebi que estava magoando você. Não é justo com você, mas, ao mesmo tempo, estou tentando ser justa comigo também. Em uma semana, você terá partido novamente, e eu vou ter que descobrir sozinha como continuar a viver. Algumas pessoas conseguem. Você pode conseguir. Mas, para mim..."

Ela olhou para as mãos, e por um longo tempo ficamos em silêncio.

"Não sei o que dizer", finalmente admiti.

Apesar de tudo, ela riu. "Não quero resposta", disse ela, "porque não acho que haja resposta. Mas sei que não quero te magoar. É tudo o que sei. Só espero encontrar um jeito de ser mais forte neste verão."

"Sempre podemos malhar juntos", brinquei ainda um pouco triste, e foi gratificante ouvir o riso dela.

"Sim, vou malhar. Dez exercícios na barra e fico como nova, certo? Queria que fosse assim tão fácil. Mas vou conseguir. Pode não ser fácil, mas pelo menos não vai ser um ano inteiro desta vez. Pensei nisso o tempo todo hoje. Que você vai estar em casa no Natal. Mais alguns meses e tudo isso vai acabar."

Abracei-a sentindo o calor de seu corpo contra o meu. Senti os dedos dela através do tecido fino da minha camiseta e percebi seu delicado puxão, expondo a pele da minha barriga. A sensação foi eletrizante. Saboreei o contato e me inclinei para beijá-la.

Havia um tipo diferente de paixão em seu beijo, algo vibrante e vivo. Senti a língua dela contra a minha, consciente da forma com que aquele corpo respondia ao meu, e os dedos delas avançaram em direção ao botão do meu *jeans*. Minhas mãos deslizaram por seu corpo, e percebi que ela estava nua por baixo da camisa. Ela abriu o botão, e, embora o que eu mais quisesse na vida era continuar, obriguei-me a me afastar e parar antes que fosse tarde demais, antes que acontecesse aquilo para o qual eu não sabia se ela estava preparada.

Senti minha própria hesitação, mas, antes que eu pudesse me decidir, ela sentou-se na cama e tirou a camisa. Minha respiração acelerou quando a vi, e, de um golpe, ela se aproximou e levantou minha camiseta. Ela beijou meu umbigo, minhas costelas, meu peito, e senti suas mãos começando a puxar minha calça jeans.

Levantei-me da cama, tirei a camiseta e deixei meus *jeans* caírem no chão. Beijei seu pescoço e ombros e senti o calor de sua respiração em meu ouvido. A sensação de pele contra pele era como fogo, e começamos a fazer amor.

Foi tudo o que eu sempre sonhara, e, quando terminamos, abracei Savannah, tentando registrar na memória cada sensação. No escuro, sussurrei que a amava muito.

Fizemos amor pela segunda vez e, quando finalmente Savannah adormeceu, fiquei olhando para ela. Tudo nela era requintadamente pacífico, mas, por algum motivo, eu sentia uma ranzinza sensação de pavor. Tudo foi terno e emocionante, mas não pude deixar de pensar se não havia um traço de desespero em nossas ações, como se estivéssemos agarrados à esperança de que aquilo sustentaria nossa relação, qualquer que fosse o futuro.

• • • • • • •

Quatorze

O tempo em que ficamos juntos durante o resto da minha licença foi tudo o que eu havia esperado inicialmente. Além do fim de semana com meu pai - no qual ele cozinhou para nós e falou interminavelmente sobre moedas-, ficamos sozinhos tanto quanto possível. De volta a Chapel Hill, assim que Savannah terminava as aulas do dia, passávamos as tardes e as noites juntos. Passeamos pelas lojas da rua Franklin, visitamos o Museu da História da Carolina do Norte em Raleigh, e até passamos algumas horas no Jardim Zoológico do Estado. Na minha penúltima noite na cidade, fomos jantar no restaurante chique que o vendedor de sapatos me indicara. Ela não me deixou espiar enquanto se arrumava, mas finalmente, ao sair do banheiro, estava incrivelmente glamourosa. Enquanto a admirava, pensava em como tinha sorte de estar com ela.

Não fizemos amor novamente. Depois daquela noite, acordei pela manhã e encontrei Savannah me observando, as lágrimas escorrendo em seu rosto. Antes que eu pudesse perguntar o que havia acontecido, ela levou um dedo aos lábios e balançou a cabeça, sinalizando para eu não falar nada.

"A noite passada foi maravilhosa", ela disse, "mas não quero falar sobre isso." Ela enrodilhou-se em mim e eu a abracei por um longo tempo, ouvindo o som de sua respiração. Soube então que algo havia mudado entre nós, mas ao mesmo tempo, não tive coragem de descobrir o que.

Na manhã da minha partida, Savannah levou-me ao aeroporto. Sentamos junto ao portão de embarque, esperando meu voo ser chamado, o polegar dela desenhando pequenos círculos nas costas da minha mão. Quando chegou a hora de entrar no avião, ela caiu em meus braços e começou a chorar. Ao ver minha expressão, ela forçou uma risada, mas eu sentia que ela estava triste.

"Sei que prometi", disse ela, "mas não posso evitar."

"Vai ficar tudo bem", disse. "São apenas seis meses. Com tudo o que está acontecendo em sua vida, você ficará espantada como vai passar rápido."

"É fácil falar", ela disse, fungando. "Mas você está certo. Eu vou ser mais forte desta vez. Vou ficar bem."

Examinei o rosto dela em busca de sinais de negação, mas não encontrei nenhum.

"De verdade", ela disse. "Vou ficar bem."

Concordei, e por um longo momento simplesmente nos olhamos.

"Você vai se lembrar de olhar a lua cheia?", ela perguntou.

"Todas as vezes", prometi.

Nós nos beijamos pela última vez. Abracei-a com firmeza e sussurrei que a amava, então me obriguei a soltá-la. Joguei a mochila nos ombros e me dirigi para a rampa. Espiando para trás, percebi que Savannah desaparecera, escondida em algum lugar em meio à multidão.

No avião, recostei-me no banco rezando para que Savannah estivesse dizendo a verdade. Embora soubesse que ela me amava e se importava comigo, de repente entendi que, às vezes, nem mesmo amor e carinho são suficientes. Eles eram os tijolos de concreto do nosso relacionamento, mas também eram instáveis sem a argamassa do tempo compartilhado, do tempo sem a ameaça da separação iminente que pairava sobre nós. Embora eu não quisesse admitir, não sabia de muita coisa sobre ela. Não tinha percebido como minha partida no ano anterior a havia afetado, e, apesar de ter passado horas ansiosas pensando nisso, não tinha certeza da maneira que minha partida iria afetá-la agora. Nosso relacionamento – e sentia isso com um peso em meu peito – estava começando a se parecer com o giro de um pião de criança. Quando estávamos juntos, tínhamos o poder de mantê-lo girando e o resultado era beleza, magia e um sentimento quase infantil de espanto; quando estávamos separados, o movimento inevitavelmente começava a desacelerar. Nós nos tornávamos vacilantes e instáveis, e sabia que tinha de encontrar um modo de nos impedir de tombar.

* * *

Aprendi minha lição do ano anterior. Não só escrevi mais cartas da Alemanha durante julho e agosto, mas também liguei para Savannah com mais frequência. Ouvi-a atentamente durante os telefonemas, na tentativa de captar qualquer sinal de depressão e desejando ouvir qualquer palavra de carinho ou desejo. No começo, ficava nervoso antes das ligações; quando o verão estava terminando, ansiava por elas. Suas aulas correram bem. Ela passou duas semanas com os pais, e em seguida começou o segundo semestre. Na primeira semana de setembro, começamos a contagem regressiva dos dias até minha baixa. Faltavam cem. Era mais fácil falar em dias do que semanas ou meses; de alguma forma, isso fez a distância entre nós encolher, tornar-se mais íntima, algo que ambos seriam capazes de suportar. A parte mais difícil já tinha passado, lembrávamos um ao outro. Eu sentia que, conforme virara as páginas do calendário, as preocupações sobre o nosso relacionamento começaram a diminuir. Eu tinha certeza de que não havia nada no mundo capaz de nos impedir de ficar juntos.

Então veio o 11 de setembro.

• • • • • • •

QUINZE

De uma coisa tenho certeza: as imagens do 11 de setembro ficarão comigo para sempre. Assisti à fumaça saindo das Torres Gêmeas e do Pentágono e vi o rosto sombrio dos homens à minha volta observando pessoas saltarem para a morte. Testemunhei o desabamento dos edifícios e a enorme nuvem de poeira e detritos que se formou em seu lugar. Senti fúria enquanto a Casa Branca era evacuada.

Poucas horas depois, soube que os Estados Unidos iriam reagir ao ataque e que as Forças Armadas liderariam a reação. A base entrou em alerta máximo, e duvido que alguma vez tenha ficado tão orgulhoso dos meus homens. Nos dias que se seguiram, foi como se todas as diferenças pessoais e afiliações políticas de qualquer tipo derretessem. Por um curto período de tempo, todos nós fomos simplesmente americanos.

Escritórios de recrutamento em todo o país começaram a encher com homens querendo se alistar. Entre nós já alistados, o desejo de servir era mais forte do que nunca. Tony foi o primeiro homem em meu esquadrão a se realistar por mais dois anos, e um a um, todos seguiram seu exemplo.

Mesmo eu, que esperava minha dispensa honrosa em dezembro e contava os dias para voltar para Savannah, peguei a febre e acabei me realistando.

Seria fácil dizer que fui influenciado pelo que acontecia à minha volta e por isso tomei tal decisão. Mas isso seria apenas uma desculpa. Certo, eu fui de fato pego pela onda de patriotismo, mas, além disso, sentia-me obrigado pelos laços da amizade e da responsabilidade. Conhecia meus homens, preocupava-me com eles, e o pensamento de abandoná-los em um momento como aquele me pareceu incrivelmente covarde. Tínhamos passado por coisas demais juntos para eu sequer cogitar deixar o Exército naqueles últimos dias de 2001.

Liguei para Savannah com a notícia. Inicialmente, ela foi solidária. Como todo mundo, ela estava horrorizada com o que havia acontecido e entendia o senso de dever que pesava sobre mim, mesmo antes de eu tentar explicar. Ela disse que estava orgulhosa de mim.

Mas a realidade logo apareceu. Ao escolher servir ao meu país, eu tinha feito um sacrifício. Embora a investigação sobre os autores do atentado tenha sido concluída rapidamente, 2001 terminou sem maiores sobressaltos para nós. Nossa divisão da infantaria não desempenhou qualquer papel na derrubada do governo Talibã no Afeganistão, uma decepção para todos no meu pelotão. Em vez disso, passamos a maior parte do inverno e da primavera treinando e nos preparando para a futura invasão ao Iraque.

Foi por volta dessa época, acredito, que as cartas de Savannah começaram a mudar. Se antes elas chegavam toda semana, passaram a vir de dez em dez dias e, com o passar dos dias, tornaram-se quinzenais. Tentei consolar-me com o fato de que o tom das cartas não havia mudado, mas com o tempo isso também aconteceu. Não havia mais as longas passagens em que ela descrevia como imaginava nossa vida juntos, as passagens que, no passado, sempre me encheram de expectativa. Ambos sabíamos que agora o sonho teria de esperar dois anos. Escrever sobre um futuro tão distante a fazia lembrar quanto tempo faltava, algo doloroso de pensar para nós dois.

No final de maio, consolei-me que pelo menos nos veríamos na minha próxima licença. O destino, porém, conspirou novamente contra nós poucos dias antes de eu voltar para casa. Meu comandante convocou uma reunião e, quando me apresentei em seu escritório, ele mandou que eu me sentasse. Meu pai, ele disse, tinha acabado de sofrer um ataque cardíaco, e ele já se antecipara e me concedera a licença adicional de emergência. Em vez da ir para Chapel Hill e passar duas semanas gloriosas com Savannah, viajei para Wilmington e fiquei ao lado da cama do meu pai, respirando o odor antisséptico que sempre me fez pensar mais na morte do que na cura. Quando cheguei lá, meu pai estava na unidade de terapia intensiva, e lá ele permaneceu durante a maior parte da minha licença. Sua pele tinha uma palidez acinzentada, e sua respiração era rápida e fraca. Na primeira semana, ele recuperava e perdia a consciência. Mas, quando ele estava acordado, vi emoções em meu pai que afloraram raramente, porém nunca combinadas: o medo desesperado, a confusão momentânea, e uma gratidão de cortar o coração por eu estar ao lado dele. Mais de uma vez, peguei a mão dele, outra coisa inédita em minha vida. Por causa de um tubo introduzido em sua garganta, ele não podia falar, então eu conversei pelos dois. Embora eu contasse um pouco do que acontecia na base, falei principalmente sobre as moedas. Li o Greysheet quando saiu, e fui à casa dele pegar cópias antigas que ele mantinha arquivadas em sua gaveta e também as li. Pesquisei sobre moedas na internet em *sites* como "David Hall Rare Coins" e "Legend Numismatics"[1], e contava para ele as que estavam em oferta, bem como quais eram os preços mais recentes. Os preços me espantaram. Com base nas moedas de meu pai que eu conhecia, comecei a suspeitar que a coleção dele, apesar da queda dos preços do ouro desde seu apogeu, valia provavelmente dez vezes mais do que a casa que ele tinha há anos. Meu pai, incapaz de dominar a arte da conversa mais simples, havia se transformado no homem mais rico que eu conhecia.

Ele não se interessava pelo valor das moedas. Desviava os olhos sempre que eu os mencionava, e logo me lembrei do que por algum motivo eu havia esquecido: para meu pai, a busca pelas moedas sempre foi muito mais interessante do

---

1 NT: Moedas raras de David Hall e Lendas da Numismática. Ambos os *sites* existem.

que as moedas em si e, para ele, cada uma delas representava uma história com final feliz. Com isso em mente, fiz um grande esforço para lembrar todas que tínhamos encontrado juntos. Como meu pai mantinha registros impecáveis, eu os examinava antes de dormir e, pouco a pouco, essas lembranças voltaram. No dia seguinte, eu relembrava ao lado dele as histórias de nossas viagens para Raleigh, Charlotte ou Savannah. Embora nem mesmo os médicos soubessem ao certo se ele iria escapar, ele sorriu mais naquelas semanas do que em toda sua vida comigo. Foi para casa um dia antes da data da minha partida e o hospital tomou medidas para que alguém cuidasse dele enquanto se recuperava.

Porém, se a estada no hospital reforçou minha relação com meu pai, ela não ajudou em nada meu relacionamento com Savannah. Não entenda mal, ela foi me encontrar sempre que pode, e demonstrou apoio e simpatia. Mas, como passei tanto tempo no hospital, não foi o suficiente para cicatrizar as fissuras que começavam a aparecer no nosso relacionamento. Para ser honesto, eu nem sabia ao certo o que queria dela: quando ela estava lá, tinha vontade de ficar a sós com meu pai, quando ela não estava, sentia falta dela ao meu lado. De algum modo, Savannah atravessou esse campo minado sem reagir a nenhum *stress* que eu descontasse nela. Parecia entender meus pensamentos melhor do que eu e antecipar minhas necessidades. Ainda assim, precisávamos de um tempo para nós. Um tempo a sós. Se nosso relacionamento fosse uma bateria, o tempo que eu passava no exterior significava descarregamento contínuo, e nós precisávamos de tempo para a recarga. Uma vez, sentado ao lado de meu pai ouvindo o bip constante do monitor cardíaco, percebi que eu e Savannah passáramos menos de quatro das últimas cento e quatro semanas juntos. Menos de 5%. Mesmo com cartas e telefonemas, às vezes eu me pegava olhando para o nada, pensando em como resistíamos por tanto tempo.

Saímos para caminhar ocasionalmente e jantamos juntos duas vezes. Como Savannah estava dando e fazendo aulas novamente, era impossível para ela para ficar. Tentei não culpá-la por isso, salvo quando o fiz, e acabamos discutindo. Eu odiava aquilo, e ela também, mas nenhum de nós era capaz de evitar. Embora ela não dissesse nada, e ainda negasse quando confrontada, eu sabia que o problema subjacente era o fato de que eu deveria estar de volta de vez, e não estava. Foi a primeira e única vez que Savannah mentiu para mim.

Passamos por cima da briga o máximo que podíamos, e nossa despedida foi outro momento triste, embora menos do que da última vez. Seria reconfortante pensar que tínhamos nos habituado ou estávamos mais maduros. Porém, quando sentei-me na poltrona do avião, sabia que algo irrevogável havia mudado entre nós. Menos lágrimas foram derramadas porque a intensidade dos nossos sentimentos diminuíra.

Foi uma constatação dolorosa. Porém, na noite seguinte de lua cheia, vaguei pelo campo de futebol abandonado. Como eu tinha prometido, lembrei-me dos momentos que passei com Savannah na minha primeira folga. Também recordei minha segunda licença, mas curiosamente, não quis pensar na terceira, pois acho que pressentia o que estava por vir.

Conforme o verão avançava, meu pai continuava a se recuperar, embora lentamente. Em suas cartas, ele contava que saía para passear no quarteirão três vezes por dia, todos os dias, exatamente por 20 minutos, mas até isso era difícil para ele. Se houve um lado positivo nisso tudo, foi proporcionar a ele algo em torno do qual organizar seu dia agora que ele estava aposentado, algo além de moedas. Além de mandar cartas, mesmo com mais frequência, passei a telefonar para ele às terças e sextas-feiras, exatamente à uma hora, horário dos Estados Unidos, só para ter certeza de que ele estava bem. Procurava sinais de cansaço em sua voz, e lembrava-lhe constantemente que deveria comer bem, dormir bastante e tomar a medicação. Sempre fui o responsável pela maior parte da conversa. Papai achava as conversas telefônicas ainda mais dolorosas do que a comunicação cara a cara, e sempre soou como se quisesse desligar o telefone o mais rápido possível. Com o tempo, comecei a provocá-lo por causa disso, mas nunca tive certeza se ele entendia que eu estava brincando. Isso me divertia, e às vezes eu ria; embora ele nunca risse comigo, o tom de sua voz ficava mais alegre, ainda que temporariamente, antes de ele cair em total silêncio. Não tinha problema. Sabia que ele esperava os telefonemas com ansiedade. Ele sempre atendia ao primeiro toque, e foi fácil para mim imaginá-lo olhando o relógio, à espera da ligação.

Agosto virou setembro e depois outubro. Savannah terminou suas aulas em Chapel Hill e voltou para casa para procurar um emprego. Nos jornais, leio sobre as Nações Unidas e como os europeus querem encontrar um modo de nos impedir de entrar em guerra com o Iraque. As coisas estavam tensas nas capitais dos nossos aliados na OTAN; no noticiário, sempre havia manifestações da população e declarações vigorosas dos governos, afirmando que os Estados Unidos estavam prestes a cometer um erro terrível. Enquanto isso, nossos líderes tentavam fazê-los mudar de ideia. Eu e todos no meu pelotão continuávamos a levar nossas vidas, treinando para o inevitável com sinistra determinação. Então, em novembro, eu e meu pelotão retornamos a Kosovo. Não ficamos muito tempo por lá, mas era mais do que suficiente. Eu já estava cansado dos Balcãs, estive lá quatro vezes, e já estava cansado das Forças de Paz. Mais do que isso, eu e todos no Exército sabíamos que a guerra no Oriente Médio se aproximava, quisesse ou não a Europa.

Nesse período, as cartas de Savannah ainda chegavam com alguma regularidade, assim como meus telefonemas para ela. Normalmente eu ligava antes do amanhecer, como sempre por volta de meia-noite no horário dela. Porém, se no passado eu sempre conseguia falar com ela, agora mais de uma vez ela não estava em casa. Embora tentasse me convencer que ela tinha saído com os amigos ou com seus pais, era difícil evitar que meus pensamentos desembestassem. Depois de desligar o telefone, às vezes eu imaginava que ela conhecera outro homem e se apaixonara. Às vezes ligava mais duas ou três vezes na hora seguinte, ficando com mais raiva a cada toque sem resposta.

Quando ela finalmente atendia, eu pensava em perguntar onde ela estava, mas nunca o fiz. Nem sempre ela me contava voluntariamente. Sei que cometi um erro em manter o silêncio, simplesmente porque era impossível para mim esquecer o assunto, mesmo tentando me concentrar na conversa. Muito frequentemente, eu estava tenso ao telefone, e as respostas dela eram igualmente tensas. Cada vez mais, nossas conversas deixaram de ser alegres demonstrações de afeto e viraram uma rudimentar troca de informações. Após desligar, eu sempre me odiava pelo ciúme que sentia e me castigava nos dias seguintes, prometendo não deixar que acontecesse novamente.

Outras vezes, porém, Savannah parecia exatamente a mesma pessoa de quem eu me lembrava e demonstrava o quanto ainda gostava de mim. Durante tudo isso, continuei a amá-la como sempre e desejava ardentemente os momentos simples do passado. Eu sabia o que estava acontecendo, claro. Como estávamos nos afastando, eu ficava cada vez mais desesperado para salvar o que antes havia entre nós; no entanto, como em um círculo vicioso, meu desespero fez com que nos distanciássemos ainda mais.

Começamos a discutir. Como na briga que tivemos no apartamento dela durante minha segunda licença, eu não conseguia dizer o que estava sentindo. E, não importava o que ela dissesse, não conseguia deixar de pensar que ela estava me enganando ou nem mesmo tentava diminuir minhas preocupações. Eu odiava esses telefonemas ainda mais do que meu ciúme, mesmo sabendo que ambos estavam interligados.

Apesar de nossas dificuldades, nunca duvidei de que conseguiríamos superar tudo. Eu queria uma vida com Savannah mais do que tudo. Em dezembro, comecei a ligar com mais frequência e fiz de tudo para controlar o ciúme. Forcei-me a ser animado ao telefone, na esperança de que ela gostasse de me ouvir. Pensei que as coisas estivessem melhorando, e aparentemente estavam mesmo. Porém, quatro dias antes do Natal, lembrei a ela que voltaria para casa em pouco menos de um ano. Em vez da resposta animada que eu esperava, ela ficou em silêncio. Ouvia apenas o som de sua respiração.

"Você me ouviu?", perguntei.

"Sim", disse ela, com voz suave. "É só que já ouvi isso antes."

Era a verdade, ambos sabíamos, mas eu não dormi direito por quase uma semana.

A lua cheia apareceu na noite de ano-novo, e, embora eu tenha saído para admirá-la e recordar-me da semana em que nos apaixonamos, essas imagens estavas nebulosas, como se turvas pela tristeza imensa que sentia dentro de mim. No caminho de volta, vi dezenas de homens reunidos em círculos, ou apoiados nas paredes dos prédios fumando cigarros, como se não tivessem qualquer preocupação.

Gostaria de saber o que pensavam quando me viram passar. Será que perceberam que eu estava perdendo tudo o que importava para mim? Ou que eu desejava mais uma vez poder mudar o passado?

Não sei, e eles não perguntaram. O mundo estava mudando rapidamente. As ordens que esperávamos chegaram na manhã seguinte, e alguns dias depois meu pelotão estava na Turquia onde começamos a nos preparar para invadir o norte do Iraque. Participamos de reuniões em que nos informaram nossas atribuições, estudamos a topografia, e repassamos planos de batalha. Havia pouco tempo livre, mas quando saíamos da base, era difícil ignorar os olhares hostis da população. Ouvimos rumores de que a Turquia planejava negar o acesso às nossas tropas para a invasão e que estavam em andamento as negociações para garantir tal permissão. Há muito tínhamos aprendido a ouvir boatos com desconfiança, mas desta vez os rumores eram precisos, e meu pelotão e outros foram enviados para o Kuwait para começar tudo de novo.

Desembarcamos no meio da tarde, sob um céu sem nuvens, rodeados de areia por todos os lados. Quase imediatamente fomos para um ônibus e viajamos por horas, acabando no que, essencialmente, era a maior cidade de tendas que já vi. O Exército fez o máximo para torná-la confortável. A comida era boa e o posto de trocas tinha tudo do que precisávamos, mas era chato. O correio era ruim, não recebi nenhuma carta e as filas para usar o telefone tinham um quilômetro. Entre treinamentos, meus homens e eu nos sentávamos para conversar, tentando adivinhar quando começaria a invasão, ou praticávamos como colocar nossas roupas químicas o mais rápido possível. O plano era que meu pelotão reforçasse outras unidades de diferentes divisões em uma grande ofensiva sobre Bagdá. Em fevereiro, depois do que parecia um "zilhão" de anos no deserto, eu e meu pelotão estávamos mais do que prontos.

Nessa época, muitos soldados já estavam no Kuwait desde meados de novembro, e a circulação dos boatos tinha força total. Ninguém sabia o que estava por vir. Ouvi falar de armas biológicas e químicas; ouvi que Saddam tinha aprendido a lição na tempestade no deserto e fortificara Bagdá com a Guarda Republicana na esperança de um último ato de resistência sangrento. Em 17 de março, soube que haveria guerra. Na última noite no Kuwait, escrevi cartas para aqueles que eu amava, para o caso de não sobreviver: uma para meu pai e uma para Savannah. Naquela noite, embarquei em um comboio que se estendia por uma centena de quilômetros até o Iraque.

O combate era esporádico, ao menos inicialmente. Como nossa Força Aérea dominava os céus, tínhamos pouco a temer enquanto percorríamos, sobretudo, estradas desertas. O Exército iraquiano, em sua maior parte, não estava em lugar algum, o que só aumentava minha tensão enquanto eu tentava antecipar o que o meu pelotão enfrentaria mais tarde durante a campanha. Aqui e ali, ouvíamos falar sobre fogo inimigo, disparos de morteiros, e nos enfiávamos em nossas roupas protetoras, apenas para descobrir que era alarme falso. Os soldados estavam tensos. Não dormi por três dias.

Adentrando o Iraque, os conflitos começaram a aparecer, e foi então que aprendi a primeira lei associada à Operação Iraque Livre: civis e inimigos muitas vezes tinham exatamente a mesma aparência. Ouvíamos tiros lá fora, atacávamos, e havia momentos em que não tínhamos certeza de quem eram nossos alvos. Quando chegamos ao Triângulo Sunita, a guerra começou a se intensificar. Ouvimos falar de batalhas em Fallujah, Ramadi e Tikrit, todas travadas por outras unidades de outras divisões. Meu pelotão se juntou à Airborne Oitenta e Dois em um ataque a Samawah, e foi lá que tivemos a primeira experiência real de combate.

A Força Aérea tinha aberto o caminho. Bombas, mísseis e morteiros explodiam desde o dia anterior. Quando atravessamos a ponte que levava à cidade, o meu primeiro pensamento foi de perplexidade diante da quietude. Meu pelotão foi designado para um bairro nos arredores da cidade, onde deveríamos vasculhar casa a casa para eliminar os inimigos da região. Enquanto passávamos, as imagens pulavam rapidamente: os restos carbonizados de um caminhão, o corpo sem vida do motorista jogado ao lado, um prédio parcialmente demolido, ruínas de carros fumegantes aqui e ali. Tiros esporádicos de fuzil nos mantinham alerta. Enquanto patrulhávamos, ocasionalmente, os civis saíam correndo das casas com armas nas mãos, e fazíamos o máximo para tentar salvar os feridos.

No início da tarde, quando nos preparávamos para voltar, fomos atacados por um fogo pesado que vinha de um prédio ao final da rua. Estávamos em posição precária, encostados nas paredes. Dois homens deram cobertura enquanto liderei o resto do pelotão através do corredor de balas para um local mais seguro do outro lado da rua; pareceu quase um milagre ninguém ter sido morto. De lá, disparamos milhares de rajadas contra a posição do inimigo, provocando a destruição total. Quando achei que era seguro, iniciamos a abordagem ao prédio, movendo-nos cautelosamente. Usei uma granada para explodir a porta da frente. Liderei meus homens até a entrada e coloquei a cabeça para dentro. A fumaça era espessa e o cheiro de enxofre empesteava o ar. O interior estava destruído, mas ao menos um soldado iraquiano tinha sobrevivido. Assim que nos aproximamos, ele começou a atirar do porão sob o piso. Tony foi atingido na mão, e todos nós atiramos centenas de vezes. O barulho era tão alto que não dava para ouvir o som da própria voz, mas continuei apertando o gatilho, mirando em todos os lugares, no chão, nas paredes e no teto. Pedaços de gesso, tijolo e madeira voavam enquanto o local era dizimado. Quando finalmente paramos de atirar, tive certeza de que ninguém poderia ter sobrevivido, mas joguei outra granada em uma abertura que levava ao porão só para garantir e corremos para fora por causa da explosão.

Após vinte minutos da experiência mais intensa da minha vida, a rua estava silenciosa, exceto pelo zumbido no meu ouvido e pelo som dos meus homens vomitando, praguejando e falando sobre o que acontecera. Enrolei a mão de Tony, e quando achei que todos estavam prontos, começamos a recuada do mesmo modo como chegáramos. Em tempo, fizemos o caminho de volta à estação ferroviária, que estava sob a guarda de nossas tropas, e despencamos. Naquela noite, recebemos o nosso primeiro lote do correio em quase seis semanas.

Na correspondência, havia seis cartas de meu pai. Mas apenas uma de Savannah e, sob a luz fraca, eu comecei a ler.

Querido John,

Estou escrevendo esta carta na mesa da cozinha, e eu estou sofrendo porque não sei como dizer o que estou prestes a dizer. Parte de mim gostaria que você estivesse aqui agora para que eu pudesse fazer isso pessoalmente, mas nós dois sabemos que é impossível. Então aqui estou, escolhendo as palavras, com lágrimas no rosto e com esperanças de que você, de alguma maneira, me perdoe pelo que vou escrever.

Sei que este é um momento terrível para você. Tento não pensar na guerra, mas não consigo evitar as imagens, e sinto medo o tempo todo. Assisto ao noticiário e leio os jornais sabendo que você está no meio disso tudo. Tento descobrir onde você está e o que está passando. Rezo todas as noites para que volte para casa em segurança e continuarei a rezar. Nós vivemos algo maravilhoso, e quero que você nunca se esqueça disso. Também não quero que pense não ter significado tanto para mim quanto eu para você. Você é raro e lindo, John. Eu me apaixonei por você, mas, acima de tudo, conhecer você me fez perceber o que realmente significa o amor verdadeiro. Durante os últimos dois anos e meio, olhei para o céu a cada lua cheia e lembrei tudo que passamos juntos. Lembrei de como me senti confortável conversando com você naquela primeira noite. Lembrei a noite em que fizemos amor. Sempre fiquei feliz por nós dois termos nos entregado daquele jeito. Para mim, significa que nossas almas estarão ligadas para sempre.

Há tantas outras coisas. Quando fecho os olhos, vejo seu rosto; quando caminho, é quase como se conseguisse sentir sua mão na minha. Essas coisas ainda são reais para mim, mas da mesma forma que elas trouxeram conforto, hoje provocam dor. Entendi seus motivos para permanecer no Exército, e respeito sua decisão. Ainda respeito, mas nós dois sabemos que nosso relacionamento mudou depois disso. Nós mudamos, e no fundo do seu coração, acho que você também percebeu isso. Talvez tenhamos passado tempo demais separados, talvez fôssemos de mundos diferentes. Eu não sei. Toda vez que brigamos, eu me odiava por isso. De algum modo, mesmo amando um ao outro, perdemos a ligação mágica que nos manteve juntos.

Sei que parece uma desculpa, mas, por favor, acredite em mim quando digo que não queria me apaixonar por outra pessoa. Se eu não entendo exatamente como isso aconteceu, como você poderia? Não espero que você entenda, mas, por tudo que passamos, não posso continuar mentindo para você. Mentir diminuiria tudo o que vivemos, e não quero fazer isso, embora saiba que você vai se sentir traído.

Vou entender se você nunca mais quiser falar comigo, assim como vou entender se você disser que me odeia. Parte de mim também me odeia. Escrever esta carta me obriga a reconhecer isso. Quando olho no espelho, sei que vejo alguém que não tem certeza de merecer ser amada. Estou falando sério.

Mesmo que você não queira ouvir, quero que você saiba que sempre será parte de mim. No tempo que passamos juntos, você conquistou um lugar especial no meu coração, que eu vou levar comigo para sempre e ninguém pode substituir. Você é um herói e um cavalheiro, você é gentil e honesto, mas, acima de tudo, você é o primeiro homem que amei verdadeiramente. E não importa o que o futuro traga, você sempre será, e sei que minha vida é melhor por causa disso.

Sinto muito,
Savannah

PARTE III

Dezesseis

Ela estava apaixonada por outra pessoa.

Soube antes mesmo de terminar de ler a carta, e de uma hora para outra o mundo pareceu parar. Meu primeiro instinto foi dar um soco na parede, mas em vez disso amassei a carta e joguei-a fora. Fiquei com muita raiva na hora; mais do que me sentir traído, foi como se ela tivesse esmagado tudo que significava alguma coisa no mundo. Eu a odiava e odiava o homem sem nome e sem rosto que a roubara de mim. Fantasiava o que faria com ele se alguma vez cruzasse meu caminho, e a imagem não era bonita.

Ao mesmo tempo, desejava falar com ela. Queria tomar um avião para casa imediatamente, ou pelo menos ligar para ela. Parte de mim não queria acreditar, não podia acreditar. Não agora, não depois de tudo o que havíamos passado. Faltavam apenas nove meses. Depois de quase três anos, será que era assim tão impossível?

Mas não fui para casa, nem telefonei. Não escrevi, nem tive qualquer outro contato com ela. Minha única ação foi recuperar a carta que eu jogara fora. Alisei-a o melhor que pude, coloquei-a de volta no envelope, e decidi carregá-la comigo como uma ferida de batalha. Ao longo das semanas seguintes, fui o perfeito soldado, refugiando-me no único mundo que ainda parecia real para mim. Eu me ofereci para todas as missões consideradas perigosas, mal falei com as pessoas da minha unidade, e por um tempo tive que fazer um grande esforço para não ser muito rápido no gatilho durante as patrulhas. Eu não confiava em ninguém e, embora não tenha sido responsável por "incidentes" infelizes, como o Exército gosta de chamar as mortes de civis, estaria mentindo se alegasse ter sido paciente e compreensivo ao lidar com os iraquianos de qualquer tipo. Apesar de quase não dormir, meus sentidos se aguçavam à medida que continuávamos a ofensiva sobre Bagdá. Ironicamente, apenas arriscando a vida eu encontrava alívio para a imagem de Savannah e o fato de nosso relacionamento ter terminado.

Minha vida acompanhava as oscilações da sorte na guerra. Menos de um mês depois de eu receber a carta, Bagdá caiu e, apesar de um breve período auspicioso no início, as coisas ficaram piores e mais complicadas com o passar de semanas e meses. Afinal, percebi, esta guerra não era diferente de qualquer outra. Guerras sempre se resumem à disputa de poder entre interesses conflitantes, mas esse entendimento não tornava mais fácil a vida no campo de batalha. No rescaldo da queda de Bagdá, cada soldado do meu pelotão foi obrigado a assumir os papéis de policiais e juízes. Como soldados, não fomos treinados para isso.

Olhando de fora e em retrospecto, era fácil questionar nossas ações, mas no mundo real, em tempo real, as decisões nem sempre eram fáceis. Mais de uma vez fui abordado por civis iraquianos dizendo que um determinado indivíduo havia roubado este ou aquele item, ou cometido este ou aquele crime, e instado a tomar alguma atitude a respeito. Aquele não era nosso trabalho. Fomos enviados para manter alguma aparência de ordem – o que basicamente significava matar insurgentes que tentavam nos matar ou aos civis –, até os locais serem capazes de assumir o comando e lidar sozinhos com o problema. Esse processo em especial não foi fácil nem rápido, mesmo em lugares onde a calma era mais frequente do que o caos. Nesse meio tempo, outras cidades desintegravam-se em meio ao caos, então éramos enviados para restaurar a ordem. Eliminávamos os insurgentes, mas, como não havia tropas suficientes para ocupar e manter a cidade segura, eles voltavam assim que nos retirávamos. Havia dias em que meus homens percebiam a futilidade desse exercício em particular, mesmo sem questioná-lo abertamente.

A questão é, não sei como descrever o *stress*, o tédio e a confusão daqueles nove meses, exceto dizer que havia muita areia. Sim, sei que é um deserto, e sim, passei muito tempo na praia, portanto deveria estar acostumado, mas a areia dali era diferente. Entrava nas roupas, nas armas, em caixas fechadas, na comida, nos ouvidos, no nariz e entre os dentes. Quando cuspia, sempre sentia areia na minha boca. As pessoas ao menos conseguem entender isso, mas aprendi que elas não queriam ouvir a verdade de fato, ou seja, que na maior parte do tempo o Iraque não era tão ruim, mas às vezes era pior do que o inferno. Será que as pessoas realmente querem saber que vi um cara do meu pelotão atirar acidentalmente em uma criança que só estava no lugar errado na hora errada? Ou que vi soldados explodindo quando atingiam um IED – dispositivo explosivo improvisado – nas estradas próximas a Bagdá? Ou ainda que vi sangue empoçado nas ruas como água da chuva, com partes de corpos boiando? Não, as pessoas preferem ouvir sobre a areia, porque isso mantém a guerra a uma distância segura.

Cumpri meu dever do melhor modo possível, alistei-me novamente e permaneci no Iraque até fevereiro de 2004, quando finalmente fui mandado de volta para a Alemanha. Logo que cheguei, comprei uma Harley e tentei fingir que saíra da guerra sem cicatrizes; mas os pesadelos eram intermináveis, e quase todas as manhãs eu acordava encharcado de suor. Durante o dia eu ficava o tempo todo no limite, e me enraivecia por qualquer coisa. Quando caminhava pelas ruas da Alemanha, achava impossível não observar cuidadosamente grupos de pessoas perambulando junto a edifícios e examinar atentamente as janelas do distrito empresarial procurando por atiradores. O psicólogo – todo mundo tinha que consultar um – disse que aquilo era normal e iria passar com o tempo, mas às vezes eu me perguntava se isso realmente aconteceria.

Depois que deixei o Iraque, o tempo que fiquei na Alemanha pareceu-me quase sem sentido. Claro, eu malhava de manhã e tinha aulas sobre armas e navegação, mas as coisas haviam mudado. Devido ao ferimento na mão, Tony foi condecorado e dispensado após a queda de Bagdá, enviado diretamente de volta ao Brooklyn. Mais quatro de meus homens foram dispensados ao final de 2003, quando seu período de alistamento acabou; na cabeça deles – e na minha também –, haviam cumprido seu dever e era hora de cuidar de suas vidas. Eu, por outro lado, havia me alistado novamente. Não sabia se era a decisão certa, mas não sabia mais o que fazer.

Porém, olhando meu pelotão, percebi de repente que estava deslocado. Meu grupo estava cheio de novatos, e apesar de considerá-los ótimos rapazes, não era a mesma coisa. Eles não eram os amigos com quem convivi no campo de treinamento e nos Balcãs; eu não tinha ido para a guerra com eles e, no fundo, sabia que nunca seria tão próximo deles quanto da minha antiga equipe. Eu era um estranho para a maior parte, e mantive-me assim. Eu malhava sozinho e evitava contato pessoal tanto quanto possível, e sabia o que pensavam de mim ao me ver passar: eu era o velho sargento rabugento, aquele que não queria nada além de garantir que eles voltariam a salvo para suas mães. Dizia isso ao meu pelotão o tempo todo enquanto treinávamos, e falava sério. Faria o que fosse preciso para mantê-los a salvo. Porém, como eu disse, não era a mesma coisa.

Sem meus amigos, dediquei-me o máximo que pude ao meu pai. Depois do período em combate, passei uma licença prolongada com ele na primavera de 2004, e mais outra licença durante o verão. Ficamos mais tempo juntos nessas quatro semanas do que nos dez anos anteriores. Como ele estava aposentado, estávamos livres para passar o dia como desejássemos. Encaixei-me facilmente na rotina dele. Tomávamos café da manhã, fazíamos três caminhadas e jantávamos juntos. No meio tempo, conversávamos sobre moedas e até mesmo compramos algumas. A internet tornou tudo muito mais fácil do que antes. Embora a pesquisa não tenha sido tão emocionante, não sei se fez alguma diferença para o meu pai. Acabei conversando com vendedores com quem não falava havia mais de quinze anos, mas eles foram amistosos e prestativos como sempre e se lembraram de mim com prazer. O mundo da moeda era pequeno, percebi.

Quando nossos pedidos chegavam – sempre eram expedidos via *delivery* noturno –, meu pai e eu revezávamos no exame das moedas, apontando eventuais falhas existentes e geralmente concordando com a nota atribuída pelo Professional Coin Grading Service[1], uma empresa que avalia a qualidade de qualquer moeda. Embora minha mente às vezes vagasse para outras coisas, meu pai era capaz de examinar uma única moeda durante horas, como se ela escondesse o segredo da vida.

Não conversamos sobre muitas outras coisas; porém, na verdade, não precisávamos conversar. Ele não tinha vontade de falar sobre o Iraque, eu também não. Nenhum de nós tinha uma vida social sobre a qual discutir – o Iraque não tinha me levado a isso –, e meu pai... bem, ele era meu pai, e não me incomodei nem em perguntar.

No entanto, eu estava preocupado com ele. Nas caminhadas, ele respirava com dificuldade. Quando sugeri que vinte minutos talvez fosse muito tempo, mesmo em ritmo lento, ele respondeu que, segundo o médico, vinte minutos era tudo de que ele precisava, e sabia que não poderia fazer nada para convencê-lo do contrário. Depois da caminhada, ele ficava muito mais cansado do que deveria e levava cerca de uma hora para que a cor de suas bochechas voltasse ao normal. Conversei com o médico, e as notícias não eram o que eu esperava. O coração do meu pai, ele me disse, sofrera um grande dano, e, na sua opinião, era um grande milagre ele estar de pé. Falta de exercício seria ainda pior.

Pode ter sido essa conversa com o médico, ou talvez eu só quisesse melhorar meu relacionamento com meu pai, mas o fato é que, nessas duas visitas, nos demos muito melhor do que antes. Em vez de pressioná-lo constantemente para conversar, simplesmente me sentava com ele em seu escritório lendo um livro ou fazendo palavras cruzadas, enquanto ele examinava moedas. Havia algo pacífico e honesto nessa falta de expectativas, e acho que meu pai lentamente estava aprendendo a lidar com a nova situação entre nós. Às vezes, eu o pegava a me espreitar como se fôssemos estranhos. Passávamos horas juntos, a maioria em silêncio, e foi assim, de um jeito quieto e despretensioso, que finalmente nos tornamos amigos. Muitas

1 NT: Serviço Profissional de Avaliação de Moedas

vezes desejei que meu pai não tivesse jogado fora nossa fotografia, e, quando chegou a hora de voltar à Alemanha, percebi que sentiria mais saudades do que nunca.

O outono de 2004 passou lentamente, assim como o inverno e a primavera de 2005. A vida se arrastou sem grandes acontecimentos. Ocasionalmente, os boatos do meu eventual regresso ao Iraque interrompiam a monotonia dos dias, mas, como eu já estivera lá, a ideia de voltar pouco me afetava. Se eu ficasse na Alemanha, tudo bem. Se eu voltasse para o Iraque, tudo bem também. Mantinha-me informado sobre o que acontecia no Oriente Médio como todo mundo, mas, assim que desligava a televisão ou colocava o jornal de lado, minha mente vagava para outros assuntos.

Eu tinha 28 anos então, e não conseguia evitar a sensação de que, embora tivesse experimentado mais coisas do que a maioria das pessoas da minha idade, minha vida ainda estava em suspenso. Entrei no Exército para amadurecer e, embora fosse possível argumentar que sim, às vezes me perguntava se isso de fato ocorrera. Eu não tinha casa nem carro; além de meu pai, estava completamente sozinho no mundo. Enquanto meus colegas recheavam suas carteiras com fotografias de filhos e esposas, na minha havia um único instantâneo desbotado de uma mulher que eu amara e perdera. Ouvia os soldados falarem de suas esperanças para o futuro, enquanto eu não tinha qualquer plano. Às vezes me perguntava o que meus homens pensariam sobre minha vida, pois, em certos momentos, notava que eles me olhavam com curiosidade. Nunca contei a eles sobre meu passado ou abri informações pessoais. Eles não sabiam sobre Savannah, meu pai ou minha amizade com Tony. Essas lembranças eram minhas e só minhas, pois aprendi que é melhor manter algumas coisas em segredo.

***

Em março de 2005, meu pai teve um segundo ataque cardíaco, que levou a uma pneumonia e a outra temporada na UTI. Depois que ele foi liberado, começou a tomar um medicamento que o impedia de dirigir, mas a assistente social do hospital ajudou-me a encontrar alguém para comprar os mantimentos de que ele necessitava. Em abril, ele voltou para o hospital, onde foi informado que teria de desistir de suas caminhadas diárias. Em maio, ele estava tomando uma dúzia de comprimidos diferentes por dia e passava a maior parte do tempo na cama. Suas cartas tornaram-se praticamente ilegíveis, não só porque ele estava fraco, mas também porque suas mãos começaram a tremer. Depois de insistir e implorar ao telefone, convenci uma vizinha - uma enfermeira que trabalhava no hospital local - a cuidar dele regularmente, e suspirei aliviado contando os dias até minha licença em junho.

Mas a sua doença continuou a se agravar nas semanas seguintes, e pelo telefone percebia um cansaço que parecia aumentar a cada vez que falava com ele. Pela segunda vez na vida, pedi uma transferência para casa. Meu comandante foi mais simpático do que antes. Nós chegamos a procurar - eu até preenchi os documentos para ser enviado a Fort Bragg para treinamento aéreo -, mas, quando conversei novamente com o médico, fui informado de que minha proximidade não ajudaria muito meu pai e que eu deveria considerar a hipótese de interná-lo em uma clínica. Meu pai precisava de mais cuidados do que poderia receber em casa, ele me assegurou. Ele estava tentando convencê-lo havia algum tempo - meu pai se alimentava só de sopa por essa época -, mas ele se recusava até eu voltar de licença. Por alguma razão, o médico explicou, meu pai estava determinado a me receber em sua casa uma última vez.

Essa constatação foi esmagadora e, no táxi do aeroporto, tentei me convencer de que o médico estava exagerando. Mas não estava. Meu pai não conseguiu levantar do sofá quando abri a porta, e fiquei perplexo ao perceber que ele parecia ter envelhecido trinta anos durante o ano que ficamos sem nos ver. Sua pele estava acinzentada, e fiquei chocado com o quanto ele emagrecera. Com um nó na garganta, coloquei a mala para dentro.

"Oi papai", disse.

De início, não tive certeza de que ele me reconhecera, mas por fim ouvi um sussurro áspero. "Oi John."

Fui até o sofá e sentei-me ao lado dele. "Você está bem?"

"Bem", foi tudo o que ele disse, e ficamos um longo tempo assim, em silêncio.

Finalmente levantei-me para inspecionar a cozinha, mas me assustei com o que vi. Havia latas de sopa vazias empilhadas por todos os lados, manchas no fogão e pratos embolorados amontoados na pia. O lixo estava superlotado. Obviamente a casa não era limpa há dias. Pilhas de correspondência fechada inundavam a pequena mesa da cozinha. Meu primeiro impulso foi sair imediatamente para confrontar a vizinha que prometera cuidar dele. Mas isso teria de esperar.

Primeiro, achei uma lata de sopa de frango e macarrão e esquentei-a no fogão imundo. Enchi uma tigela e levei para meu pai em uma bandeja. Ele sorriu fracamente, e notei sua gratidão. Ele comeu tudo, raspando o prato. Enchi outra tigela, cada vez mais irritado, imaginando há quanto tempo ele estava sem comer. Quando ele terminou o segundo prato, ajudei-o a deitar-se novamente no sofá, onde adormeceu em poucos minutos.

A vizinha não estava, então passei a maior parte da tarde limpando a casa, começando por cozinha e o banheiro. Fui trocar os lençóis da cama e descobri que estavam sujos. Fechei os olhos abafando a vontade de torcer o pescoço da vizinha.

Quando a casa ficou razoavelmente limpa, sentei-me na sala de estar observando meu pai dormir. Ele parecia tão pequeno debaixo do cobertor, e quando comecei a acariciar seus cabelos, alguns fios saíram na minha mão. Comecei a chorar, com a certeza de que ele estava morrendo. Foi a primeira vez que chorei naquele ano, e a única vez na minha vida que chorei por meu pai, mas por muito tempo as lágrimas não cessariam.

Sabia que ele era um homem bom, um homem amável, e apesar da vida difícil que levara, havia dado seu melhor para me criar. Nunca levantou a mão com raiva, e comecei a me atormentar pensando em todos os anos que havia desperdiçado culpando-o. Lembrei-me de minhas duas últimas visitas, e doeu pensar que nunca mais dividiríamos momentos como aqueles.

Mais tarde, carreguei-o até a cama. Ele estava leve, muito leve. Ajeitei os cobertores sobre ele e fiz minha cama no chão ao lado, ouvindo sua dificuldade para respirar e seus chiados. Ele acordou com tosse no meio da noite e não conseguia parar de tossir. Quando estava pronto para levá-lo ao hospital, a tosse finalmente cedeu.

Ele ficou aterrorizado quando percebeu aonde eu pretendia levá-lo. “Ficar... aqui”, confessou, com a voz fraca. “Não quero ir.”

Eu estava dividido, mas ao final decidi não levá-lo. Para um homem de rotina, percebi, o hospital não era apenas um lugar estranho, era também uma zona perigosa que demandava mais energia do que ele dispunha. Foi então que percebi que ele novamente havia sujado os lençóis.

Quando a vizinha apareceu no dia seguinte, suas primeiras palavras foram um pedido de desculpas. Ela explicou que não limpava a cozinha havia vários dias porque uma de suas filhas ficou doente, mas trocou os lençóis diariamente e se certificou de que havia várias latas de sopa. Frente a frente com ela na varanda, notei a exaustão em seu rosto, e todas as palavras de reprovação que estavam na minha garganta desapareceram. Disse que estava muito grato por tudo o que ela fez, mais do que podia expressar.

“Fiquei feliz em ajudar”, disse ela. “Ele sempre foi tão simpático em todos esses anos. Nunca reclamou do barulho dos meus filhos quando eles eram adolescentes e sempre comprou qualquer coisa que eles estivessem vendendo para arrecadar dinheiro para excursões da escola e coisas do tipo. Ele sempre conservou o jardim, e todas as vezes que pedi para ele olhar minha casa, ele sempre concordou. Ele é um vizinho excelente.”

Eu sorri. Incentivada, ela prosseguiu.

“Mas preciso dizer que não é sempre que ele me deixa entrar. Ele disse que não gosta de onde coloco as coisas. Ou do jeito que eu limpo. E de ter mudado uma pilha de papéis de lugar em cima da mesa dele. Normalmente eu ignoro, mas às vezes, quando ele está se sentindo bem, é bastante inflexível sobre não me deixar entrar, e até ameaçou chamar a polícia quando tentei passar. Eu não...”

Ela parou de falar, e eu terminei a frase para ela.

“Você não sabe o que fazer.”

A culpa estava escrita claramente no rosto dela.

“Está tudo bem”, eu disse. “Sem você, não sei o que ele faria.”

Ela acenou com alívio antes de desviar o olhar. “Estou feliz que você esteja em casa”, ela começou hesitante, “queria falar com você sobre essa sua situação”. Ela escovou um fiapo invisível em sua roupa. "Conheço um lugar ótimo em que poderiam cuidar dele. Os funcionários são excelentes. As vagas são raras, mas conheço o diretor, e ele sabe quem é o médico do seu pai. Sei como é difícil ouvir isso, mas acho que é o melhor para ele, espero..."

Quando ela terminou, sem terminar a frase, percebi que se preocupava genuinamente com meu pai, e abri a boca para responder. Mas não disse nada. Não era uma decisão tão simples como parecia. A casa dele era o único lugar que meu pai conhecia, o único lugar em que ele se sentia confortável. O único lugar em que sua rotina fazia sentido. Ir para o hospital o apavorava, ser obrigado a viver em um lugar novo provavelmente o mataria. A questão resumia-se não ao lugar onde ele morreria, mas como morreria. Sozinho em casa, onde dormia em lençóis sujos, e possivelmente pereceria de fome? Ou entre pessoas que o limpariam e alimentariam, mas em um lugar que o aterrorizava?

Com um tremor na voz que eu não conseguia controlar, perguntei: "Onde fica"?

***

Passei as duas semanas seguintes cuidando do meu pai. Fiz o melhor que pude, lia a *Greysheet* quando ele estava acordado e dormia no chão ao lado de sua cama. Ele se sujava todas as noites, e tive de comprar fraldas geriátricas para sua vergonha. Ele passava a tarde toda dormindo.

Enquanto ele repousava no sofá, visitei diversas clínicas. Não apenas a que a vizinha tinha recomendado, mas todas as outras em um raio de duas horas. No final, a vizinha tinha razão. O lugar que ela mencionara era limpo, os funcionários pareciam profissionais e, o mais importante, o diretor parecia ter um interesse pessoal em cuidar do meu pai, não sei se por causa da vizinha ou do médico que o atendia.

O preço não foi um problema. A clínica era notoriamente cara, mas, como meu pai tinha a aposentadoria, Previdência Social, Medicare e seguro-saúde privado (era fácil imaginá-lo assinando na linha pontilhada indicada pelos vendedores de seguros sem saber ao certo o que estava pagando), tive certeza de que o único custo seria emocional. O diretor quarentão de cabelos castanhos, cujos modos gentis me lembraram Tim, foi compreensivo e não pressionou por uma decisão rápida. Entregou-me uma pilha de brochuras e formulários, desejando melhoras para meu pai.

* * *

Naquela noite, toquei no assunto da mudança com o meu pai. Eu iria embora dali a poucos dias e não tinha escolha, não importa o quanto quisesse evitar.

Ele não disse nada enquanto eu falava. Expliquei minhas razões, minhas preocupações, na esperança de me entender. Ele não fez perguntas, mas arregalou os olhos em choque, como se acabasse de ouvir sua sentença de morte.

Quando terminei, precisava desesperadamente de um momento sozinho. Acariciei a perna dele e fui até a cozinha buscar um copo de água. Quando voltei para a sala, meu pai estava debruçado sobre o sofá, abatido e trêmulo, com o rosto entre as mãos. Foi a primeira vez que o vi chorar.

* * *

Na manhã seguinte, comecei a embalar as coisas do meu pai. Esvaziei gavetas e arquivos, armários e guarda-roupas. Na gaveta de meias, achei meias; na gaveta de camisa, só camisas. No arquivo, tudo tabulado e ordenado. Não deveria ser surpresa para mim, porém, de certo modo, foi surpreendente. Ao contrário da maioria da humanidade, meu pai não tinha nenhum segredo. Não tinha vícios ocultos, diários, interesses ocultos, nenhuma caixa de coisas particulares que ele mantinha só para si mesmo. Não encontrei nada que jogasse luz sobre sua vida interior, nada que pudesse me ajudar a compreendê-lo depois que ele partisse. Meu pai, soube então, era exatamente o que parecia ser, e de repente percebi o quanto o admirava por isso.

* * *

Quando terminei de recolher as coisas dele, encontrei meu pai acordado no sofá. Após comer regularmente por alguns dias, ele recuperara um pouco de força. Não havia qualquer brilho em seus olhos, e notei uma pá encostada na mesa. Ele me estendeu um pedaço de papel. Era uma espécie de mapa rabiscado às pressas por uma mão trêmula, intitulado “Quintal”.

“O que é isso?”

“É seu”, ele disse e apontou para a pá.

Peguei a pá, segui as indicações no mapa até o carvalho no quintal, contei os passos e comecei a cavar. Minutos depois, a pá bateu no metal e eu encontrei uma caixa. E mais uma, embaixo dela. E outra do lado. No total, 16 caixas pesadas. Sentei-me na varanda e enxuguei o suor do rosto antes de abrir a primeira.

Já sabia o que iria encontrar, e fechei um pouco os olhos por causa das moedas de ouro brilhando ao sol forte do verão sulista. No fundo da caixa, encontrei o níquel búfalo 1926-D que tínhamos procurado e encontrado juntos, sabendo que era a única moeda que realmente significara algo para mim.

* * *

No dia seguinte, o último da minha licença, resolvi as pendências da casa: cancelei os serviços, transferi a correspondência, consegui alguém para aparar a grama. Guardei as moedas desenterradas em um cofre no banco. Cuidar desses detalhes tomou a maior parte do dia. Mais tarde, dividimos uma última tigela de sopa de frango com macarrão e legumes cozidos para o jantar, antes que eu o levasse à clínica. Desfiz as malas dele, decorei o quarto com coisas de que ele gostava, e coloquei doze anos de edições da *Greysheet* no chão debaixo da escrivaninha. Mas não foi o suficiente e, depois de explicar a situação para o diretor, voltei a casa para pegar outros badulaques, desejando o tempo todo conhecer meu pai o bastante para saber o que realmente importava para ele.

Por mais que eu o tranquilizasse, meu pai permaneceu paralisado de medo e seus olhos me dilaceravam. Mais de uma vez, fui golpeado pela constatação de que eu estava matando-o. Sentei-me ao lado dele na cama, consciente das poucas horas restantes antes de partir para o aeroporto.

"Vai ficar tudo bem", disse. "Eles vão cuidar de você."

As mãos dele continuavam a tremer. "Tudo bem", ele disse com a voz praticamente inaudível.

Senti as lágrimas começando a se formar. "Quero dizer uma coisa para você, ok?", respirei fundo, concentrando meus pensamentos. "Só quero que você saiba que acho você o melhor pai do mundo. Você teve de ser ótimo para aturar alguém como eu."

Meu pai não respondeu. No silêncio, senti tudo o que sempre quis dizer a ele aflorar à superfície, palavras que se formaram durante toda uma vida.

"É verdade, pai. Desculpe por todas as coisas horríveis que fiz você passar, e desculpe por não ter estado presente o suficiente. Você é a melhor pessoa que já conheci. Você é o único que nunca teve raiva de mim, você nunca me julgou e, ao seu modo, ensinou-me mais sobre a vida do que qualquer filho poderia querer. Sinto muito não poder estar presente agora, e me odeio por fazer isto com você. Mas estou com medo, pai. Eu não sei mais o que fazer."

Minha voz soou rouca e irregular aos meus próprios ouvidos, e não queria outra coisa além de um abraço.

"Ok", ele disse finalmente.

Sorri para sua resposta. Não pude evitar.

"Eu te amo, papai."

A isso, ele sabia exatamente o que responder, pois sempre fizera parte da rotina.

"Também amo você, John."

Abracei-o e em seguida me levantei para dar a ele a edição mais recente da *Greysheet*. Quando cheguei à porta, parei mais uma vez e olhei para ele.

Pela primeira vez desde que ele chegou, o medo tinha quase desaparecido. Ele segurava o papel bem perto do rosto, e notei a página tremer ligeiramente. Seus lábios se moviam enquanto ele se concentrava nas palavras e detive-me a observá-lo, na esperança de memorizar aquele rosto para sempre.

Foi a última vez que o vi com vida.

• • • • • • •

Dezessete

Meu pai morreu sete semanas depois, e recebi uma licença de emergência para assistir ao funeral.

O voo de volta para os Estados Unidos foi como um borrão. Passei o tempo todo olhando da janela o cinza disforme do oceano milhares de metros abaixo, desejando ter estado com ele em seus momentos finais. Eu não tinha feito a barba, tomado banho ou mesmo trocado de roupa desde que recebera a notícia, como se cuidar da vida cotidiana significasse aceitar totalmente a ideia de que ele havia partido.

No terminal e no táxi até minha casa, percebi que estava ficando com raiva das cenas cotidianas à minha volta. Vi pessoas dirigindo, caminhando, entrando e saindo de lojas, agindo normalmente, mas para mim nada parecia nem um pouco normal.

Só quando voltei para casa lembrei que cancelara os serviços há quase dois meses antes. Sem energia, a casa parecia estranhamente isolada na rua, como se não pertencesse àquele lugar. Como meu pai, pensei. Ou eu, percebi. Por algum motivo, tal pensamento tornou possível chegar perto da porta.

Encravado no batente da porta, encontrei o cartão de um advogado chamado William Benjamin; no avesso, ele alegava representar o meu pai. Com o telefone desligado, liguei da casa do vizinho e fiquei surpreso quando ele apareceu na manhã seguinte de pasta na mão.

Levei-o para dentro da casa escura, e ele se sentou no sofá. Seu terno devia custar mais do que eu ganhava em dois meses. Depois de se apresentar e dar os pêsames pela minha perda, ele se inclinou para frente.

"Estou aqui porque gostava de seu pai", ele disse. "Ele foi um dos meus primeiros clientes, portanto, não há honorários envolvidos, aliás. Ele me procurou para fazer um testamento logo depois que você nasceu, e todos os anos, no mesmo dia, recebo uma carta registrada enviada por ele, listando todas as moedas que ele comprou no período. Expliquei a ele sobre os impostos sobre propriedade; portanto, ele vem doando as moedas para você desde a sua infância."

Fiquei chocado demais para falar.

"De qualquer modo, seis semanas atrás, ele me escreveu contando que você finalmente tomou posse das moedas e quis se certificar de que tudo o mais estivesse em ordem. Portanto, atualizou o testamento pela última vez. Quando ele disse onde estava vivendo, percebi que sua saúde não ia bem, então liguei para ele. Ele não falou muito, mas me deu permissão para conversar com o diretor. O diretor prometeu que me informaria se seu pai falecesse, para que eu procurasse você. Então, aqui estou."

Ele começou a vasculhar sua pasta. "Sei que você está lidando com o funeral, e é um mau momento. Mas seu pai disse que talvez você não ficasse muito tempo por aqui e que eu deveria cuidar dos negócios dele. Essas foram palavras dele, por sinal, não minhas. Bem, aqui está." Ele me entregou um envelope repleto de papéis. "O testamento, a listagem de todas as moedas da coleção, incluindo qualidade e data da compra, e todos os arranjos para o funeral, que já foi pago antecipadamente. Prometi a ele que cuidaria das propriedades durante todo o inventário, mas isso não será um problema, já que são poucas posses e você é o único filho. Se você quiser, posso encontrar alguém para levar embora tudo o que você não quiser e também cuidar da venda da casa. Seu pai disse que você também não teria tempo para isso." Ele fechou a pasta. "Como já disse, eu gostava do seu pai. Geralmente você tem que convencer as pessoas sobre a importância desse tipo de material. Mas não seu pai, ele era um homem metódico."

"Sim." Concordei. "Ele era."

* * *

Como disse o advogado, tudo tinha sido resolvido. Meu pai havia escolhido o tipo de enterro que queria, as roupas que lhe vestiriam e escolheu até o próprio caixão. Conhecendo-o, acho que deveria ter esperado algo assim, mas isso só reforçou a crença de que nunca o compreendi realmente.

Seu funeral, em um dia quente e chuvoso de agosto, reuniu poucas pessoas. Dois antigos colegas de trabalho, o diretor da clínica, o advogado, e a vizinha que ajudou a cuidar dele eram os únicos ao meu lado na cerimônia de enterro. Partiu meu coração – partiu em um milhão de pedacinhos – que, no mundo todo, apenas essas pessoas tivessem visto o valor do meu pai. Quando terminou a oração, o pastor sussurrou se eu queria dizer alguma coisa. Nesse momento, minha garganta estava apertada demais, e foi um enorme esforço simplesmente balançar a cabeça declinando.

* * *

De volta a casa, sentei-me timidamente na beirada da cama do meu pai. A chuva tinha parado, e a luz meio acinzentado do sol atravessava a janela. A casa cheirava a mofo, meio embolorada, mas ainda assim senti o cheiro do meu pai em seu travesseiro. Ao meu lado estava o envelope que o advogado trouxera. Espalhei seu conteúdo na cama. No topo estava o testamento e alguns outros documentos. Por baixo, no entanto, encontrei a fotografia emoldurada que meu pai tinha retirado de sua mesa tanto tempo atrás, a única fotografia de nós dois.

Aproximei a foto do meu rosto e a admirei até lágrimas encherem meus olhos.

* * *

Naquela tarde, Lucy, minha ex de há muito tempo, apareceu. Quando a vi pela primeira vez à minha porta, não sabia o que dizer. A menina bronzeada dos meus anos rebeldes desaparecera. Em seu lugar, havia uma mulher vestida com um terninho escuro caro e uma blusa de seda.

"Sinto muito, John", ela sussurrou vindo até mim. Nós nos abraçamos com força, e a sensação de seu corpo contra o meu era como um copo de água gelada em um dia quente de verão. Dela vinha um leve traço de perfume, cuja marca não conseguia identificar, mas me fazia pensar em Paris embora eu nunca tenha estado lá.

"Acabei de ler o obituário", ela disse depois de se afastar. "Desculpe não ter ido ao enterro."

"Tudo bem", eu disse. Indiquei o sofá. "Você quer entrar?"

Ela sentou-se ao meu lado, e, quando percebi que ela não usava aliança, inconscientemente ela moveu a mão.

"Não deu certo", ela disse. "Eu me divorciei ano passado."

"Sinto muito."

"Eu também", ela disse, pegando minha mão. "Você está bem?"

"Sim", menti. "Estou bem."

Conversamos um pouco sobre os velhos tempos; ela não acreditou quando contei que nosso último telefonema me levara a entrar para o Exército. Disse que era exatamente o que eu precisava no momento. Ela falou sobre sua carreira – trabalha na concepção e projeto de espaços de varejo em lojas de departamentos. Perguntou como era no Iraque. Contei sobre a areia. Ela riu e não perguntou mais nada sobre esse assunto. A certa hora, a conversa minguou, e percebemos o quanto nós dois tínhamos mudado. Talvez porque fôssemos ex-namorados, talvez porque ela era mulher, mas percebi que ela me analisava minuciosamente e já sabia a pergunta que estava por vir.

"Você está apaixonado, não é?", ela sussurrou.

Cruzei as mãos sobre meu colo e olhei para a janela. Lá fora, o céu estava escuro e nublado, prometendo ainda mais chuva. "Sim", admiti.

"Qual é o nome dela?"

"Savannah", respondi.

"Ela está aqui?"

Hesitei. "Não."

"Você quer falar sobre isso?"

Minha vontade era responder que não. Eu não queria falar sobre isso. Aprendi no Exército que histórias como a nossa eram chatas e previsíveis e, apesar de todo mundo perguntar, ninguém queria ouvi-las.

Mas contei a história do início ao fim, com mais detalhes do que deveria, e mais uma vez, ela pegou na minha mão. Só então percebi como fora difícil guardar tudo aqui dentro de mim. Quando terminei de falar, acho que ela percebeu que eu precisava ficar sozinho. Ela beijou meu rosto na despedida e, após sua partida, vaguei pela casa por horas. Ia de um cômodo para o outro pensando em meu pai e pensando em Savannah, me sentindo um estrangeiro, e gradualmente chegando à conclusão de que havia um lugar ao qual eu ainda precisava ir.

• • • • • • •

Dezoito

Naquela noite, dormi na cama do meu pai, a única vez que fiz isso na vida. A tempestade passou, e a temperatura subiu a níveis absurdos. Abrir as janelas não foi suficiente para refrescar, e rolei na cama durante horas. Quando me arrastei para fora da cama na manhã seguinte, encontrei as chaves do carro do meu pai penduradas em um gancho na cozinha. Joguei minhas malas na traseira e peguei algumas coisas da casa que queria guardar. Pouca coisa, além da fotografia. Depois liguei para o advogado e aceitei a oferta de encontrar alguém que desse um fim no resto das coisas e também de vender a casa. Joguei a chave na caixa do correio.

Na garagem, o motor levou alguns segundos para pegar. Tirei o carro e tranquei a porta da garagem. Do quintal, olhei a casa, pensando em meu pai e sabendo que nunca mais veria aquele lugar.

* * *

Dirigi até a clínica, peguei os pertences dele e então saí de Wilmington pela interestadual em direção ao oeste, no piloto automático. Havia anos eu não passava naquele trecho da estrada, e tinha apenas vaga ideia do trânsito, mas a sensação de familiaridade voltou em ondas. Passei pelas cidades de minha juventude e atravessei Raleigh em direção a Chapel Hill, onde as memórias voltaram com dolorosa intensidade. Pisei no acelerador, tentando deixá-las para trás.

Atravessei Burlington, Greensboro e Winston-Salem. Fiz uma única parada para abastecer no início do dia e comprei uma garrafa de água. Segui direto, só bebericando água, sem estômago para pensar em comer. Deixei a nossa fotografia no assento do carona, e vez ou outra tentava evocar o menino na foto. Por fim, fiz a conversão para o norte, seguindo pela estradinha que corta as montanhas de picos azuis ao sul e ao norte, suaves ondulações na crosta terrestre.

Já era fim de tarde quando estacionei o carro e me registrei em um velho motel de beira da estrada. Meu corpo estava rígido e, após alongar alguns minutos, tomei banho e fiz a barba. Coloquei *jeans* limpos e uma camiseta. Cogitei pegar algo para comer, porém ainda estava sem fome. Com o sol baixo, o ar não tinha o mormaço úmido do litoral, e senti o cheiro das coníferas descendo das montanhas. Foi ali que Savannah nasceu, e de algum modo eu sabia que ela ainda estava lá.

Embora pudesse ter ido à casa dos pais dela perguntar, descartei a ideia, sem saber como eles reagiriam à minha presença. Decidi dirigir pelas ruas de Lenoir, passando pelo distrito comercial onde havia uma variada coleção de restaurantes *fast-food*, mas só desacelerei quando cheguei à parte menos genérica da cidade. Nessa área, Lenoir parecia não ter mudado nada – turistas e recém-chegados eram bem-vindos em visita, mas nunca seriam considerados gente do lugar. Estacionei em um velho salão de bilhar que me fez lembrar os lugares que frequentava na juventude. Luminosos de neon faziam publicidade de cerveja nas janelas, e o estacionamento estava cheio. Era em um local como aquele que encontraria a resposta de que precisava.

Entrei. Hank Williams tocava na *jukebox*, e rolos de fumaça de cigarro pairavam no ar. Quatro mesas de sinuca estavam agrupadas; todos os jogadores usavam bonés de *baseball*, e dois evidentemente tinham tabaco de mascar acumulado nas bochechas. Peixes gigantes empalhados decoravam as paredes, ao lado de *memorabilia* da NASCAR. Havia fotos tiradas em Talladega, Martinsville, North Wilkesboro e Rockingham. Embora a minha opinião sobre o esporte não tivesse mudado, tal visão me deixou estranhamente à vontade. No canto do bar, abaixo do rosto sorridente do falecido Dale Earnhardt[1], havia uma jarra cheia de dinheiro, pedindo doações para ajudar uma vítima local do câncer. Sentindo um inesperado arroubo de simpatia, contribuí com alguns dólares.

Sentei-me no bar e puxei conversa com o *barman*. Ele tinha mais ou menos a minha idade e seu sotaque da montanha me lembrou Savannah. Depois de vinte minutos de conversa fiada, tirei a foto de Savannah da carteira e expliquei que era amigo da família. Citei os nomes dos pais dela e fiz perguntas demonstrando que eu estivera lá antes.

Ele foi cauteloso, e com razão. Cidades pequenas protegem os seus. Mas acontece que ele passara alguns anos na Marinha, e isso ajudou. Após um tempo, ele concordou em falar.

"Sim, conheço ela", disse. "Ela mora em Old Mill Road, perto da casa dos pais."

Já passava das oito horas, e o céu estava escurecendo com a chegada da noite. Dez minutos depois, deixei uma gorjeta gorda no balcão e tomei o rumo da saída.

* * *

Curiosamente, não passava nada pela minha cabeça enquanto dirigia até a região dos cavalos. Pelo menos, era assim que me lembrava da área na última vez que estive ali. Peguei uma estrada de constante subida, e comecei a reconhecer os pontos de referência da região; sabia que em poucos minutos passaria pela casa dos pais de Savannah. Quando o fiz, inclinei-me sobre volante, procurando pela próxima abertura na cerca até virar uma longa estrada de cascalho. Assim que fiz a conversão, notei uma placa pintada à mão indicando um lugar chamado "Hope and Horses"[2].

O crepitar dos pneus sobre o cascalho era estranhamente reconfortante, e estacionei debaixo de um salgueiro, ao lado de uma pequena caminhonete velha. Observei a casa. Quadrada, de telhado pontudo, pintada de branco e com uma chaminé que subia em direção ao céu, a casa parecia erguer-se da terra como uma imagem fantasmagórica de

1 NT: Piloto de automobilismo que morreu em um acidente nas 500 milhas de Daytona em 2001.

2 NT: Em tradução literal, Esperança e Cavalos.

centenas de anos. Uma única lâmpada brilhava em cima da antiga porta de entrada, e um pequeno vaso de planta estava pendurado perto da bandeira americana, ambos balançando suavemente com a brisa. Do lado da casa havia um velho celeiro e um pequeno curral; para além, uma pastagem verde esmeralda delimitada por uma cerca branca, que se estendia até uma fileira de maciços carvalhos. Havia outra construção semelhante a uma cabana perto do celeiro, e nas sombras eu avistava os contornos de equipamento agrícola. Questionei novamente o que estava fazendo ali.

Não era tarde demais para ir embora, mas não conseguia me obrigar a manobrar o carro. O céu ardia em vermelho e amarelo antes de o sol mergulhar para além do horizonte, lançando as montanhas na escuridão total. Saí do carro e comecei a me aproximar da casa. O orvalho na grama umedeceu as pontas dos meus sapatos, e senti o cheiro das coníferas mais uma vez. Ouvi o chilreio dos grilos e o canto constante de um rouxinol. Os sons davam-me força enquanto eu me aproximava do alpendre. Tentei descobrir o que Savannah diria se ela atendesse a porta. Ou o que eu diria se ela atendesse. Enquanto tentava decidir o que fazer, um retriever abanando a cauda se aproximou de mim.

Estendi a mão, e ele me deu uma lambida amigável antes de fazer a volta e descer as escadas. Sua cauda continuava abanando enquanto ele rodeava a casa. Ouvindo o mesmo chamado que me trouxera para Lenoir, deixei o alpendre e o segui. Ele mergulhou, arrastando a barriga no chão e rastejando por debaixo do último obstáculo da cerca, e então entrou no celeiro.

Assim que o cão desapareceu, vi Savannah surgir do celeiro carregando retângulos de feno sob os braços. Os cavalos do pasto começaram a galopar naquela direção, enquanto ela distribuía o feno em vários comedouros. Eu continuava a avançar. Ela estava sacudindo o feno da roupa e se preparando para voltar ao celeiro quando, inadvertidamente, olhou na minha direção. Ela deu um passo, olhou novamente e congelou no lugar.

Por um longo momento, nenhum de nós se moveu. Com seu olhar fixo no meu, percebi que fora um erro ter vindo, ter aparecido assim sem avisar. Sabia que deveria dizer algo, qualquer coisa, mas nada me veio à mente. Só conseguia olhar para ela.

As memórias voltaram como uma avalanche, todas elas, e notei quão pouco ela mudara desde a última vez que nos vimos. Como eu, ela vestia *jeans* e uma camiseta manchada de terra, e suas botas de *cowboy* estavam desgastadas e arranhadas. De algum modo, aquele visual campestre lhe dava um charme rústico. Seu cabelo estava mais comprido, mas ela ainda tinha a pequena fenda entre os dentes da frente que eu sempre adorara.

"Savannah", eu disse finalmente.

Só depois de falar, percebi que ela ficara tão enfeitiçada quanto eu. De repente, ela abriu um sorriso largo cheio de um prazer inocente.

"John", ela gritou.

"É bom ver você de novo."

Ela balançou a cabeça, como tentando aclarar a mente, então apertou os olhos novamente. Quando finalmente se convenceu de que eu não era uma miragem, partiu em minha direção e atravessou a porteira. Momentos depois, senti os braços dela em volta de mim, seu corpo quente e acolhedor. Por um segundo, era como se nada tivesse mudado entre nós. Quis que aquele abraço não terminasse nunca. Mas quando ela se afastou, quebrou a ilusão e nos tornamos estranhos outra vez. O rosto dela fazia a pergunta que eu tinha sido incapaz de responder durante a longa viagem até ali.

"O que você está fazendo aqui?"

Desviei o olhar. "Não sei", disse. "Só precisava vir."

Embora ela não tenha perguntado mais nada, havia uma mistura de curiosidade e hesitação em sua expressão, como se ela não tivesse certeza de que queria uma explicação. Dei um pequeno passo para trás, abrindo espaço para ela. Identifiquei os contornos sombrios dos cavalos na escuridão e senti que os acontecimentos dos últimos dias aos poucos voltavam para mim.

"Meu pai morreu", sussurrei, as palavras surgiram do nada. "Acabo de vir do funeral."

Ela ficou quieta. Sua expressão adquiriu a compaixão espontânea que tanto me atraiu no passado.

"Oh, John... Sinto muito", murmurou.

Ela se aproximou novamente, e desta vez havia urgência em seu abraço. Quando se afastou, metade do seu rosto ficou na sombra.

"Como aconteceu?", ela perguntou, ainda segurando minha mão.

Percebi uma tristeza genuína em sua voz, e fiz uma pausa, incapaz de resumir os últimos dois anos em uma única frase. "É uma longa história", disse. Sob as luzes do celeiro, julguei detectar em seu olhar traços das memórias que ela queria manter enterradas, de uma vida muito antiga. Quando ela soltou minha mão, vi a aliança brilhando no dedo esquerdo. Essa visão foi como uma ducha de água fria, um choque de realidade.

Ela compreendeu minha expressão. "Sim", ela disse, "estou casada."

"Desculpe", disse, balançando a cabeça. "Não deveria ter vindo."

Surpreendendo-me, ela gesticulou ligeiramente. "Tudo bem", disse, inclinando a cabeça. "Como você me encontrou?"

"É uma cidade pequena." Dei de ombros. "Perguntei pra alguém."

"E simplesmente... te contaram?"

"Fui convincente."

Foi esquisito, e nenhum de nós sabia o que dizer. Parte de mim esperava continuar ali, enquanto conversávamos como velhos amigos sobre tudo o que havia acontecido conosco desde nosso último encontro. Outra parte de mim esperava que o marido dela aparecesse do nada a qualquer momento e, ou me estendesse a mão ou me desafiasse para uma briga. Em meio ao silêncio, um cavalo relinchou. Atrás dela havia quatro cavalos com as cabeças enfiadas no comedouro, metade nas sombras, metade iluminados pela luz do celeiro. Três outros cavalos, incluindo Midas, olhavam para Savannah como que perguntando se ela havia se esquecido deles. Savannah por fim fez um sinal por cima do ombro.

"Tenho de cuidar deles também", disse ela. "É a hora da comida, e eles estão ficando impacientes."

Quando assenti, Savannah deu um passo para trás e virou-se. Assim que chegou ao portão, ela acenou. "Você quer me dar uma mão?"

Hesitei, olhando em direção a casa. Ela seguiu meu olhar.

"Não se preocupe", disse. "Ele não está, e sua ajuda seria muito bem-vinda." A voz dela estava surpreendentemente tranquila.

Embora não soubesse como interpretar aquela resposta, concordei. "Fico feliz em ajudar."

Ela esperou por mim e fechou o portão atrás de nós. Apontou para um monte de estrume. "Cuidado com o chorume. Vai manchar seus sapatos."

Resmunguei: "Vou tentar".

No celeiro, ela separou um pedaço de feno e, em seguida, mais dois e entregou-os a mim.

"Basta jogar nos comedouros perto dos outros. Eu estou indo pegar a aveia."

Fiz o que ela mandou, e os cavalos se aproximaram. Savannah saiu carregando dois baldes.

"É melhor você dar um pouco de espaço para eles. Eles podem derrubar você por acidente."

Eu me afastei, e Savannah pendurou os baldes na cerca. O primeiro grupo de cavalos trotando em direção a eles. Savannah os observou com evidente orgulho.

"Quantas vezes você tem que alimentá-los?"

"Duas vezes por dia, todos os dias. Mas há mais além da alimentação. Você ficaria surpreso em como eles são estabanados às vezes. O telefone do veterinário está na discagem rápida."

Eu sorri. "Parece muito trabalho."

"É mesmo. Dizem que ser dono de um cavalo é como viver com uma âncora. A menos que você tenha alguém para ajudar, é difícil ficar longe, mesmo por um fim de semana."

"Seus pais ajudam?"

"Às vezes. Quando realmente preciso deles. Eles moram atrás do morro, do outro lado da cerca. Mas o meu pai está ficando velho, e há uma grande diferença entre cuidar de um cavalo e cuidar de sete."

"Vou acreditar na sua palavra."

No doce abraço da noite, ouvindo o zumbido constante das cigarras, eu respirava a paz daquele refúgio, tentando aquietar meus pensamentos acelerados.

"Este é exatamente o tipo de lugar que imaginei como sua casa", finalmente disse.

"Eu também", ela afirmou. "Mas é muito mais difícil do que eu imaginava. Há sempre algo para consertar. Você não imagina quantos vazamentos havia no celeiro, e um bom pedaço da cerca desabou no último inverno. Foi nisso que trabalhamos durante toda a primavera."

Embora tenha ouvido ela usar "nós" e assumido que se tratava de seu marido, eu ainda não estava pronto para falar sobre ele. Nem ela, ao que parece.

"Mas é bonito aqui, mesmo com tanto trabalho. Em noites como esta, gosto de sentar no alpendre e apenas ouvir o mundo. Raramente se ouve barulho de carros e isso é tão... pacífico. Ajuda a clarear a mente, especialmente depois de um longo dia."

Enquanto ela falava, observei como media as palavras, percebi seu desejo de manter a conversa em território seguro.

"Aposto que sim."

"Preciso limpar alguns cascos", ela anunciou. "Você quer ajudar?"

"Não sei o que fazer", admiti.

"É fácil", disse. "Vou te mostrar." Desapareceu no celeiro e saiu carregando o que parecia ser um par de pequenos pregos curvados. Ela me entregou um. Enquanto os cavalos comiam, ela se aproximou de um deles.

"Você só tem que agarrar perto do casco e levantar, enquanto segura a parte de trás da pata dele aqui", disse, demonstrando. Ocupado com o feno, o cavalo levantou a pata obediente. Ela apoiou o casco entre as pernas. "Então, basta tirar a terra do casco. É só isso."

Fui até o cavalo ao lado dela e tentei replicar suas ações, mas nada aconteceu. O cavalo era excessivamente grande e teimoso. Eu puxei a pata e segurei no lugar certo. Depois puxei e segurei mais um pouco. O cavalo continuou a comer, ignorando meus esforços.

"Ele não vai levantar a pata", reclamei.

Ela terminou o casco que estava limpando, então se inclinou para o lado do meu cavalo. Um puxão e um apertão mais tarde, o casco estava no lugar, entre as pernas dela. "Claro que vai. Só que ele sabe que você não tem ideia do que está fazendo e está desconfortável perto dele. Você tem de ser confiante." Ela deixou cair o casco e tomei seu lugar para tentar novamente. O cavalo ignorou-me mais uma vez.

"Veja como eu faço", disse ela com cuidado.

"Eu estava observando", protestei.

Ela repetiu o procedimento, o cavalo levantou a pata. Um momento depois imitei passo a passo e o cavalo me ignorou. Embora eu não possa alegar que consiga ler a mente de um cavalo, tive a estranha sensação de que ele se divertia com o meu sofrimento. Frustrado, bati e puxei incansavelmente até que, finalmente, como por magia, o cavalo levantou a pata. Apesar da precariedade do meu desempenho, senti uma onda de orgulho. Pela primeira vez desde que cheguei, Savannah riu.

"Bom trabalho. Agora é só raspar fora a lama e partir para o próximo casco."

Savannah tinha limpado os outros seis cavalos quando terminei meu primeiro. Quando terminamos, ela abriu a porteira e os cavalos trotaram para a pastagem escura. Eu não sabia o que esperar, mas Savannah foi para o galpão. Ela trazia duas pás nas mãos.

"Agora é hora de limpar", disse ela, entregando-me uma pá.

"Limpar?"

"O chorume", disse. "Caso contrário pode ficar muito espesso aqui."

Peguei a pá. "Você faz isso todo dia?"

"A vida é doce, não é?", ela provocou. Ela saiu novamente e voltou com um carrinho de mão.

Quando começamos a cavar o estrume, um pedaço de uma lua surgiu sobre as copas das árvores. Trabalhamos em silêncio, o tilintar das pás em ritmo constante enchia o ar. Quando acabamos, inclinei-me sobre minha pá e a observei. No escuro do celeiro, ela parecia linda e fugaz como uma aparição. Ela não disse nada, mas pude sentir que me analisava.

"Você está bem?", finalmente perguntei.

"Por que você veio, John?"

"Você já me perguntou isso."

"Sei que já perguntei", ela disse. "Mas você ainda não respondeu."

Estudei-a. Não, eu não tinha respondido. Não tinha certeza se podia me explicar, e transferi o peso de um pé para o outro. "Não sabia para onde mais poderia ir."

Surpreendendo-me, ela concordou. "Uh-huh", admitiu.

Foi a aceitação sem reservas em sua voz que me fez continuar.

"Estou falando sério", disse. "De certo modo, você foi a melhor amiga que já tive."

Notei a expressão dela amolecer. "Tudo bem", ela disse. Essa resposta lembrou-me do meu pai e, depois de falar, talvez ela tenha percebido isso. Obriguei-me a examinar a propriedade.

"Esta é a fazenda que você sonhava em construir, não é?", perguntei. "Hope and Horses é para crianças autistas, não?"

Ela passou a mão pelos cabelos, colocando uma mecha atrás da orelha. Parecia feliz de eu ter lembrado. "Sim", disse ela. "É."

"É tudo o que você pensou que seria?"

Ela riu e ergueu as mãos. "Às vezes", disse. "Mas é muito mais difícil do que eu imaginava, e não pense que rende o suficiente para pagar as contas. Nós dois trabalhamos em outros empregos, e todos os dias percebo que não aprendi tanto na escola quanto imaginava."

"Não?"

Ela balançou a cabeça. "Algumas das crianças que aparecem aqui, ou no centro, são muito difíceis de tratar." Ela hesitou, tentando encontrar as palavras certas. Finalmente, balançou a cabeça. "Acho que pensei que todas seriam como Alan, sabe?" Ela olhou para cima. "Você se lembra quando falei dele?"

Assenti com a cabeça e ela prosseguiu. "Acontece que a situação de Alan era especial. Não sei, talvez por ele ter crescido em um rancho, mas ele se adaptou muito mais facilmente do que a maioria das crianças."

Ela parou de falar, e olhei-a de modo inquisitivo. "Lembro que não foi assim que você me contou a história. Pelo que me lembro, Alan ficou apavorado no início."

"Sim, eu sei, mas enfim... ele se acostumou. E esse é o ponto. Não sei quantas crianças temos aqui que não se adaptaram a nada, não importa quanto tempo trabalhamos com elas. Isto não é só uma coisa de final de semana, algumas crianças frequentaram regularmente por mais de um ano. Trabalhamos em um centro de avaliação do desenvolvimento, portanto passamos muito tempo com a maioria das crianças. Quando criamos o rancho, insisti em abri-lo para todas as crianças, independentemente da gravidade do transtorno. Sentimos que seria algo importante, mas com algumas crianças... Eu só queria saber como me comunicar com elas. Às vezes parece que estamos apenas andando em círculos."

Percebi que Savannah repassava suas lembranças. "Não quero dizer que estamos perdendo nosso tempo", ela prosseguiu. "Algumas crianças realmente se beneficiaram com o que estamos fazendo. Elas vêm aqui, passam alguns fins de semana e é como... um botão de flor lentamente desabrochando em algo belo. Assim como foi com Alan. É como se você pudesse sentir a mente deles se abrindo para novas ideias e possibilidades. E quando estão cavalgando com um grande sorriso no rosto, nada mais importa no mundo. É um sentimento inebriante, e você quer que aconteça mais e mais, com cada criança que chega. Eu costumava achar que era questão de persistência, que podíamos ajudar a todos, mas não podemos. Algumas das crianças não querem nem mesmo chegar perto do cavalo, quanto mais, montar."

"Você sabe que não é sua culpa. Eu também não ficava muito entusiasmado com a ideia de montar, lembra?"

Ela riu, parecendo extremamente feminina. "Sim, eu lembro. Na primeira vez que você subiu em um cavalo, estava mais assustado do que boa parte das crianças."

"Não, não estava", protestei. "E, além disso, Pepper era arisco."

"Ha!", ela gritou. "Por que você acha deixei você montar nele? Ele é só o cavalo mais dócil que existe. Acho que ele nunca nem chacoalhou com alguém montado."

"Ele era arisco", insisti.

"Falou como um verdadeiro novato", ela provocou. "Mas mesmo que você esteja errado, fico tocada por ainda se lembrar."

Sua jovialidade evocou uma onda de lembranças.

"Claro que lembro", disse. "Aqueles foram os melhores dias da minha vida. Nunca vou esquecê-los." Atrás dela, avistei o cão errante no pasto. "Talvez por isso eu ainda não esteja casado."

Ao ouvir essas palavras, o olhar dela vacilou. "Eu também me lembro."

"Você?"

"Claro", ela disse. "Você pode não acreditar, mas é verdade."

O peso de palavras dela encheu o ar.

"Você é feliz, Savannah?", finalmente perguntei.

Ela abriu um sorriso irônico. "A maior parte do tempo. Você não?"

"Não sei", disse, e ela riu novamente.

"Essa é sua resposta padrão, sabia? Quando é convidado a olhar para dentro de si e responder. É como um reflexo seu. Sempre foi. Por que você não pergunta o que realmente quer perguntar?"

"O que eu realmente quero perguntar?"

"Se amo meu marido. Não é isso que você quer saber?"

Por um instante fiquei mudo, mas percebi que os instintos dela estavam corretos. Esse era o motivo real que me levara até ali.

"Sim", ela disse afinal, novamente lendo minha mente. "Eu o amo."

A sinceridade inquestionável em sua voz me feriu, mas antes que eu pudesse refletir, ela se virou para mim novamente. A ansiedade cintilava em seu rosto, como se ela lembrasse algo doloroso. Mas logo passou.

"Você já comeu?", ela perguntou.

Eu ainda estava tentando entender o que acabara de acontecer. "Não", eu disse. "Na verdade, não tomei café da manhã, nem almocei."

Ela balançou a cabeça. "Tenho umas sobras de cozido de carne em casa. Você tem tempo para jantar?"

Apesar de pensar mais uma vez no marido dela, assenti. "Quero sim", disse.

Partimos em direção a casa e paramos no alpendre onde se enfileiravam velhas botas de caubói cobertas de lama. Savannah segurou em meu braço de modo extraordinariamente fácil e natural, apoiando-se em mim para tirar as botas. Talvez tenha sido esse toque que me deu coragem para olhar verdadeiramente para ela. Apesar do ar de mistério e maturidade que sempre me atraiu, também notei uma ponta de tristeza e hesitação. Para meu coração dolorido, essa combinação a tornava ainda mais bonita.

• • • • • • •

Dezenove

Sua pequena cozinha era exatamente o que se esperava de uma casa antiga provavelmente reformada meia dúzia de vezes durante o último século: chão de linóleo ligeiramente descascado perto das paredes; armários brancos funcionais e sem adornos - com a superfície grossa por causa das inúmeras camadas de tinta ao longo anos - e uma pia de aço inoxidável instalada abaixo de uma janela de madeira que deveria ter sido substituída anos antes. A bancada estava rachando, e encostado na parede, havia um fogão a lenha tão antigo quanto a própria casa. Em alguns pontos, notava-se a intromissão do mundo moderno: uma grande geladeira e uma lava-louças perto da pia; um micro-ondas pendurado em um canto, perto de meia garrafa de vinho tinto. Em alguns aspectos, lembrava a casa do meu pai.

Savannah abriu um armário e pegou uma taça. "Você quer uma taça de vinho?"

Eu balancei minha cabeça. "Nunca fui muito de beber vinho."

Fiquei surpreso por ela não guardar a taça diante da minha negativa. Em vez disso, ela pegou a garrafa de vinho e serviu; colocou a taça na mesa e se sentou diante dela.

Sentamos à mesa e Savannah tomou um gole.

"Você mudou", observei.

Ela deu de ombros. "Muitas coisas mudaram desde a última vez que vi você."

Ela não disse mais nada e colocou a taça de volta na mesa. Quando falou novamente, tinha a voz suave. "Nunca pensei que seria o tipo de pessoa que anseia por tomar uma taça de vinho à noite, mas eu sou."

Ela começou a girar a taça na mesa, e eu me perguntava o que havia acontecido com ela.

"Sabe o engraçado?", ela disse. "Eu realmente me importo com o sabor. Quando bebi minha primeira taça, não sabia o que era bom ou ruim. Agora sou bastante seletiva na hora de comprar."

Eu não reconhecia plenamente a mulher sentada diante de mim, e não sabia como reagir.

"Não me entenda errado", ela prosseguiu. "Ainda me lembro de tudo que meus pais me ensinaram, e quase nunca tomo mais de uma taça por noite. Mas como o próprio Jesus transformou água em vinho, acho que não deve ser um grande pecado."

Sorri diante desse raciocínio, reconhecendo como era injusto esperar uma versão dela congelada no passado. "Eu não perguntei nada."

"Eu sei", ela disse. "Mas você estava pensando."

Por um momento, o único som na cozinha era o zumbido baixo da geladeira. "Sinto muito por seu pai", ela disse, alisando uma rachadura no tampo da mesa. "Realmente sinto. Não sei dizer quantas vezes pensei nele nos últimos anos."

"Obrigado", disse eu.

Savannah começou a girar a taça de novo, aparentemente perdida no redemoinho líquido. "Você quer falar sobre isso?", ela perguntou.

Eu não tinha certeza, mas, ao recostar-me na cadeira, as palavras surpreendentemente vieram. Contei sobre o primeiro ataque cardíaco, e depois o segundo, sobre as visitas que fiz a ele nos dois anos anteriores. Contei sobre nossa crescente amizade, e o conforto que sentia ao lado dele. Falei das caminhadas que ele fazia que por fim teve de interromper. Contei sobre meus últimos dias com ele e a agonia de interná-lo em uma clínica. Quando descrevi o enterro e a fotografia que encontrei no envelope, ela tomou minha mão.

"Estou feliz que ele tenha guardado para você", ela disse, "mas não fiquei surpresa."

"Eu fiquei", disse, e ela riu. Era um som reconfortante.

Ela apertou minha mão. "Gostaria de ter ficado sabendo. Teria ido ao enterro."

"Não foi nada demais."

"Não tinha que ser. Ele era seu pai, e isso é tudo que importa." Ela hesitou antes de soltar minha mão e tomou outro gole de vinho.

"Você está pronto para comer?", ela perguntou.

"Não sei", disse, ruborizando ao lembrar o comentário que ela fizera antes.

Ela se inclinou para frente com um sorriso. "Que tal eu esquentar um prato de cozido e vamos ver o que acontece?"

"Está gostoso?", perguntei. "Quer dizer... quando nos conhecemos, antes, você nunca mencionou que soubesse cozinhar."

"É a receita especial da família", disse ela, fingindo estar ofendida. "Mas tenho de ser honesta: foi minha mãe quem fez. Ela trouxe ontem."

"A verdade vem à tona", disse eu.

"Essa é a coisa engraçada sobre a verdade", disse ela. "Ela geralmente aparece." Ela se levantou, abriu a geladeira e inclinou-se para examinar as prateleiras. Pensava na aliança em seu dedo e em onde estaria seu marido; então ela ergueu-se com o *Tupperware* nas mãos. Ela colocou algumas conchas de cozido em uma tigela e colocou-a no forno de micro-ondas.

"Você quer mais alguma coisa? Que tal pão e manteiga?"

"Seria ótimo", eu concordei.

Poucos minutos depois, a refeição foi posta à minha frente e o aroma me fez ter consciência pela primeira vez, do quanto eu estava com fome. Surpreendendo-me, Savannah sentou-se em seu lugar novamente, segurando a taça de vinho.

"Você não vai comer?"

"Não estou com fome", disse. "Na verdade, não tenho comido muito recentemente." Ela tomou um gole enquanto eu dava minha primeira garfada e deixei o comentário passar.

"Você estava certa", disse. "Está delicioso."

Ela sorriu. "Mamãe é uma ótima cozinheira. Seria de imaginar que eu tivesse aprendido também, mas não. Estava sempre muito ocupada. Muito estudo quando era jovem e, ultimamente, muita reforma." Ela apontou para a sala. "É uma casa velha. Sei que não parece, mas trabalhamos muito aqui nos últimos dois anos."

"Está ótima."

"Você está apenas sendo educado, mas eu agradeço." Ela sorriu. "Você devia ter visto o lugar quando me mudei. Estava parecido com o celeiro, sabe? Precisava de um telhado novo, mas é engraçado, ninguém pensa no telhado quando está imaginando reformar. É uma daquelas coisas que todo mundo espera ter na casa, mas nunca pensa que um dia terá de trocar. Quase tudo que fizemos entra nessa categoria. As bombas do aquecedor, janelas térmicas, os danos causados por cupins... foram muitos e longos dias." Ela tinha uma expressão sonhadora no rosto. "Fizemos a maior parte do trabalho nós mesmos. Como esta cozinha. Sei que precisamos de armários e piso novos, mas, quando nos mudamos, havia poças d'água na sala de estar e nos quartos sempre que chovia. O que podíamos fazer? Tivemos de priorizar, e uma das primeiras coisas foi trocar todas as telhas do telhado. Devia estar quase 40 graus e eu lá em cima com uma pá, arrancando telhas, criando bolhas nas mãos. Mas... parecia o certo, sabe? Dois jovens começando a vida, trabalhando juntos para reformar sua casa? Havia uma sensação de... união. Foi a mesma coisa quando fizemos o piso da sala de estar. Deve ter levado duas semanas para lixar e nivelar de novo. Pintamos e envernizamos e, quando finalmente pudemos andar sobre ele, parecia o alicerce para o resto de nossas vidas."

"Você faz parecer quase romântico."

"Foi, de certa forma", ela concordou, colocando uma mecha de cabelo atrás da orelha. "Mas ultimamente não é tão romântico. Agora, só está ficando velho."

Eu ri inesperadamente, em seguida tossi e procurei um copo que não estava lá.

Ela empurrou a cadeira para trás. "Deixa eu pegar um pouco de água para você", ela disse. Ela encheu um copo na torneira e colocou-o diante de mim. Enquanto bebia, sentia que ela me observava.

"O que foi?", perguntei.

"Não acredito no quanto você está diferente."

"Eu?", achei difícil de acreditar.

"Sim, você", ela insistiu. "Você está... mais velho."

"Sim, eu sou mais velho."

"Eu sei, mas não é isso. São seus olhos. Eles estão... mais sérios do que antes. Como se tivessem visto o que não deveriam. Exaustos, por algum motivo."

Não disse nada em resposta, mas quando notou minha expressão, ela abanou a cabeça, envergonhada. "Não deveria ter dito isso. Não imagino o que você passou nos últimos anos."

Dei outra garfada no cozido, pensando em seu comentário. "Deixei o Iraque no início de 2004", disse. "Estou na Alemanha desde então. Só uma parte do Exército fica lá de cada vez, e nos revezamos. Provavelmente vou acabar voltando, mas não sei quando. Esperamos que as coisas se acalmem um pouco até lá."

"Você já não deveria ter saído do Exército?"

"Eu me alistei de novo", disse. "Não havia motivo para não fazer isso."

Ambos sabíamos a razão, e ela concordou. "Quanto tempo agora?"

"Até 2007."

"E depois?"

"Não tenho certeza. Posso ficar por mais alguns anos. Ou talvez vá para a faculdade. Quem sabe. Posso até me graduar em educação especial. Já ouvi maravilhas sobre a área."

Seu sorriso era estranhamente triste e, por instantes, nenhum de nós disse nada. "Há quanto tempo você está casada?", perguntei.

Ela ajeitou-se na cadeira. "Vai fazer dois anos em novembro."

"Você se casou aqui?"

"Como se eu tivesse escolha." Ela revirou os olhos. "A minha mãe realmente estava a fim dessa coisa de casamento perfeito. Sei que sou filha única, mas, em retrospecto, teria ficado mais feliz com algo muito menor. Cem convidados teria sido perfeito."

"Você considera isso menor?"

"Comparado com o que foi? Sim. Não havia assentos suficientes para todos na igreja, e meu pai fala até hoje que vai passar anos pagando as contas. Ele está só me provocando, é claro. Metade dos convidados eram amigos dos meus pais, mas acho que é isso que acontece quando você se casa em sua cidade natal. Todo mundo, do carteiro ao barbeiro, é convidado."

"Mas você está feliz por estar de volta?"

"É confortável aqui. Meus pais estão perto, e preciso disso, especialmente agora."

Ela não entrou em detalhes, deixando o comentário no ar. Eu pensava nisso – e em uma centena de outras coisas – quando me levantei da mesa e coloquei meu prato na pia. Depois de passar uma água no prato, ouvi-a dizer às minhas costas:

"Pode deixar aí. Ainda não tirei a louça da máquina. Vou fazer isso mais tarde. Você quer mais alguma coisa? Minha mãe deixou duas tortas no balcão."

"Que tal um copo de leite?", disse. Quando ela fez menção de se levantar, acrescentei: "Eu posso pegar. Só me diga onde estão os copos."

"No armário da pia."

Peguei um copo do armário e fui até a geladeira. O leite estava na prateleira de cima, e nas prateleiras inferiores havia pelo menos uma dúzia de recipientes Tupperware cheios de comida. Enchi o copo e voltei para a mesa.

"O que está acontecendo, Savannah?"

Após essas palavras, ela virou-se para mim. "O que você quer dizer?"

"Seu marido", disse.

"O que tem ele?"

"Quando vou conhecê-lo?"

Em vez de responder, Savannah levantou da mesa levando a taça de vinho. Despejou o conteúdo na pia e em seguida pegou uma xícara e uma caixa de chá.

"Você já conheceu", disse ela, virando-se. Ela endireitou os ombros. "É Tim."

* * *

Eu ouvia a colher batendo contra a xícara quando Savannah sentou-se novamente à minha frente.

"O quanto você quer saber?", ela murmurou, olhando a xícara de chá.

"Tudo", disse eu. Eu me recostei na cadeira. "Ou nada. Ainda não tenho certeza."

Ela bufou. "Acho que faz sentido."

Eu uni as mãos. "Quando começou?"

"Não tenho certeza", ela disse. "Sei que parece loucura, mas não aconteceu como você provavelmente imagina. Não é que um de nós tenha planejado." Ela colocou a colher na mesa. "Mas, para dar alguma resposta, acho que começou no início de 2002."

Poucos meses depois que eu me realistei, percebi. Seis meses antes do primeiro ataque cardíaco do meu pai e exatamente na época em que notei que as cartas dela começaram a mudar.

"Você sabe que éramos amigos. Mesmo ele estando na pós-graduação, acabamos fazendo algumas aulas no mesmo prédio durante meu último ano na faculdade. No fim das aulas, íamos tomar café ou acabávamos estudando juntos. Não eram encontros, nem ficávamos de mãos dadas. Tim sabia que eu estava apaixonada por você... mas ele estava presente, sabe? Ele ouvia quando eu falava o quanto sentia sua falta e como a distância era difícil. E foi difícil. Eu achava que você já estaria em casa nessa época."

Quando ela ergueu o olhar, seus olhos estavam cheios... do quê? Arrependimento? Não dava para saber.

"De qualquer forma, passamos muito tempo juntos, e ele me consolava sempre que eu estava para baixo. Sempre me lembrava que você estaria aqui de licença antes do que eu esperava, e você não imagina o quanto eu queria ver você novamente. Então, seu pai ficou doente. Sei que você tinha de ficar com ele, eu nunca teria lhe perdoado se você não ficasse ao lado dele, mas não era do que precisávamos. Sei como isso parece egoísta, e me odeio por ter pensado assim. Mas parecia que o destino estava conspirando contra nós."

Ela pôs a colher no chá e mexeu de novo, recolhendo seus pensamentos.

"Naquele outono, após terminar todas as minhas aulas e voltar para casa para trabalhar no centro de avaliação de desenvolvimento da cidade, os pais de Tim se envolveram em um acidente horrível. Eles estavam voltando de carro de Asheville, quando perderam a direção e foram parar do outro lado da pista, na contramão da rodovia. Uma carreta acabou batendo neles. O motorista do caminhão não ficou ferido, mas os pais de Tim morreram na batida. Tim teve de abandonar a escola – ele estava tentando entrar no doutorado –, para voltar e cuidar de Alan." Ela fez uma pausa. "Foi terrível para ele. Não só tinha de lidar com a perda – adorava os pais –, mas Alan também estava inconsolável. Ele gritava o tempo todo, arrancava os cabelos. O único que conseguiu fazer com que parasse de se ferir foi Tim, mas isso drenou toda sua energia. Acho que foi quando comecei a vir para cá. Você sabe, para ajudar."

Quando franzi a testa, ela acrescentou: "Esta era a casa dos pais de Tim. Onde Tim e Alan cresceram".

Tão logo ela disse isso, a lembrança voltou. Claro que era a casa de Tim – uma vez ela me contou que ele morava no rancho ao lado dos pais dela.

"Acabamos consolando um ao outro. Tentei ajudá-lo, ele tentou me ajudar e nós dois tentamos ajudar Alan. E, pouco a pouco, eu acho, começamos a nos apaixonar."

Pela primeira vez, ela olhou nos meus olhos.

"Sei que você deve estar irritado com Tim ou comigo. Provavelmente com os dois. E acho que merecemos. Mas você não sabe como foi aquela época. Tanta coisa acontecendo, tantas emoções o tempo todo. Eu me senti culpada com o que estava acontecendo, Tim se sentiu culpado. Mas, depois de um tempo, começamos a nos sentir como se já fôssemos um casal. Tim começou a trabalhar no mesmo centro de avaliação de desenvolvimento que eu, e decidiu que queria montar um programa de fim de semana no rancho para crianças autistas. Seus pais sempre quiseram que ele fizesse isso, então me voluntariei para trabalhar aqui também. Depois disso, passávamos quase todo o tempo juntos. Montar o rancho nos fez concentrar em algo, e também ajudou Alan. Ele ama cavalos, e havia tanto para fazer que gradativamente ele se acostumou ao fato de seus pais não estarem por perto. Foi como se nós todos estivéssemos nos apoiando uns nos outros... De qualquer modo, ele me pediu em casamento no fim daquele ano."

Quando ela parou, eu virei, tentando digerir suas palavras. Ficamos em silêncio por um tempo, ambos lutando com os próprios pensamentos.

"Então, é essa a história", concluiu. "Não sei o quanto mais você quer saber."

Eu também não tinha certeza.
"Alan ainda mora aqui?", perguntei.
"Ele tem um quarto no andar de cima. Na verdade, é o mesmo quarto de sempre. No entanto, não é tão difícil quanto parece. Depois que ele termina de se alimentar e escovar os cavalos, geralmente passa a maior parte do tempo sozinho. Ele adora videogames. É capaz de jogar por horas. Ultimamente, não consigo fazê-lo parar. Ele jogaria a noite toda se eu deixasse."
"Ele está aqui agora?"
Ela balançou a cabeça. "Não", disse. "Agora ele está com Tim."
"Onde?"
Antes que ela pudesse responder, o cão começou a arranhar insistentemente a porta, e Savannah levantou-se para abri-la. O cão entrou com a língua para fora e ainda abanando o rabo. Veio na minha direção e cheirou minha mão.
"Ele gosta de mim", disse.
Savannah ainda estava perto da porta. "Ela gosta de todos. O nome dela é Molly. Inútil como cão de guarda, mas doce como uma flor. É só tentar evitar a baba. Ela vai babar em você todo, se você deixar."
Olhei para o meu *jeans*. "Deu para notar."
Savannah fez sinal por cima do ombro. "Olha, lembrei que ainda tenho que guardar algumas coisas. Deve chover à noite. Não demoro muito."
Notei que ela não tinha respondido à pergunta sobre Tim. Nem pretendia responder.
"Você precisa de uma mão?"
"Na verdade não. Mas você é bem-vindo. A noite está bonita."
Eu a segui, com Molly andando à nossa frente, tendo esquecido completamente que acabara de pedir para entrar na casa. Quando uma coruja apareceu entre as árvores, Molly correu na escuridão e desapareceu.
Savannah colocou as botas novamente.
Caminhamos em direção ao celeiro. Pensei em tudo o que ela disse e me questionei de novo por que tinha vindo. Não sabia se estava feliz por ela ter casado com Tim - já que eles pareciam perfeitos um para o outro - ou chateado pela

mesma razão. Nem estava contente por finalmente saber a verdade. De algum modo, percebi, era mais fácil não saber. De repente, simplesmente me senti cansado.

E, no entanto... sabia que ela estava escondendo algo. Ouvi em sua voz, uma ponta de tristeza que não desaparecia. À medida que a escuridão nos envolvia, aguçava-se a percepção de como estávamos próximos, e me perguntei se ela sentia o mesmo. Mas ela não deu nenhum sinal disso.

Os cavalos eram meras sombras na distância, manchas sem uma forma reconhecível. Savannah recolheu um par de rédeas, levou-as ao celeiro e pendurou-as em dois pinos. Enquanto isso, peguei as pás que havíamos usado e arrumei-as junto ao resto das ferramentas. Na volta, ela checou bem se havia trancado o portão.

Olhando para o relógio, vi que eram quase dez horas. Era tarde, e nós dois estávamos conscientes do horário.

"Acho que devo ir andando", disse. "É uma cidade pequena. Não quero ser a causa de qualquer fofoca."

"Você provavelmente está certo." Molly apareceu do nada, perambulando, e sentou-se entre nós. Ela se enrolou nas pernas de Savannah, indo para o lado. "Onde você está hospedado?", ela perguntou.

"Em um hotelzinho de beira de estrada. Na saída da cidade."

Ela franziu o nariz, mesmo que por um instante. "Conheço o lugar."

"É uma espelunca", admiti.

Ela sorriu. "Não posso dizer que esteja surpresa. Você sempre teve faro para encontrar os lugares mais particulares."

"Como a Cabana do Camarão?"

"Exatamente."

Enfiei as mãos nos bolsos, imaginando se seria a última vez que nos veríamos. Se fosse o caso, teria sido um absurdo anticlímax; eu não podia deixar tudo acabar em conversa fiada, mas não conseguia pensar em nada para falar.

Na estrada em frente, os faróis de um carro em movimento iluminaram a propriedade quando passaram em velocidade pela casa.

"Então acho que é isso", perplexo. "Foi bom ver você de novo."

"Você também, John. Estou contente que tenha vindo."

Concordei novamente. Quando ela desviou o olhar, tomei como um sinal para partir.

"Adeus", disse eu.

"Adeus."

Virei e comecei a andar para o carro, tonto ao pensar que tudo estava realmente acabado. Não sabia se esperava qualquer coisa diferente, mas o fim trouxe à tona todos os sentimentos represados desde que eu lera aquela última carta.

Eu estava abrindo a porta do carro quando a ouvi gritar.

"Ei, John?"

"Sim?"

Ela desceu da varanda e veio na minha direção. "Você vai estar por aqui amanhã?"

Enquanto ela se aproximava, seu rosto parcialmente na sombra, tive certeza de que ainda estava apaixonado. Apesar da carta, apesar do seu marido. Apesar do fato de que nunca mais poderíamos ficar juntos.

"Por quê?", perguntei.

"Estava imaginando se você gostaria de aparecer. Por volta das dez. Tenho certeza que Tim gostaria de encontrar você..."

Eu estava balançando a cabeça antes mesmo de ela terminar. "Não tenho tanta certeza de que seja uma boa ideia."

"Você faria isso por mim?"

Sabia que ela queria que eu visse que Tim ainda era o mesmo homem de sempre e, de certo modo, sabia que ela estava me convidando porque queria meu perdão. Ainda assim...

Ela pegou minha mão. "Por favor. Significaria muito para mim."

Apesar do calor da mão dela, eu não queria voltar. Não queria ver Tim, não queria ver os dois juntos ou sentar-me à mesa fingindo que tudo parecia bem. Mas havia algo melancólica naquele pedido, que tornou impossível declinar.

"Ok", eu disse. "Dez horas."

"Obrigada."

Um momento depois, ela se virou para voltar. Permaneci no local, observando-a subir no alpendre antes de entrar no carro. Virei a chave e esperei. Savannah estava no alpendre, acenando uma última vez. Acenei de volta e peguei a estrada, a imagem dela cada vez menor no espelho retrovisor. Ao observá-la, senti uma súbita secura na garganta. Não porque ela estava casada com Tim, e não porque iria vê-los juntos no dia seguinte. Mas porque, enquanto eu me afastava, vi Savannah em pé no alpendre, chorando.

• • • • • • •

VINTE

Na manhã seguinte, encontrei Savannah em pé no alpendre, e ela acenou quando entrei no rancho. Ela se aproximou enquanto eu estacionava. Eu esperava ver Tim na porta atrás dela, mas ele não apareceu.

"Oi", disse ela, tocando meu braço. "Obrigada por ter vindo."

"Imagina", eu disse, encolhendo os ombros relutante.

Vislumbrei um lampejo de compreensão em seus olhos quando ela perguntou: "Você dormiu bem?"

"Não muito."

Ela deu um sorriso irônico. "Você está pronto?"

"Como sempre."

"Tudo bem", disse ela. "Deixe-me apenas pegar as chaves. A menos que você queira dirigir."

Não entendi de primeira o que isso queria dizer. "Vamos sair?" Indiquei a casa. "Pensei que iríamos ver Tim."

"Nós vamos", ela disse. "Ele não está aqui."

"Onde ele está?"

Foi como se ela não tivesse ouvido. "Você quer dirigir?"

"Sim, acho que sim", disse, sem esconder a minha confusão, mas sabendo que ela de alguma forma esclareceria as coisas quando estivesse pronta. Abri a porta para ela e contornei o carro até o banco do motorista para sentar-me ao volante. Savannah passou a mão sobre o painel, como se estivesse tentando provar para si mesma que era real.

"Eu me lembro deste carro." Tinha uma expressão de nostalgia. "Era do seu pai, certo? Uau, não acredito que ainda esteja andando."

"Ele não dirigia tanto assim", disse. "Só ia trabalhar e fazer compras."

"Ainda assim."

Ela colocou o cinto de segurança, e me perguntava se ela passara a noite sozinha.

"Para que lado?", perguntei.

"Na estrada, vire à esquerda", disse ela. "Direto para a cidade."

Nenhum de nós falou. Ela passou o tempo todo olhando pela janela do passageiro com os braços cruzados. Eu podia ter ficado ofendido, mas nada em sua expressão denunciava que aquela preocupação tinha a ver comigo, e deixei-a sozinha com seus pensamentos.

Nos arredores da cidade, ela balançou a cabeça, como se repentinamente tomasse consciência do silêncio em que estávamos. "Sinto muito", disse. "Acho que minha companhia deixa muito a desejar."

"Tudo bem", disse, tentando mascarar a minha crescente curiosidade.

Ela apontou em direção ao parabrisa. "Na próxima esquina, vire à direita."

"Aonde estamos indo?"

Ela não respondeu de imediato. Em vez disso, olhou para fora pela janela do passageiro.

"O hospital", disse finalmente.

* * *

Segui-a através de corredores aparentemente intermináveis, até finalmente chegar à recepção dos visitantes. Atrás do balcão, um voluntário idoso estendeu uma prancheta. Savannah pegou a caneta e assinou seu nome automaticamente.

"Você está firme, Savannah?"

"Tentando", Savannah murmurou.

"Vai ficar tudo bem. A cidade inteira está rezando por ele."

"Obrigada", disse Savannah. Ela devolveu a prancheta e olhou para mim. "Ele está no terceiro andar", explicou. "Os elevadores ficam ali no corredor."

Eu a segui com um nervoso no estômago. Chegamos ao elevador no momento em que algumas pessoas desciam. Quando as portas se fecharam, parecia que estávamos em um túmulo.

As portas do elevador se abriram no terceiro andar, e Savannah seguiu pelo corredor comigo a reboque. Ela parou diante de um quarto que estava com a porta aberta e virou-se para mim.

"Acho que devo entrar primeiro", disse ela. "Você pode esperar aqui?"

"Claro."

Ela demonstrou gratidão e virou-se em seguida. Deu um longo suspiro antes de entrar na sala. "Oi querido", a ouvi dizer com a voz animada. "Você está bem?"

Não ouvi mais do que isso nos minutos seguintes. Fiquei no corredor, absorvendo o mesmo ambiente estéril e impessoal que conhecera enquanto acompanhava meu pai. O ar cheirava a desinfetante genérico, e vi um auxiliar de enfermagem empurrar um carrinho com comida para dentro de um quarto. Na metade do corredor, notei um grupo de enfermeiras atrás de um balcão. Atrás da porta em frente, alguém vomitava.

"Tudo bem", disse Savannah, colocando a cabeça para fora. Por baixo da aparência corajosa, eu ainda notava sua tristeza. "Pode entrar. Disse para ele esperar uma surpresa."

Eu a segui, me preparando para o pior. Tim estava sentado na cama com um cateter ligado a seu braço. Parecia exausto, e sua pele estava translúcida de tão pálida. Ele havia emagrecido ainda mais do que o meu pai, e quando o vi, meu único pensamento era que ele estava morrendo. Só a bondade em seus olhos não fora afetada. Do outro lado da sala havia um jovem no final da adolescência, talvez com 20 anos, balançando a cabeça de um lado para o outro, e soube imediatamente que era Alan. O quarto estava repleto de flores: dezenas de buquês e cartões espalhados por todas as mesas. Savannah sentou-se na cama ao lado do marido e pegou sua mão.

"Oi, Tim", eu disse.

Ele parecia cansado demais para sorrir, mas conseguiu mesmo assim. "Oi, John. É bom ver você de novo."

"Você também", disse. "Como você está?"

Assim que falei, percebi como soava ridículo. Tim devia estar acostumado, pois não hesitou.

"Estou bem", disse. "Estou me sentindo melhor agora."

Concordei. Alan continuou a balançar a cabeça. Fiquei olhando para ele e me sentindo um intruso em eventos que gostaria de poder ter evitado.

"Este é meu irmão, Alan" ele disse.

"Oi, Alan."

Como Alan não respondeu, Tim sussurrou: "Ei, Alan. Tudo bem. Ele não é médico. É um amigo. Vá dizer olá."

Levou alguns segundos, mas Alan finalmente se levantou da cadeira. Ele caminhou com dificuldade pelo quarto e, apesar de não me olhar nos olhos, estendeu a mão. "Oi, eu sou o Alan", disse com a voz surpreendentemente monocórdica.

"Prazer em conhecê-lo", respondi, apertando sua mão. Era flácida. Ele chacoalhou uma vez, depois soltou e voltou ao seu lugar.

"Há uma cadeira se você quiser sentar", disse Tim.

Atravessei o quarto e me sentei. Antes que pudesse falar, Tim respondeu à pergunta em minha cabeça.

"Melanoma", disse ele. "Caso você esteja se perguntando."

"Mas você vai ficar bem, certo?"

Alan balançou a cabeça ainda mais rápido e começou a bater suas coxas. Savannah se virou. Eu já sabia a resposta e desejei não ter feito a pergunta.

"Isso é o que os médicos acham", Tim respondeu. "Estou em boas mãos." Sabia que a resposta era mais para Alan que para mim, e Alan começou a se acalmar.

Tim fechou os olhos e os abriu novamente, tentando reunir forças. "Estou contente de ver que você voltou inteiro", disse ele. "Rezei por você o tempo todo que esteve no Iraque."

"Obrigado", disse eu.

"O que você tem feito? Ainda no Exército, suponho."

Ele indicou meu corte de cabelo, e eu passei a mão no cabelo. "Sim. Parece que estou virando um dos soldados que se alistam pela vida toda."

"Bom", disse ele. "O Exército precisa de pessoas como você."

Não disse nada. A cena me pareceu surreal, era como ver a si mesmo em um sonho. Tim virou para Savannah. "Querida, você leva o Alan para pegar um refrigerante? Ele não bebeu nada desde cedo. E, se você puder, talvez consiga convencê-lo a comer."

"Claro", disse ela. Savannah beijou-o na testa e levantou-se da cama. Ela parou na porta. "Vamos, Alan. Vamos pegar algo para beber, ok?"

Para mim, parecia que Alan processava as palavras lentamente. Finalmente, ele se levantou e seguiu Savannah, ela colocou a mão nas costas dele a caminho do corredor. Quando os dois saíram, Tim me encarou novamente.

"Isso tudo é realmente muito difícil para Alan. Ele não está aceitando bem."

"E como poderia?"

"Mas não se engane com o fato de ele balançar a cabeça. Não tem nada a ver com autismo ou inteligência. É mais como um tique que ele tem quando está nervoso. A mesma coisa quando ele começou a bater nas coxas. Ele sabe o que está acontecendo, mas é afetado de um jeito que normalmente deixa os outros desconfortáveis."

Uni as mãos. "Não me deixa desconfortável", disse eu. "Meu pai também tinha as dele. Ele é seu irmão, e é óbvio que está preocupado. Faz sentido."

Tim sorriu. "É gentileza sua dizer isso. Um monte de gente fica assustada."

"Eu não", disse, balançando a cabeça. "Sei que posso com ele."

Extraordinariamente, ele riu, mas isso exigiu um grande esforço.

"Tenho certeza que pode", disse. "Alan é delicado. Provavelmente muito delicado. Ele nem mesmo mata moscas."

Concordei, reconhecendo que toda aquela conversa era apenas o jeito de ele de me deixar mais confortável. Não estava funcionando.

"Quando você descobriu?"

"Um ano atrás. Senti coceira em uma verruga na parte de trás da perna. Quando cocei, ela sangrou. Eu não me preocupei, é claro, até voltar a sangrar quando cocei de novo.

Seis meses atrás, fui ao médico. Foi em uma sexta-feira. Fiz a cirurgia no sábado e comecei o tratamento com interferon[1] na segunda-feira. Agora, estou aqui."

"Você ficou esse tempo todo no hospital?"

"Não. Entro e saio. Normalmente, o interferon é administrado no ambulatório, mas eu e ele não nos damos muito bem. Tenho intolerância, então agora eles fazem aqui, para o caso de eu ficar muito enjoado ou me desidratar. Como aconteceu ontem."

"Sinto muito", disse.

"Eu também."

Olhei ao redor e meus olhos pousaram sobre um porta-retratos barato na cabeceira de Tim no qual ele e Savannah aparecem em pé abraçando Alan. "Como Savannah está reagindo?", perguntei.

"Como era de se esperar." Tim alisou uma dobra na sua ficha do hospital com a mão livre. "Ela tem sido ótima. Não só comigo, mas também com o rancho. Ela tem de cuidar de tudo ultimamente, mas nunca reclama. E sempre que está comigo, tenta ser forte. Ela vive me dizendo que tudo vai dar certo." Ele esboçou um sorriso amarelo. "Metade do tempo, ainda acredito nela."

Quando não respondi, ele se esforçou para sentar-se mais reto na cama. Ele estremeceu, mas a dor passou, e voltou a si. "Savannah contou que você jantou no rancho a noite passada."

"Sim", disse.

"Aposto que ela ficou contente de ver você. Sei que sempre se sentiu mal por ter acabado do jeito que acabou, e eu também. Devo um pedido de desculpas a você."

"Não", levantei as mãos. "Está tudo bem."

Ele sorriu irônico. "Você só diz isso porque estou doente, e ambos sabemos disso. Se eu estivesse saudável, provavelmente você iria quebrar meu nariz de novo."

"Talvez", admiti. Ele riu de novo, e desta vez ouvi o som da doença em sua risada.

---

1 NT: Proteína produzida por animais usada no tratamento do câncer e de outras doenças, como hepatite C.

"Eu mereci", ele disse, alheio aos meus pensamentos. "Sei que você pode não acreditar, mas me sinto mal com o que aconteceu. Sei que vocês dois realmente gostavam um do outro."

Debrucei-me, apoiando em meus cotovelos. "O que passou, passou", disse.

Eu não acreditei, e ele não acreditou em mim quando eu disse isso. Mas foi o suficiente para nós dois deixarmos isso de lado. "O que te trouxe aqui? Depois de todo este tempo?"

"Meu pai faleceu", eu disse. "Na semana passada."

Apesar da doença, seu rosto refletiu uma simpatia genuína. "Sinto muito, John. Sei o quanto ele significava para você. Foi repentino?"

"No final, sempre é. Mas ele estava doente havia algum tempo."

"Isso não significa que seja mais fácil."

Fiquei me perguntando se ele se referia só a mim ou a Savannah e Alan também.

"Savannah me disse que você perdeu seus pais."

"Acidente de carro", disse ele, forçando as palavras. "Foi... inacreditável. Tínhamos acabado de jantar com eles duas noites antes, e no momento seguinte, eu estava tomando as providências para os enterros. Ainda não parece real. Sempre que estou em casa, acho que vou ver minha mãe na cozinha ou meu pai cuidando do jardim." Ele hesitou, e eu sabia que estava revivendo tais imagens. Por fim, balançou a cabeça. "Isso aconteceu com você? Quando estava em casa?"

"O tempo todo."

Ele inclinou a cabeça para trás. "Parece que foram dois anos bem difíceis para nós dois. O suficiente para nos fazer duvidar da fé."

"Até mesmo você?"

Ele deu um sorriso indiferente. "Eu disse duvidar. Não disse que minha fé acabou."

"Não, não creio que acabaria."

Ouvi a voz de uma enfermeira se aproximando. Achei que ela fosse entrar, mas continuou seu caminho para outro quarto.

"Estou feliz que você veio para ver Savannah", ele disse. "Sei que soa banal, considerando tudo o que vocês dois passaram, mas ela precisa de um amigo agora."

Minha garganta estava apertada. “Sim”, foi tudo que consegui pensar e dizer.

Ele ficou quieto, e entendi que não diria mais nada sobre o assunto. Com o tempo, Tim pegou no sono e fiquei ali sentado olhando para ele, minha cabeça curiosamente vazia.

* * *

“Desculpe não ter contado ontem”, Savannah falou uma hora depois. Quando ela e Alan voltaram ao quarto e encontraram Tim dormindo, ela fez sinal para eu a seguir até a lanchonete. “Fiquei surpresa de ver você, e sabia que deveria ter contado, mas todas as vezes que tentei, simplesmente não consegui.”

Havia duas xícaras de chá na mesa, já que nenhum de nós tinha apetite. Savannah ergueu a xícara e colocou-a de volta.

“É que ontem foi um daqueles dias, sabe? Passei horas no hospital, sob os olhares piedosos das enfermeiras e... bem, parece que eles me matam aos pouquinhos. Sei que isso é ridículo, já que Tim vai superar, mas é tão difícil vê-lo doente. Eu odeio. Sei que preciso estar presente para apoiá-lo e quero estar presente, mas a questão é que é sempre pior do que eu esperava. Ele ficou tão mal depois do tratamento ontem que pensei que ele estava morrendo. Ele não parava de vomitar, e quando não saía mais nada, vomitava seco. A cada cinco ou dez minutos, ele começava a gemer e se mexer na cama tentando evitar, mas não podia fazer nada. Eu o abracei e o confortei, mas não sei nem como começar a descrever o quanto isso me deixa desamparada.” Ela tirou o sachê de chá de dentro da água. “É assim toda vez”, disse.

Fiquei mexendo na asa da minha xícara. “Gostaria de saber o que dizer.”

“Não há nada que você possa dizer, eu sei. Por isso estou lhe contando. Porque sei que você consegue lidar com isso. Realmente não tenho mais ninguém. Nenhum dos meus amigos pode entender o que estou passando. Minha mãe e meu pai têm sido ótimos, mas... Sei que farão qualquer coisa que eu pedir, estão sempre se oferecendo para ajudar, e mamãe traz comida para nós. Mas toda vez que aparece, ela está uma pilha de nervos, sempre à beira do choro. É como se ela morresse de medo de dizer ou fazer algo errado. Por isso, quando tenta ajudar, eu que tenho de apoiá-la em vez do contrário. Somado a todo o resto, é quase insuportável às vezes. Odeio falar isso dela, porque ela está dando o máximo, é minha mãe e eu a amo, mas queria que ela fosse mais forte, sabe?"

Lembrando-me da mãe dela, assenti. "E o seu pai?"

"O mesmo, mas de um jeito diferente. Ele evita o assunto. Não quer falar nada a respeito. Quando estamos juntos, conversa sobre o rancho, o meu trabalho, mas nada de Tim. É como se estivesse tentando compensar a preocupação incessante da minha mãe, mas nunca pergunta o que está acontecendo ou como eu estou suportando." Ela balançou a cabeça. "E por fim há Alan. Tim é tão bom com ele, e gosto de pensar que está ficando melhor, mas ainda... há momentos em que ele começa a se machucar ou quebrar as coisas, e eu acabo chorando porque não sei o que fazer. Não me interprete mal, eu tento, mas não sou Tim, e ambos sabemos disso."

Olhamo-nos nos olhos por um momento, antes de eu desviar os meus. Tomei um gole de chá, tentando imaginar como era a vida dela agora.

"Tim contou o que está acontecendo? O melanoma?"

"Um pouco", disse. "Não o suficiente para saber a história toda. Ele disse que achou uma verruga que estava sangrando. Ele não deu importância por um tempo até que foi procurar um médico."

Ela assentiu. "É uma dessas coisas loucas, não? Quero dizer, se Tim tomasse muito sol, talvez eu entendesse. Mas foi na parte de trás da perna. Você o conhece, consegue imaginá-lo de bermuda? Ele quase nunca usa *shorts*, mesmo na praia, e sempre enchia todo mundo para passar protetor solar. Ele não bebe, não fuma, é cuidadoso com o que come. Mas, por algum motivo, teve um melanoma. Eles cortaram a área em volta da verruga e, por causa do tamanho, retiraram 18 gânglios linfáticos. Dos 18, um deu positivo para melanoma. Ele começou o interferon, que é o tratamento padrão e dura um ano inteiro, e tentamos ficar otimistas. Mas depois as coisas começaram a dar errado. Primeiro com o interferon, depois ele teve celulite na incisão junto à virilha algumas semanas após a cirurgia."

Quando franzi a testa, ela se deteve.

"Desculpe. Estou tão acostumada a falar com médicos estes dias. Celulite é uma infecção da pele, e a de Tim foi muito grave. Ele passou dez dias na unidade de terapia intensiva por causa disso. Pensei que iria perdê-lo, mas ele é um lutador, sabe? Ele sarou e continuou o tratamento. Porém, no mês passado encontramos lesões cancerígenas perto do local do melanoma original. Isso, claro, significava outra rodada de cirurgia, e pior ainda, significava que o interferon provavelmente não estava funcionando tão bem quanto devia. Então ele fez uma tomografia PET e uma ressonância magnética, e eles encontraram algumas células cancerígenas no pulmão."

Ela olhou para a xícara de chá. Eu estava sem palavras, e me sentia exausto. Ficamos em silêncio por um longo tempo.

"Sinto muito", finalmente sussurrei.

Minhas palavras a despertaram. "Não vou desistir", ela disse, sua voz começando oscilar. "Ele é um homem tão bom. Ele é doce, paciente, e eu o amo muito. Não é justo. Não faz dois anos que estamos casados."

Ela olhou para mim e respirou fundo algumas vezes, tentando recuperar a compostura.

"Ele precisa sair daqui. Deste hospital. A única coisa que eles fazem aqui é o interferon e, como eu disse, não está funcionando como deveria. Ele precisa ir para algum lugar como o MD Anderson ou o Mayo Clinic ou o Johns Hopkins[2]. Há pesquisas de ponta em andamento nesses lugares. Se o interferon não está funcionando, pode haver outra droga para adicionar – eles estão sempre fazendo combinações, mesmo experimentais. Estão fazendo bioquimioterapia e testes clínicos. MD Anderson deve começar a testar uma vacina em novembro – não para prevenção, como a maioria das vacinas, mas para tratamento –, e os dados preliminares têm mostrado bons resultados. Eu quero que ele faça parte dessa pesquisa."

"Então vá", insisti.

Ela deu uma risada curta. "Não é assim tão fácil."

"Por quê? Parece bastante simples para mim. Assim que ele sair daqui, vocês entram no carro e vão."

"Nosso seguro não pagará por isso", disse ela. "Pelo menos não agora. Ele está recebendo o tratamento padrão. E,

2 NT: Respectivamente: centro de pesquisa e tratamento do câncer da Universidade do Texas; instituição sem fins lucrativos dedicada à formação de médicos, pesquisa e tratamento de doenças complexas; primeira universidade dos EUA dedicada à pesquisa e tratamentos médicos.

acredite se quiser, a companhia de seguros tem sido bastante sensível até agora. Eles pagaram todas as internações, todos os interferon, e todos os extras sem problemas. Eles até designaram uma assistente social para mim, e ela é simpática à nossa situação. Mas não há nada que ela possa fazer, pois o médico acha que é melhor darmos o interferon por mais tempo. Nenhuma companhia de seguros do mundo vai pagar por tratamentos experimentais. E nenhuma seguradora aceita pagar tratamentos fora do padrão, especialmente em outros Estados quando não há certeza de que vão funcionar."

"Processe-os se for preciso."

"John, a nossa seguradora não pestanejou para pagar todos os custos de UTI e internações extras, e a verdade é que Tim está recebendo o tratamento adequado. A questão é, não posso provar que Tim ficaria melhor em outro lugar, recebendo tratamentos alternativos. Acho que poderia ajudá-lo, tenho esperança de que iria ajudá-lo, mas ninguém tem certeza absoluta." Ela balançou a cabeça. "De qualquer forma, mesmo se eu levar isso à justiça e a companhia de seguros acabar pagando tudo, isso leva tempo... exatamente o que não temos." Ela suspirou. "Meu ponto é, não se trata apenas de dinheiro, é um problema de tempo."

"De quanto você está falando?"

"Muito. E se Tim acabar no hospital com infecção e for para a UTI de novo, não consigo nem imaginar. Mais do que eu jamais vou conseguir pagar, com certeza."

"O que você vai fazer?"

"Arrumar dinheiro", ela disse. "Não tenho escolha. E a comunidade tem ajudado. Tão logo souberam sobre Tim, fizeram reportagens na televisão local e no jornal, e as pessoas da cidade inteira prometeram começar a recolher dinheiro. Eles abriram uma conta bancária especial e tudo. Meus pais ajudaram. O lugar onde nós trabalhamos ajudou. Os pais de algumas das crianças com quem trabalhamos ajudaram. Ouvi dizer que ainda tem jarros com doações em muitos estabelecimentos."

Lembrei-me da visão do frasco ao final do balcão no salão de bilhar, no dia em que cheguei a Lenoir. Eu tinha contribuído com dois dólares, mas de repente aquilo pareceu completamente inadequado.

"Falta muito?"

"Não sei." Ela balançou a cabeça, como se não quisesse pensar a respeito. "Isso começou há pouco tempo, e desde que Tim está em tratamento, eu fico aqui e no rancho. Mas estamos falando de um monte de dinheiro." Ela afastou a xícara de chá e abriu um sorriso triste. "Nem sei por que estou contando a você. Quer dizer, não posso garantir que nenhum desses lugares irá ajudá-lo. Só sei dizer que, se ele ficar, não vai sobreviver. Isso também pode acontecer nos outros lugares, mas pelo menos há uma chance... e agora isso é tudo que tenho."

Ela parou, incapaz de continuar, o olhar perdido sobre a mesa manchada.

"Você quer saber o que é louco?", ela perguntou afinal. "Você é o único para quem contei tudo isso. Não sei como, sei que é a única pessoa que pode vir a entender o que estou passando, sem eu precisar escolher as palavras." Ela ergueu a xícara e abaixou-a novamente. "Sei que não é justo, considerando seu pai..."

"Tudo bem", tranquilizei-a.

"Talvez", ela disse. "Mas também é egoísta. Você está tentando lidar com as próprias emoções após perder seu pai, e aqui estou eu, sobrecarregando você com as minhas, sobre algo que pode ou não acontecer." Ela se virou para olhar pela janela da lanchonete, mas eu sabia que não estava vendo o gramado inclinado do lado de fora.

"Ei", eu disse, pegando a mão dela. "Estou falando sério. Estou contente por você ter me contado, mesmo que seja só para desabafar. Por que você acha que vim aqui? Porque eu precisava encontrar alguém que me ouvisse."

Com o tempo, Savannah encolheu os ombros. "Então somos assim, hein? Dois guerreiros feridos à procura de apoio."

"Isso parece muito certo."

Ela levantou os olhos e encarou os meu. "Sorte nossa", ela sussurrou.

Apesar de tudo, senti meu coração saltar.

"Sim", ecoei. "Sorte nossa."

* * *

Passamos a maior parte da tarde no quarto de Tim. Ele estava dormindo quando chegamos, acordou por alguns minutos e depois dormiu novamente. Alan mantinha vigília ao pé da sua cama, ignorando minha presença e concentrado no irmão. Savannah alternou-se entre a cabeceira de Tim e a cadeira ao meu lado. Quando ela se aproximava, falávamos da doença de Tim, de câncer de pele em geral, e das especificidades dos possíveis tratamentos alternativos. Ela passou semanas pesquisando na internet e conhecia em detalhes todas as pesquisas em curso. Sua voz nunca subiu acima do sussurro, ela não queria que Alan ouvisse. Quando terminou, eu sabia mais sobre melanoma do que imaginava ser possível.

Pouco depois da hora do jantar, Savannah finalmente se levantou. Tim tinha dormido a maior parte da tarde, e pelo terno beijo de despedida que ela lhe deu, acreditava que ele continuaria dormindo à noite também. Ela beijou-o uma segunda vez, depois pegou sua mão e indicou a porta. Saímos em silêncio.

"Direto para o carro", ela disse quando estávamos no corredor.

"Você vai voltar?"

"Amanhã. Se ele acordar, não quero dar um motivo para ele achar que tem que ficar acordado. Ele precisa descansar."

"E o Alan?"

"Ele vai de bicicleta", disse ela. "Ele vem de bicicleta todas as manhãs e volta de bicicleta à noite. Ele não vai comigo, mesmo se eu pedir. Mas ele vai ficar bem. Vem fazendo a mesma coisa há meses."

Poucos minutos depois, saímos do estacionamento do hospital e pegamos o trânsito da noite. O céu estava ficando cinza-escuro, e nuvens pesadas se formavam no horizonte, pressagiando o mesmo tipo de tempestade que se vê no litoral. Savannah perdeu-se em pensamentos e falou pouco. Em seu rosto, eu vi refletido o mesmo esgotamento que eu sentia. Não conseguia imaginar ter que voltar amanhã, depois de amanhã e no dia seguinte, sabendo o tempo todo que havia uma possibilidade de ele melhorar em outro lugar.

Quando chegamos à entrada, olhei para ela e notei uma lágrima escorrendo lentamente em seu rosto. Essa visão partiu meu coração, mas quando ela notou que eu a observava, pareceu surpresa de estar chorando. Decidi estacionar o carro embaixo do salgueiro, ao lado do caminhão velho. Foi quando as primeiras gotas de chuva começaram a bater no para-brisa.

À medida que diminuía a marcha, perguntei-me de novo se seria adeus. Antes que eu pudesse pensar em algo para dizer, Savannah virou-se para mim. "Você está com fome?", perguntou. "Há uma tonelada da comida na geladeira."

Algo naquele olhar me advertia que eu deveria declinar, mas acabei aceitando. "Adoraria comer algo", disse.

"Estou contente", ela respondeu, com voz suave. "Realmente não quero ficar sozinha hoje à noite."

Saímos do carro, a chuva aumentou. Corremos até a porta da frente, mas quando chegamos ao alpendre, minhas roupas estavam molhadas. Molly nos ouviu, e assim que Savannah abriu a porta, o cachorro me ultrapassou disparando pela cozinha na direção da sala de estar. Observando o cão, pensei na minha chegada no dia anterior e o quanto as coisas haviam mudado no período em que ficamos separados. Era demais para processar. E como havia feito durante as patrulhas no Iraque, blindei-me para focar apenas no presente e permanecer alerta ao que poderia vir a seguir.

"Tem um pouco de tudo", ela gritou a caminho da cozinha. "É assim que minha mãe lida com isso. Cozinhando. Temos cozido, chili, empadão de frango, porco grelhado, lasanha..." Ela tirou a cabeça de dentro da geladeira quando entrei na cozinha. "Alguma coisa te parece apetitosa?"

"Qualquer coisa", disse. "O que você quiser está ótimo."

Notei um *flash* de decepção em seu no rosto e imediatamente percebi que ela estava cansada de ter de tomar decisões. Limpei a garganta.

"Lasanha parece bom."

"Tudo bem", ela disse. "Vou esquentar um pouco agora. Você está superfaminto ou só com fome?"

Pensei a respeito. "Só com fome, eu acho."

"Salada? Posso colocar azeitonas pretas e tomate. Fica ótimo com molho rancheiro e *croutons*."

"Parece ótimo."

"Bom", disse ela. "Não vai demorar."

Observei Savannah tirar um pé de alface e tomates da gaveta inferior da geladeira. Ela lavou-os na torneira, cortou os tomates e a alface e jogou-os na tigela de madeira. Então cobriu a salada com azeitonas e colocou-a sobre a mesa. Serviu generosas porções de lasanha em dois pratos e pôs o primeiro no micro-ondas. Havia uma firmeza em seus movimentos, como se as tarefas simples a tranquilizassem.

"Eu não sei sobre você, mas vou querer uma taça de vinho." Ela apontou para um *rack* pequeno na bancada, perto da pia. "Tenho um bom Pinot Noir."

"Vou experimentar uma taça", disse. "Você quer que eu abra?"

"Não, eu abro. Meu abridor é meio temperamental."

Ela abriu o vinho e serviu dois copos. Logo se sentou à minha frente, nossos pratos servidos. A lasanha estava fumegante, e o aroma me fez lembrar como eu estava com fome. Experimentei e continuei a comer.

"Uau", comentei. "Está muito bom."

"Está, não é?", ela concordou. Em vez de comer, porém, ela tomou um gole de vinho. "Também é a favorita de Tim. Depois que casamos, ele sempre pedia para minha mãe fazer uma travessa. Ela adora cozinhar, e fica feliz quando as pessoas gostam da comida dela."

Observei-a correr o dedo pela borda do copo. O vinho vermelho capturava a luz como a faceta de um rubi.

"Se você quiser mais, tem bastante", acrescentou ela. "Acredite em mim, você estaria me fazendo um favor. Na maioria das vezes, a comida vai para o lixo. Sei que deveria dizer para ela trazer menos, mas ela não aceitaria bem."

"É difícil para ela", disse. "Ela sabe que você está sofrendo."

"Eu sei." Ela tomou outro gole de vinho.

"Você vai comer, não vai?", apontei para o prato intocado.

"Não estou com fome", disse ela. "É sempre assim quando Tim está no hospital... Esquento alguma coisa, estou com vontade de comer, mas assim que coloco no prato, meu estômago vira." Ela olhou para o prato, disposta a experimentar; em seguida, balançou a cabeça.

"Faça por mim", pedi. "Dê uma garfada. Você tem que comer."

"Vou ficar bem."

Parei, o garfo a caminho da boca. "Faça por mim, então. Não estou acostumado com pessoas me olhando comer. É esquisito."

"Ok." Ela levantou o garfo, pegou um pedacinho minúsculo de comida e colocou na boca. "Feliz agora?"

"Sim", bufei. "Foi exatamente o que quis dizer. Estou muito mais confortável. Talvez possamos dividir um par de migalhas para a sobremesa. Até lá continue segurando o garfo e fingindo."

Ela riu. "Estou feliz por estar aqui", disse. "Atualmente, você é o único que sequer pensaria em falar assim comigo."

"Assim como? Honestamente?"

"Sim", disse ela. "Acredite ou não, foi exatamente o que quis dizer." Ela largou o garfo e empurrou o prato de lado, ignorando meu pedido. "Você sempre foi bom."

"Eu me lembro de pensar a mesma coisa sobre você."

Ela jogou o guardanapo sobre a mesa. "Tempo bom aquele, hein?"

O jeito que ela me olhou fez o passado retornar como uma avalanche, e por um momento revivi cada emoção, cada esperança e cada um de nossos sonhos. Ela era de novo a moça que conheci na praia com a vida toda pela frente, uma vida da qual eu queria fazer parte.

Então, ela passou a mão pelos cabelos, e a aliança em seu dedo refletiu a luz. Baixei os olhos, concentrando-me no meu prato.

"Algo assim."

Dei mais uma garfada, tentando sem sucesso apagar as imagens. Assim que engoli, ataquei a lasanha novamente.

"O que há de errado?", ela perguntou. "Você está irritado?"

"Não", menti.

"Você está agindo como se estivesse."

Ela era a mesma mulher de que eu me lembrava, porém casada. Tomei um gole de vinho – um gole, observei, equivalia a todos os golinhos que ela tomara. Eu me recostei na cadeira. "Por que estou aqui, Savannah?"

"O que você quer dizer?", disse ela.

"Isto", eu disse, indicando a cozinha ao redor. "Me convidar para jantar, mesmo sem vontade de comer. Relembrar os velhos tempos. O que está acontecendo?"

"Não está acontecendo nada", ela insistiu.

"Então o que é? Por que você me convidou para entrar?"

Em vez de responder à pergunta, ela se levantou e encheu a taça de vinho. "Acho que só preciso de alguém para conversar", ela sussurrou. "Como eu disse, não posso falar com minha mãe ou com meu pai, não posso falar nem com Tim desse jeito". Ela parecia quase derrotada. "Todo mundo precisa de alguém para conversar."

Ela estava certa, e eu sabia disso. Foi a razão pela qual vim para Lenoir.

"Eu entendo", disse, fechando os olhos. Quando abri os olhos de novo, vi que Savannah estava me avaliando. "É só que não sei ao certo o que fazer com tudo isso. O passado. Nós. Você casada. Mesmo o que está acontecendo com Tim. Nada disso faz muito sentido."

Seu sorriso estava cheio de desgosto. "E você acha que faz sentido para mim?"

Eu não disse nada e ela colocou a taça de lado. "Você quer saber a verdade?", ela perguntou, sem esperar por uma resposta. "Só estou tentando chegar ao fim do dia com energia suficiente para enfrentar o dia seguinte." Ela fechou os olhos como se fosse doloroso admitir, em seguida abriu-os novamente. "Sei o que ainda sente por mim, e gostaria de lhe dizer que desejo secretamente saber tudo que aconteceu com você desde que enviei aquela carta horrível. Mas, sendo honesta?", ela hesitou. "Não tenho certeza de que quero realmente saber. Só sei que, quando você apareceu ontem, me senti... melhor. Não ótima, não bem, mas também não me senti mal. É isso. Nos últimos seis meses, eu só me senti mal. Acordo todo dia nervosa, tensa, irritada, frustrada e aterrorizada com a ideia de perder o homem com quem me casei. É só o que sinto até o sol se pôr", ela prosseguiu. "Todos os dias, o dia inteiro, nos últimos seis meses. Essa é a minha vida agora, mas a parte mais difícil é que daqui em diante só vai piorar. Agora tenho a responsabilidade adicional de tentar encontrar algum jeito de ajudar meu marido. De tentar encontrar um tratamento que o ajude. De tentar salvar a vida dele."

Ela fez uma pausa e olhou atentamente para mim, tentando avaliar minha reação.

Sei que havia palavras para confortar Savannah, mas como de costume, não sabia o que dizer. Só sabia que ela ainda era a mulher por quem me apaixonei, a mulher que eu amava, mas que jamais poderia ter.

"Sinto muito", disse ela por fim soando cansada. "Não quero colocar você em uma situação difícil." Ela abriu um sorriso frágil. "Apenas queria que soubesse que estou feliz por estar aqui."

Eu me concentrei nos veios da madeira da mesa, tentando manter meus sentimentos sob controle. "Bom", disse.

Ela perambulou em volta da mesa. Serviu mais um pouco de vinho na minha taça, embora eu só tivesse tomado um gole. "Abro meu coração e tudo o que você diz é 'Bom'?"

"O que você quer que eu diga?"

Savannah virou-se e foi em direção à porta da cozinha. "Que também está feliz por ter vindo", disse com a voz quase inaudível.

Com isso, ela saiu. Não ouvi a porta da frente se abrir, então deduzi que ela estivesse na sala.

O comentário me incomodara, mas não estava disposto a ir atrás dela. As coisas tinham mudado entre nós, e não havia modo de voltarem a ser como antes. Comi mais uma garfada de lasanha em teimosa desobediência, perguntando o que ela queria de mim. Foi ela quem mandou a carta, foi ela quem terminou tudo. Foi ela quem se casou. Iríamos fingir que nada daquilo havia acontecido?

Terminei de comer, levei os dois pratos para a pia e os enxaguei. Pela janela salpicada de chuva, vi meu carro e pensei que deveria simplesmente sair sem olhar para trás. Seria mais fácil para nós dois assim. Mas quando vasculhava os bolsos em busca das chaves, congelei. Em meio ao tamborilar da chuva no telhado, ouvi um som proveniente da sala de estar, um som que desarmou minha raiva e confusão. Savannah, me dei conta, estava chorando.

Tentei ignorar o som, mas não consegui. Peguei o vinho e entrei na sala.

Savannah estava sentada no sofá, o copo de vinho em suas mãos. Ela levantou o rosto quando entrei.

Lá fora, o vento aumentara, e a chuva caía ainda mais forte. Para além da janela da sala, um relâmpago brilhou, seguido pelo estrondo do trovão, longo e grave.

Sentei-me ao lado dela, coloquei meu copo na mesa de centro e olhei ao redor. Em cima da lareira havia fotografias de Savannah e Tim no dia do casamento: uma onde eles cortavam o bolo, e outra na igreja. Ela estava radiante. Desejei que fosse eu a seu lado no retrato.

"Desculpe", disse ela. "Sei que não devia estar chorando, mas não posso evitar."

"É compreensível", murmurei. "Tem muita coisa acontecendo com você."

No silêncio, ouvi as rajadas de chuva batendo contra as vidraças.

"Que tempestade", observei, agarrando-me às palavras para preencher o silêncio tenso.

"Sim", ela disse, mal ouvindo.

"Você acha que Alan vai ficar bem?"

Ela bateu os dedos contra o vidro. "Ele não sai até parar de chover. Ele não gosta de relâmpagos. Mas não deve durar muito. O vento vai empurrar a tempestade para a costa. Pelo menos, é assim que tem sido ultimamente." Ela hesitou. "Você se lembra da tempestade que enfrentamos quando levei você para a casa que estávamos construindo?"

"Claro."

"Ainda penso naquela noite. Foi a primeira vez que disse que te amava. Eu estava me lembrando daquela noite outro dia. Estava sentada aqui como agora. Tim estava no hospital, Alan ficou com ele e, enquanto olhava a chuva, tudo voltou. A memória era tão viva, parecia que tinha acabado de acontecer. E então a chuva parou e sabia que era hora de alimentar os cavalos. Voltei à minha vida normal de novo, e de repente foi como se eu tivesse apenas imaginado tudo. Como se tivesse acontecido com outra pessoa, alguém que nem conheço mais."

Ela se inclinou para mim. "O que você mais lembra?", ela perguntou.

"De tudo", disse eu.

Ela olhou para mim sob seus cílios. "Nada se destaca?"

A tempestade lá fora tornou a sala escura e íntima, e senti um arrepio de ansiedade e culpa sobre aonde aquilo iria parar. Eu a desejava mais do que já desejei qualquer pessoa, mas no fundo compreendia que Savannah não era mais minha. Sentia a presença de Tim por todos os lados e sabia que ela estava fora de si.

Tomei um gole de vinho, em seguida devolvi o copo à mesa.

"Não." Mantive a voz firme. "Nada se destaca. Mas foi por isso que você quis que eu sempre olhasse para a lua, certo? Para me lembrar de tudo."

Mas não disse que ainda saía para olhar a lua. Apesar da culpa que sentia por estar ali, perguntava-me se ela também fazia o mesmo.

"Quer saber do que eu mais me lembro?", ela perguntou.

"Quando quebrei o nariz do Tim?"

"Não." Ela riu, depois ficou séria. "Da vez que fomos à igreja. Você se deu conta que foi a única vez que vi você usando gravata? Você devia se arrumar com mais frequência. Ficou muito bonito." Ela refletiu um pouco antes de olhar para mim novamente.

"Você está saindo com alguém?", perguntou.

"Não."

Ela assentiu. "Foi o que imaginei. Senão você teria mencionado algo."

Ela virou-se para a janela. A distância, via-se um dos cavalos a galope na chuva.

"Eu vou ter que alimentá-los daqui a pouco. Tenho certeza de que eles já estão querendo saber onde estou."

"Eles vão ficar bem", assegurei.

"Fácil para você dizer. Confie em mim, eles podem ficar tão esquisitos quanto pessoas quando estão com fome."

"Deve ser difícil cuidar de tudo sozinha."

"É. Mas que escolha eu tenho? Pelo menos o nosso patrão foi compreensivo. Tim está afastado e, quando ele está no hospital, eles me deixam ficar fora o tempo que for preciso." Então, em tom de provocação, ela acrescentou: "Assim como no Exército, certo?"

"Oh sim. Exatamente igual."

Ela deu uma risadinha, depois ficou séria novamente. "Como foi no Iraque?"

Eu estava prestes a fazer o meu comentário usual sobre a areia, mas disse: "É difícil descrever."

Savannah esperou, e alcancei meu copo de vinho, detendo-me. Mesmo com ela, não tinha certeza de que queria entrar nesse terreno. Mas estava acontecendo algo entre nós, algo que eu desejava, mas também não desejava. Obriguei-me a olhar para a aliança de Savannah e imaginar a traição que, sem dúvida, ela sentiria mais tarde. Fechei os olhos e comecei pela noite da invasão.

Não sei quanto tempo falei, mas foi o suficiente para

a chuva passar. Com o sol ainda se pondo, brilhavam no horizonte as cores do arco-íris. Savannah reabasteceu sua taça. Quando terminei, estava totalmente exausto e sabia que não falaria daquilo nunca mais.

Ela permaneceu em silêncio, fazendo apenas perguntas ocasionais para demonstrar que estava ouvindo a tudo que contei.

“É diferente do que eu imaginava”, observou.

“Sim?”, perguntei.

“Quando você passa os olhos pela manchetes ou lê as histórias, na maior parte do tempo, os nomes de soldados e de cidades iraquianas são apenas palavras. Mas para você, é pessoal... é real. Talvez real demais.”

Eu não tinha mais nada a acrescentar, e senti que ela tomava minha mão. Seu toque fez algo pular dentro de mim. “Queria que você não tivesse que ter passado por isso.”

Apertei a mão dela e senti a resposta na mesma intensidade. Quando ela finalmente as soltou, a sensação do toque permaneceu e, como um velho hábito redescoberto, a vi colocar uma mecha de cabelo atrás da orelha. A visão me doeu por dentro.

“É estranho como funciona o destino”, disse, sua voz quase em um sussurro. “Você imaginou que sua vida iria acabar assim?”

“Não”, eu disse.

“Nem eu”, ela respondeu. “Quando você voltou para a Alemanha, sabia que nós nos casaríamos um dia. Isso era mais certo do que qualquer coisa na minha vida.”

Olhei para meu copo enquanto ela continuava.

“Então, na sua segunda licença, tive ainda mais certeza. Especialmente depois que fizemos amor.”

“Não...”, balancei a cabeça. “Não vá por aí.”

“Por quê?”, ela perguntou. “Você se arrepende?”

“Não.” Não podia suportar olhar para ela. “Claro que não. Mas você está casada agora.”

“Mas aconteceu”, disse ela. “Você quer que eu esqueça?”

“Não sei”, disse. “Talvez.”

“Não posso”, ela disse, parecendo surpresa e magoada. “Foi minha primeira vez. Nunca vou esquecer, e a seu próprio modo, será sempre especial para mim. O que aconteceu entre nós foi lindo.”

Não confiava em mim para responder, e depois de um momento, ela se recompôs. Inclinando-se à frente, perguntou: "Quando você descobriu que eu tinha casado com Tim, o que achou?"

Esperei para responder, escolhendo minhas palavras com cuidado. "Meu primeiro pensamento foi que, de certa forma, fazia sentido. Ele estava apaixonado por você há anos. Percebi assim que o conheci." Passei a mão sobre o rosto. "Depois, me senti... em conflito. Fiquei feliz por você ter escolhido alguém como ele, porque ele é um cara legal e vocês dois têm muito em comum, mas então eu... fiquei triste. Não teríamos de esperar muito. Eu teria saído do Exército há quase dois anos agora."

Ela apertou os lábios. "Lamento", murmurou.

"Eu também." Tentei sorrir. "Se você quer minha opinião honesta, acho que você deveria ter esperado por mim."

Ela riu hesitante, e fiquei surpreendido com o olhar de saudade em seu rosto. Ela pegou a taça de vinho.

"Também estive pensando sobre isso. Onde estaríamos, onde seria nossa casa, o que estaríamos fazendo com nossas vidas. Especialmente recentemente. Ontem à noite, depois que você saiu, só conseguia pensar nisso. Sei que parece terrível, mas, nos últimos dois anos, tenho tentado me convencer de que nosso amor, mesmo sendo real, nunca teria durado." Ela tinha a expressão desolada. "Você realmente teria se casado comigo, não é?"

"Em um piscar de olhos. E ainda casaria, se eu pudesse."

O passado de repente parecia pairar sobre nós, em sua esmagadora intensidade.

"Foi real, não foi?" Sua voz tremia. "Você e eu?"

O cinza do crepúsculo refletia em seus olhos enquanto ela esperava a resposta. Nos momentos que se seguiram, senti o peso do prognóstico de Tim pairando sobre nós. Meus pensamentos desembestados eram mórbidos e errados e, no entanto, eles existiam. Eu me odiava só de pensar na vida depois de Tim, desejando afastar tais pensamentos.

E ainda assim, não conseguia. Só queria tomar Savannah em meus braços, abraçá-la, reconquistar tudo o que havíamos perdido nos anos que ficamos separados. Instintivamente, comecei a inclinar-me para ela.

Savannah sabia o que estava por vir, mas não se afastou. Não no início. Com meus lábios se aproximando dela, no entanto, ela rapidamente se virou e derramou vinho em nós dois.

Ela deu um pulo, colocou a taça na mesa e puxou a blusa para longe da pele.

"Sinto muito", disse.

"Tudo bem", ela disse. "Vou me trocar. Tenho que colocar de molho. É uma das minhas favoritas."

"Ok", disse.

Observei-a sair da sala e atravessar o corredor. Assim que ela entrou no quarto da direita, eu praguejei. Balancei a cabeça diante da minha própria estupidez, então notei o vinho na minha camisa. Levantei-me e entrei no corredor, procurando o banheiro.

Girei uma maçaneta ao acaso, e dei de cara comigo mesmo no espelho do banheiro. Na imagem refletida ao fundo, vi Savannah pela porta entreaberta do quarto do outro lado do corredor. Ela estava sem blusa, de costas para mim, e embora eu tentasse, não consegui desviar o olhar.

Ela deve ter sentido, pois olhou sobre os ombros na minha direção. Pensei que ela fosse fechar a porta de repente ou se cobrir, mas ela não o fez. Em vez disso, encarou-me nos olhos, querendo que eu continuasse olhando para ela. E então, devagar, se virou.

Ficamos ali nos olhando através do reflexo no espelho, só o corredor estreito nos separava. Seus lábios estavam entreabertos, e ela levantou um pouco o queixo; mesmo se eu vivesse mil anos, jamais esqueceria como ela estava deslumbrante naquele momento. Não queria nada além de atravessar o corredor e ir até ela, sabendo que me desejava tanto quanto eu a desejava. Mas fiquei onde estava, congelado pelo pensamento de que um dia me odiaria pelo que ambos obviamente queríamos.

E Savannah, que me conhecia melhor do que ninguém, baixou os olhos como se de repente tivesse o mesmo entendimento. Ela me deu as costas no mesmo momento em que a porta da frente se abriu, e ouvimos um gemido alto na escuridão.

Alan...

Eu me virei e corri para a sala de estar, Alan já tinha entrado na cozinha, e ouvi as portas dos armários sendo batidas, enquanto ele gemia, quase como se estivesse morrendo. Parei, sem saber o que fazer. Um momento depois, Savannah passou correndo e ajeitando a blusa.

"Alan! Estou chegando!", ela gritou com a voz frenética. "Vai ficar tudo bem!"

Alan continuou a gemer, e as portas a bater.

"Você precisa de ajuda?", perguntei.

"Não." Ela sacudiu a cabeça. "Deixa eu cuidar disso. Isso acontece algumas vezes quando ele chega do hospital."

Ela correu para a cozinha, e mal pude ouvi-la falando com ele. Sua voz se perdia em meio ao clamor, mas tinha firmeza. Mudando um pouco de lugar, eu a vi ao lado dele, tentando acalmá-lo. Não parecia ter qualquer efeito, e senti desejo de ajudar, mas Savannah permaneceu calma. Ela continuou a falar com voz inalterada e colocou a mão sobre a dele, acompanhando o bater das portas.

Finalmente, depois do que pareceu uma eternidade, o bate-bate ficou mais lento e rítmico; por fim lentamente cessou. Os gemidos de Alan seguiram o mesmo padrão. A voz de Savannah estava mais suave, e eu não podia mais distinguir as palavras.

Sentei-me no sofá. Minutos depois, levantei-me e fui até a janela. Estava escuro, as nuvens haviam se dissipado e havia um redemoinho de estrelas acima das montanhas. Curioso para saber o que estava acontecendo, fui até um ponto da sala de estar de onde vislumbrava a cozinha.

Savannah e Alan estavam sentados no chão, encostados nos armários. Alan repousava a cabeça no colo dela, que acariciava seus cabelos com ternura. Ele piscava rapidamente, como se estivesse ligado e precisasse ficar sempre em movimento. As lágrimas brilhavam nos olhos de Savannah, mas havia concentração em seu olhar, e percebi que estava determinada a não demonstrar o quanto sofria.

"Eu o amo", ouvi Alan dizer. A voz profunda do hospital desaparecera; aquele era o apelo dolorido de um garotinho assustado.

"Eu sei, querido. Também amo. Eu o amo tanto. Sei que você está com medo, e também estou com medo."

Ouvia no tom da voz que ela falava a verdade.

"Eu o amo", disse Alan repetidamente.

"Ele vai sair do hospital em dois dias. Os médicos estão fazendo tudo o que podem."

"Eu o amo."

Ela beijou o topo de sua cabeça. "Ele também ama você, Alan. E eu também. Sei que ele está louco para montar a cavalo com você de novo. Ele me contou. E tem tanto orgulho de você. Fala o tempo todo que ótimo trabalho você faz aqui."

"Estou com medo."

" Também estou, querido. Mas os médicos estão fazendo tudo que podem."

"Eu o amo."

"Eu sei. Eu também amo. Mais do que você pode imaginar."

Continuei a observá-los, sentindo-me um intruso, percebendo, de repente, que não pertencia àquele ambiente. Em todo o tempo que estive lá, Savannah não levantou os olhos, e me senti assombrado por tudo que havíamos perdido.

Apalpei meu bolso, peguei as chaves e voltei-me para a saída, sentindo as lágrimas queimando em meus olhos. Abri a porta, e apesar do rangido alto, sabia que Savannah não iria ouvir nada.

Desci os degraus cambaleando, pensando se já me sentira tão cansado antes. E mais tarde, dirigindo de volta ao hotel, ouvindo o motor do carro parado nos semáforos, sabia que as pessoas na rua iriam ver um homem chorando, um homem cujas lágrimas pareciam não ter fim.

* * *

Passei o resto da noite sozinho no meu quarto de hotel. Lá fora, ouvia estranhos passando pela porta carregando suas bagagens. Quando carros entravam no estacionamento, meu quarto era momentaneamente iluminado pelos faróis que projetavam imagens fantasmagóricas nas paredes. Pessoas em movimento, pessoas tocando a vida em frente. Deitado na cama, sentia inveja e me perguntava quando poderia dizer o mesmo de mim.

Nem me incomodei em tentar dormir. Pensei sobre Tim, mas, estranhamente, em vez da figura esquálida do quarto de hospital, via apenas o jovem que conheci na praia, um estudante arrumadinho de sorriso fácil para qualquer um. Pensei em meu pai e imaginei como teriam sido suas últimas semanas de vida. Tentei visualizar os funcionários ouvindo enquanto ele falava sobre moedas e rezei para que o diretor estivesse certo quando disse que meu pai morreu pacificamente durante o sono. Pensei sobre Alan e no mundo estranho habitado por sua mente. Mas, principalmente pensei em Savannah. Repassei tudo o que aconteceu naquele dia, e nutri-me interminavelmente do passado, tentando escapar do vazio que não desaparecia.

De manhã, vi o sol nascer, uma bolinha de ouro emergindo da terra. Tomei banho e coloquei os poucos pertences que trouxera para o quarto de volta no carro. Pedi o café da manhã na lanchonete do outro lado da rua, mas, quando o prato fumegante foi colocado na minha frente, empurrei-o de lado e peguei a xícara de café, pensando se Savannah já estava em pé, alimentando os cavalos.

Eram nove da manhã quando apareci no hospital. Assinei o registro e peguei o elevador para o terceiro andar; percorri o mesmo corredor do dia anterior. A porta de Tim estava entreaberta, e ouvi a televisão.

Ele me viu e sorriu, surpreso. "Oi John", disse ele, desligando a televisão. "Entre. Eu estava só matando o tempo."

Sentei-me na mesma cadeira do dia anterior, e percebi que sua cor tinha melhorado. Ele se esforçou para sentar-se mais reto na cama, antes de se concentrar em mim novamente.

"O que o traz aqui tão cedo?"

"Estou me preparando para ir embora", disse. "Tenho que pegar o avião para a Alemanha amanhã. Você sabe como é."

"Sim, eu sei." Ele balançou a cabeça. "Espero sair do hospital ainda hoje. Passei muito bem a noite passada."

"Bom", eu disse. "Estou contente por ouvir isso."

Estudei-o, procurando qualquer sinal de desconfiança em seu olhar, qualquer noção do que quase aconteceu na noite anterior, mas não vi nada.

"Por que você realmente veio aqui, John?", ele perguntou.

"Não tenho certeza", confessei. "Senti que precisava vê-lo. E que talvez você também quisesse me ver."

Ele assentiu e virou para a janela; de seu quarto, não dava para ver nada, exceto um grande ar-condicionado. "Quer saber o pior disso tudo?" Ele não esperou a resposta. "Eu me preocupo com Alan", disse ele. "Eu sei o que está acontecendo comigo. Sei que as chances não são boas e que há uma grande probabilidade de que eu não sobreviva. Posso aceitar isso. Como disse ontem, ainda tenho a minha fé. Sei, ou pelo menos eu espero, que existe algo melhor esperando por mim. E Savannah... sei que ela vai ficar devastada se acontecer algo comigo. Mas sabe o que aprendi quando perdi meus pais?"

"Que a vida não é justa?"

"Sim, isso também. Mas também aprendi que é possível seguir em frente, não importa quanto pareça impossível. Com o tempo, a dor... diminui. Pode não desaparecer completamente, mas depois de um tempo não é massacrante. É o que vai acontecer com Savannah. Ela é jovem, ela é forte, e vai conseguir superar. Mas Alan... não sei o que vai acontecer com ele. Quem vai cuidar dele? Onde ele vai viver?"

"Savannah vai cuidar dele."

"Eu sei que ela faria isso. Mas é justo com ela? Esperar que ela carregue essa responsabilidade?"

"Não importa se é justo. Ela não vai deixar que nada aconteça a ele."

"Como? Ela vai ter de trabalhar, quem vai cuidar de Alan então? Além disso, ele ainda é jovem. Tem apenas 19 anos. Esperar que ela cuide dele nos próximos cinquenta anos? Para mim é fácil. Ele é meu irmão. Mas Savannah...", ele balançou a cabeça. "Ela é jovem e bonita. É justo esperar que ela não se case de novo?"

"Do que você está falando?"

"Será que seu novo marido estará disposto a cuidar de Alan?"

Fiquei em silêncio, ele ergueu as sobrancelhas. "Você estaria?", acrescentou.

Abri a boca para responder, mas as palavras não saíram. Seu rosto se tranquilizou.

"É o que penso deitado aqui. Quer dizer, quando não estou passando mal. Na verdade, penso em um monte de coisas. Inclusive em você."

"Eu?"

"Você ainda a ama, não é?"

Mantive a expressão serena, mas mesmo assim ele leu meu rosto. "Tudo bem", disse. "Já sei. Sempre soube." Ele parecia quase melancólico. "Ainda lembro o rosto de Savannah na primeira vez que ela falou sobre você. Nunca a tinha visto daquele jeito. Fiquei feliz por ela, porque alguma coisa me fez confiar em você imediatamente. Ela sentiu muito a sua falta no primeiro ano que você ficou longe. Foi como se o coração dela se despedaçasse um pouquinho todo dia. Ela só pensava em você. Então descobriu que você não ia voltar, acabamos em Lenoir e meus pais morreram..." Ele não terminou. "Você sempre soube que eu também estava apaixonado por ela, não é?"

Assenti.

"Acho que sim." Ele limpou a garganta. "Eu a amava desde os 12 anos. Mas só queria que ela fosse feliz. E, gradualmente, ela também se apaixonou por mim."

"Por que você está me contando isso?"

"Porque", disse ele, "não foi igual. Sei que ela me ama, mas ela nunca me amou do jeito que ama você. Nunca teve uma paixão ardente por mim, mas estávamos levando uma vida boa juntos. Ela ficou tão feliz quando começamos o rancho... e fiquei muito feliz de poder fazer algo assim para ela. Estávamos felizes. Então fiquei doente, mas ela está sempre aqui, cuidando de mim como eu cuidaria dela se fosse o contrário." Ele parou em seguida, esforçando-se para encontrar as palavras certas, e notei o tormento em sua expressão.

"Ontem, quando você entrou, vi o jeito que olhava para você e entendi que ela ainda te ama. Mais do que isso, entendi que Savannah sempre vai te amar. Fiquei com o coração partido, mas sabe de uma coisa? Ainda estou apaixonado por ela, e só quero que ela seja feliz na vida. Quero isso mais do que tudo. É tudo que sempre quis para ela."

Minha garganta estava tão seca que eu mal conseguia falar. "O que você está dizendo?"

"Eu estou dizendo para você não a esquecer, se acontecer alguma coisa comigo. E prometa que vai adorá-la para sempre, assim como eu."

"Tim..."

"Não diga nada, John." Ele ergueu a mão, tanto para me calar quanto para se despedir. "Basta lembrar o que eu disse, ok?"

Quando ele se virou, entendi que a conversa tinha acabado.

Então caminhei calmamente para fora do quarto, fechando a porta atrás de mim.

* * *

Fora do hospital, apertei os olhos diante do sol forte da manhã. Ouvi pássaros cantando nas árvores, mas, embora os procurasse, eles ficaram escondidos de mim.

O estacionamento estava meio cheio. Aqui e ali, havia pessoas caminhando para a entrada ou voltando para os carros. Todos pareciam tão cansados quanto eu, como se o otimismo demonstrado aos entes queridos no hospital desaparecesse assim que estivessem sozinhos. Sei que sempre é possível haver milagres, não importa o quanto a pessoa esteja doente, e as mulheres na maternidade estavam alegres com seus recém-nascidos nos braços, mas a maioria dos visitantes, assim como eu, saía do hospital aos cacos.

Sentei-me em um banco em frente ao hospital, perguntando-me por que tinha ido até ali, arrependido. Repassei minha conversa com Tim diversas vezes e a imagem de sua angústia fez-me fechar os olhos. Pela primeira vez em anos, meu amor por Savannah pareceu... errado. O amor deve trazer alegria, deve conceder paz, mas aqui e agora só provocava dor. Para Tim, para Savannah, até para mim. Eu não viera tentar seduzir Savannah ou arruinar seu casamento... ou vim? Não tinha certeza se eu era tão nobre como imaginava, e tal constatação me fez sentir vazio como uma lata de tinta enferrujada.

Tirei a fotografia de Savannah de minha carteira. Estava amassada e gasta. Enquanto olhava aquele rosto, fiquei imaginando o que o próximo ano traria. Não sabia se Tim iria viver ou morrer, e nem queria pensar nisso. Sabia que, não importa o que aconteça, a relação entre mim e Savannah jamais seria a mesma do passado. Nós nos conhecemos em um momento livre de preocupações e cheio de promessas; em seu lugar agora havia as duras lições do mundo real.

Esfreguei as têmporas, impressionado com o pensamento de que Tim intuiu o que quase aconteceu entre mim e Savannah na noite anterior, que talvez ele até esperasse por isso. As palavras dele deixaram isso bem claro, assim como o pedido para que eu prometesse amá-la com a mesma devoção que ele. Entendi exatamente o que ele sugeriu que eu fizesse se ele morresse, mas, de algum modo sua permissão me fez sentir ainda pior.

Finalmente me levantei e comecei a caminhar lentamente para o carro. Não sabia ao certo para onde ir, a não ser que precisava me afastar o máximo possível do hospital. Precisava sair de Lenoir, apenas para ter uma chance de pensar. Enfiei as mãos nos bolsos e pincei minhas chaves.

Somente quando cheguei perto do meu carro, notei a caminhonete de Savannah estacionada ali ao lado. Savannah estava sentada no banco do motorista e, quando me viu chegar, abriu a porta e saiu do carro. Esperou por mim, alisando a blusa enquanto me aproximava.

Parei a poucos metros de distância.

"John", ela disse, "você saiu sem se despedir na noite passada."

"Eu sei."

Ela assentiu ligeiramente. Nós dois compreendemos o motivo.

"Como você sabia que eu estava aqui?"

"Eu não sabia", disse ela. "Passei no hotel e me disseram que você fechou a conta. Quando cheguei aqui, vi seu carro e decidi esperar. Você falou com Tim?"

"Sim. Ele está bem melhor. Acha que vai sair do hospital ainda hoje."

"Essa notícia é boa", ela disse. Apontou para o meu carro. "Você está saindo da cidade?"

"Tenho de voltar. Minha licença está acabando."

Ela cruzou os braços. "Você iria se despedir?"

"Não sei", admiti. "Não tinha pensado tão longe."

Vi um *flash* de mágoa e decepção em seu rosto. "O que você e Tim conversaram?"

Olhei para o hospital por cima do ombro e depois de novo para ela. "Você deve fazer essa pergunta para ele."

Ela crispou os lábios, seu corpo endureceu. "Então isso é adeus?"

Ouvi uma buzina na rua em frente e uma fila de carros parar de repente. O motorista de um Toyota vermelho manobrava para a outra pista, fazendo o máximo para contornar o tráfego. Enquanto observava, percebi que estava imobilizado e que ela merecia uma resposta.

"Sim", disse, virando lentamente para ela. "Acho que é."

Os nós brancos dos dedos se destacavam contra seus braços. "Posso escrever para você?"

Eu me esforcei para não desviar o olhar, desejando mais uma vez que nosso destino tivesse sido diferente. "Não tenho certeza se é uma boa ideia."

"Não entendo."

"Sim, você entende", disse. "Você é casada com Tim, não comigo." Deixei as palavras assentarem, enquanto reunia forças para continuar a falar. "Ele é um bom homem, Savannah. Um homem melhor do que eu, isso é certo, e estou feliz que você tenha se casado com ele. Por mais que te ame, não estou disposto a romper um casamento por causa disso. E, no fundo, acho que você também não. Mesmo que você me ame, você o ama também. Demorei um pouco para perceber isso, mas agora tenho certeza."

Não mencionei o futuro incerto de Tim, e vi os olhos dela começando a encher de lágrimas.

"Será que vamos nos ver de novo?"

"Não sei." As palavras queimaram na minha garganta. "Mas espero que não."

"Como você pode dizer isso?", ela perguntou com a voz vacilante.

"Porque significa que Tim vai ficar bem. E tenho a sensação de que tudo vai acabar como deveria."

"Você não pode dizer isso! Você não pode prometer isso!"

"Não", disse. "Eu não posso."

"Então por que é que tem que acabar agora? Desse jeito?"

Uma lágrima escorreu em seu rosto, e, apesar de saber que deveria simplesmente ir embora, dei um passo na direção dela. Cheguei perto e enxuguei a lágrima gentilmente. Nos olhos dela, vi medo e tristeza, raiva e traição. Mas acima de tudo, vi uma súplica para eu mudar de ideia.

Engoli em seco.

"Você é casada com Tim, e seu marido precisa de você. Todos vocês. Não há espaço para mim, e ambos sabemos que não deveria haver."

Mais lágrimas começaram a correr pelo seu rosto, e senti meus olhos encherem de água. Inclinei-me, beijei Savannah suavemente nos lábios, tomei-a em meus braços e a abracei com firmeza.

"Eu te amo, Savannah, e sempre vou te amar", murmurei. "Você é a melhor coisa que já me aconteceu. Você foi minha melhor amiga e minha amante, e não me arrependo de um só momento. Você me fez sentir vivo de novo, e, acima de tudo, você resgatou meu pai. Nunca vou esquecer isso. Você sempre será a melhor parte de mim. Sinto que tenha de ser assim, mas tenho que partir, e você tem que ver seu marido."

Enquanto eu falava, ela soluçava convulsivamente, e continuei a abraçá-la por um longo tempo. Quando finalmente nos separamos, percebi que fora nosso último abraço. Afastei-me, olhando nos olhos dela.

"Eu também te amo, John", ela disse.

"Adeus." Acenei.

E com isso, ela limpou o rosto e começou a caminhar em direção ao hospital.

* * *

Dizer adeus foi a coisa mais difícil que já fiz. Parte de mim queria dar meia volta, correr para o hospital e dizer que eu estaria sempre ao lado dela, contar a ela o que Tim havia me dito. Mas não o fiz.

Na saída da cidade, parei em uma pequena loja de conveniência. Precisava de gasolina e enchi o tanque; comprei uma garrafa de água. No balcão, eu vi o pote colocado pelo proprietário para arrecadar dinheiro para a Tim, e fiquei olhando. Estava cheio de moedas e notas de dólar; no rótulo, havia os dados de uma conta em um banco local. Pedi para trocar algumas notas por moedas de vinte e cinco centavos e o homem atrás do balcão me atendeu.

Estava entorpecido no caminho de volta para o carro. Abri a porta e comecei a vasculhar os documentos que o advogado me entregara, procurando também por um lápis. Achei o que precisava e fui até o telefone público. Ficava perto da estrada, em meio ao barulho dos carros. Liguei para o serviço de informações e tive que apertar o telefone contra a orelha para ouvir a voz computadorizada me dar o número solicitado. Rabisquei em uma folha dos documentos e desliguei. Coloquei algumas moedas no aparelho, e fiz uma chamada interurbana. Ouvi outra voz eletrônica pedindo mais dinheiro. Coloquei mais moedas. Em breve, ouvi o telefone chamar.

Quando fui atendido, disse quem eu era e perguntei se o homem se lembrava de mim.

"Claro que sim, John. Como vai?"

"Bem, obrigado. Meu pai faleceu."

Houve uma pequena pausa. "Sinto muito em ouvir isso," disse ele. "Você está bem?"

"Não sei", disse.

"Posso fazer alguma coisa por você?"

Fechei os olhos, pensando em Savannah e Tim e esperando que, de algum modo, meu pai me perdoasse pelo que estava prestes a fazer. "Sim", disse ao negociante de moedas. "Na verdade, você pode sim. Quero vender a coleção de moedas do meu pai, e preciso do dinheiro o mais rápido possível."

• • • • • • •

Epílogo

Lenoir, 2006

Qual o real significado do verdadeiro amor?

Penso de novo sobre isso sentado na encosta observando Savannah entre os cavalos. Por um momento, retorno à noite em que apareci no rancho para encontrá-la... mas essa visita, um ano atrás, parece mais e mais como um sonho.

Vendi as moedas por menos do que valiam, peça por peça. Sabia que os restos da coleção de meu pai seriam distribuídos entre pessoas que nunca se preocupariam com elas tanto quanto ele. No fim, salvei apenas o níquel cabeça de búfalo, porque simplesmente não suportei abrir mão dele. Além da foto, é tudo que sobrou do meu pai, e sempre a carrego comigo. É um talismã da sorte, que traz consigo todas as lembranças do meu pai; vez ou outra, tiro a do bolso e olho para ele. Passo os dedos pela embalagem plástica onde guardo a moeda e, em um instante, vejo meu pai lendo a *Greysheet* em seu escritório ou sinto cheiro de *bacon* fritando na cozinha. Descobri que ela me faz sorrir e, por um momento, sinto que não estou mais sozinho.

Mas estou, e parte de mim sabe que sempre estarei. Detenho-me nesse pensamento enquanto procuro as figuras de Savannah e de Tim ao longe, voltando para casa de mãos dadas; a forma que se tocam demonstra o afeto genuíno que sentem um pelo outro. Eles formam um belo casal, devo admitir. Tim chama Alan, que se junta a eles, e os três vão para dentro. Imagino, por um momento, sobre o que conversam ao entrar em casa, pois tenho curiosidade sobre os detalhes de sua vida cotidiana, mas estou plenamente ciente de que não é da minha conta. Ouvi dizer, no entanto, que Tim não está mais fazendo tratamento e muitas pessoas na cidade esperam que ele se recupere. Soube pelo advogado da cidade que contratei na última visita a Lenoir. Entrei no escritório com um cheque e pedi que ele depositasse na conta aberta para financiar o tratamento de Tim. Eu conhecia os privilégios da relação advogado-cliente, e sabia que ele não diria nada a ninguém na cidade. Era importante não deixar Savannah saber o que eu tinha feito. Em qualquer casamento, só há espaço para duas pessoas.

Entretanto, pedi ao advogado para me manter informado, e falei diversas vezes com ele no ano passado enquanto eu estava na Alemanha. Contou sobre quando contatou Savannah para dizer que um cliente queria fazer uma doação anônima e ser informado sobre o progresso de Tim. Ela desabou e caiu no choro quando ele lhe disse a quantia. Contou que, uma semana depois, ela levou Tim ao MD Anderson e ficou sabendo que ele era o candidato ideal para a vacina experimental que o instituto começaria a testar em novembro. Contou que, antes de começar o tratamento experimental, Tim fez bioquimioterapia e terapias auxiliares, e que os médicos estavam esperançosos de que isso mataria as células cancerígenas concentradas nos pulmões. Dois meses atrás, o advogado me ligou para contar que o tratamento tinha sido um sucesso, mais que os médicos esperavam, e agora Tim estava tecnicamente em remissão.

Isso não garantia que ele iria viver até uma idade avançada, mas garantia uma chance de lutar, e isso é tudo que eu desejava para ambos. Queria que eles fossem felizes. Queria que ela fosse feliz. E, pelo que eu testemunhei hoje, eles eram. Vim porque precisava saber se tinha tomado a decisão certa ao vender as moedas por causa do tratamento de Tim; se tinha feito bem em nunca mais entrar em contato com ela. E, dali de cima, soube que a resposta era sim.

Vendi a coleção porque finalmente compreendi o que o verdadeiro amor realmente significa. Tim havia me dito, e me mostrado, que o amor significava pensar mais na felicidade da outra pessoa do que na própria, não importando quão dolorosa seja sua escolha. Saí do quarto de hospital de Tim sabendo que ele estava certo. Mas fazer a coisa certa não foi fácil. Hoje em dia, levo a vida sentindo que falta algo, que preciso de algum modo tornar minha vida completa. Sei que meu sentimento por Savannah nunca mudará, e sempre terei dúvidas sobre a escolha que fiz.

E às vezes me pergunto se ela sente o mesmo. O que, naturalmente, explica o outro motivo pelo qual vim a Lenoir.

* * *

Olho para o rancho quando a noite cai. É a primeira noite de lua cheia e, para mim, as lembranças virão. Sempre vêm. Prendo a respiração quando a lua começa sua lenta ascensão sobre as montanhas, o brilho leitoso contornando o horizonte. As árvores se tornam prata líquida, e, embora eu deseje mergulhar nas memórias agridoces, viro-me para observar o rancho novamente.

Durante muito tempo, espero em vão. A lua continua sua lenta trajetória pelo céu. Uma a uma, as luzes da casa se apagam. Concentro-me ansiosamente na porta da frente, esperando pelo impossível. Sei que ela não vai aparecer, mas não consigo ir embora. Inspiro lentamente, na esperança de chamá-la para fora. E, quando finalmente a vejo sair da casa, sinto um formigamento estranho na coluna, algo que nunca tinha experimentado antes. Ela para na escada, e então se vira parecendo olhar na minha direção. Congelo sem motivo, sei que é impossível ela me ver. De onde estou, observo Savannah fechar a porta silenciosamente atrás de si. Ela desce lentamente os degraus e vaga pelo jardim.

Ela para e depois cruza os braços, olhando para trás, para se certificar de que ninguém a seguiu. Finalmente, parece relaxar. Então, sinto como se estivesse presenciando um milagre: bem devagar, ela ergue o rosto para a lua. Eu a vejo sorver a imagem da lua cheia, inundada pelas memórias libertas, não desejando nada além de fazê-la saber que estou aqui. No entanto, fico onde estou e também olho para a lua. Por um breve instante, é como se estivéssemos juntos de novo.

• • • • • • •

Leia um trecho de A Última Música de **Nicholas Sparks**

Seguindo a tradição de seus mais belos romances, ele agora nos apresenta uma comovente história sobre família, amizade, amor, amadurecimento e especialmente sobre como perdoar e recomeçar.

Aos 17 anos, Verônica Miller, ou simplesmente Ronnie, vê sua vida virar de cabeça para baixo,quando seus pais se divorciam e seu pai decide ir para a praia de Wrightsville, na Carolina do Norte. Três anos depois, ela continua magoada e distante dos pais, particularmente do pai. Entretanto, sua mãe decide que seria melhor os filhos passarem as férias de verão com o pai na Carolina do Norte.

O pai de Ronnie, ex-pianista, vive tranquilamente na cidade costeira, absorto na criação de uma obra de arte que será a peça central da igreja local. Ressentida e revoltada, Ronnie rejeita toda e qualquer tentativa de aproximação do pai e ameaça voltar para Nova York antes de o verão acabar. Então, Ronnie conhece Will, o galã da cidade, e conforme vai baixando a guarda, começa a apaixonar-se profundamente por ele, abrindo-se para uma imensa felicidade - e dor - jamais sentida.

Uma inesquecível história de amor e mistério - o primeiro amor, o amor entre pais e filhos - A ÚLTIMA MÚSICA demonstra, como só Nicholas Sparks consegue, as muitas maneiras que o amor tem de partir o coração... e depois de oferecer a cura.

Leia um trecho de Noites de Tormenta de **Nicholas Sparks**

Nicholas Sparks, narra uma história comovente de esperança e alegria, de sacrifício e perdão - uma lembrança tocante de que o amor é possível em qualquer idade, em qualquer época, e normalmente acontece quando menos se espera.

Capítulo um

Três anos antes, em uma cálida manhã de novembro de 1999, Adrienne Willis tinha voltado para a pequena pousada, que lhe parecera absolutamente inalterada à primeira vista, como se fosse imune ao sol, à areia e à brisa salgada. A varanda havia sido pintada recentemente, e as janelas retangulares com cortinas brancas estavam encaixadas entre persianas pretas reluzentes nos dois andares, como se fossem teclas de piano. As tábuas de cedro da lateral tinham a cor da neve empoeirada. Em cada lado do edifício, pés de aveia marinha acenavam ao sabor do vento, e a areia formava uma duna arredondada que mudava imperceptivelmente a cada dia que passava por causa do movimento dos grãos que iam de um lugar para outro.

Com o sol pairando entre as nuvens, o ar adquiria uma qualidade luminescente, como se houvesse partículas de luz suspensas entre a névoa, e por um momento Adrienne teve a sensação de que havia voltado no tempo. Mas olhando mais atentamente, ela começou a perceber as mudanças que um trabalho cosmético não poderia esconder: a deterioração nos cantos das janelas, linhas de ferrugem ao longo do teto, marcas de água perto das calhas. A pousada estava decaindo, e apesar de saber que não havia nada que pudesse fazer para mudar essa situação, Adrienne se lembrou de ter fechado os olhos, como se em um passe de mágica ela pudesse voltar a ser o que já havia sido.

Agora, parada ali em pé na cozinha de sua própria casa a poucos meses de seu sexagésimo aniversário, Adrienne desligou o telefone depois de ter falado com sua filha. Sentou-se à mesa, pensando naquela última visita à pousada, lembrando o longo fim de semana que havia passado ali. Apesar de tudo o que acontecera nos anos que se passaram desde então, Adrienne ainda acreditava firmemente que o amor era a essência de uma vida plena e maravilhosa.

Lá fora, a chuva caía. Ouvindo a batida suave contra o vidro, ela se sentia grata por essa sensação permanente de familiaridade. A lembrança daqueles dias sempre despertava nela uma mistura de emoções — algo semelhante, mas não exatamente igual, à nostalgia. A nostalgia era muito romantizada; e não havia motivo para tornar essas lembranças ainda mais românticas do que já eram. E ela também não as dividia com ninguém. Eram suas, e com o passar dos anos, passou a vê-las como uma espécie de exposição de um museu, da qual era ao mesmo tempo curadora e a única patrona. E de uma maneira peculiar, Adrienne havia chegado à conclusão de que aprendera mais naqueles cinco dias do que em todos os anos que vivera antes ou depois.

Ela estava sozinha na casa. Seus filhos eram adultos agora, seu pai havia morrido em 1996, e já fazia dezessete anos que estava divorciada de Jack. Embora seus filhos insistissem às vezes para que encontrasse alguém para passar os anos que ainda lhe restavam de vida, Adrienne não sentia a menor vontade. Não que ela tivesse alguma coisa contra os homens; pelo contrário, mesmo agora, ela de vez em quando percebia que estava olhando para um homem mais jovem no supermercado. Como às vezes eles eram apenas alguns anos mais velhos que seus próprios filhos, ficava curiosa sobre o que pensariam se percebessem que os estava observando. Será que a ignorariam logo de cara? Ou devolveriam o sorriso, considerando charmoso o seu interesse? Ela não tinha certeza. Como também não sabia se eles conseguiriam ver além do cabelo grisalho e das rugas e perceber a mulher que havia sido.

Não que lamentasse a velhice. As pessoas agora só falavam das glórias da juventude, mas Adrienne não tinha a menor vontade de voltar a ser jovem. Meia-idade, talvez, mas jovem não. É claro que ela sentia falta de algumas coisas — subir as escadas correndo, carregar mais de um pacote de compras de cada vez, ou ter energia para acompanhar os netos enquanto eles corriam pelo quintal — mas ela trocaria de bom grado todas essas coisas pela experiência que havia acumulado, e isso só era possível com a idade. O fato de poder olhar para seu passado e perceber que não mudaria muita coisa, fazia com que o sono fosse bem melhor nos dias de hoje.

Além disso, a juventude tinha seus problemas. Ela se lembrava não apenas dos que tivera em sua própria vida, mas de ver seus filhos enfrentando as angústias da adolescência e a incerteza e o caos dos vinte anos. Embora dois deles estivessem agora na casa dos trinta e um deles quase lá, ela às vezes se questionava quando é que a maternidade deixaria de ser um trabalho de período integral.

Matt estava com trinta e dois, Amanda tinha trinta e um, e Dan tinha acabado de fazer vinte e nove. Todos haviam chegado à faculdade, e ela tinha orgulho disso, já que algumas vezes duvidara que ao menos um deles conseguisse chegar lá. Eles eram honestos, bons e auto-suficientes, e isso era praticamente tudo o que ela havia desejado para eles. Matt trabalhava como contador, Dan era o locutor esportivo do noticiário noturno de Greenville, e os dois estavam casados e tinham suas próprias famílias. Ela se lembrava de ter sentado de lado, no Dia de Ação de Graças, para observá-los enquanto corriam atrás de seus filhos, sentindo-se estranhamente satisfeita com os rumos que a vida havia tomado para seus filhos.

Como sempre, as coisas foram um pouco mais complicadas para sua filha.

As crianças tinham quatorze, treze e onze anos quando Jack saíra de casa, e cada filho havia lidado com o divórcio de uma maneira diferente. Matt e Dan descarregaram sua agressividade em atividades físicas e aprontando de vez em quando na escola, mas Amanda fora a mais afetada. Como filha do meio espremida entre dois irmãos, sempre fora a mais sensível, e precisaria ter o pai em casa durante sua adolescência, mesmo que fosse apenas para distraí-la dos olhares de preocupação de sua mãe. Ela começara a se vestir com o que Adrienne chamava de trapos, a sair com uma turma que ficava fora até tarde, e jurou que estava profundamente apaixonada por pelo menos uma dúzia de rapazes diferentes nos anos que se seguiram. Depois da escola, passava horas em seu quarto ouvindo música em um volume que fazia as paredes vibrarem, ignorando quando sua mãe a chamava para o jantar. Houve períodos em que ela mal falou com sua mãe ou com seus irmãos durante dias.

Levou alguns anos, mas Amanda acabou encontrando seu caminho, adaptando-se a um estilo de vida estranhamente parecido com o que Adrienne tivera um dia. Ela conheceu Brent na faculdade, e eles se casaram depois da formatura e tiveram dois filhos logo nos primeiros anos do casamento. Como tantos casais jovens, eles lutaram para driblar as dificuldades financeiras, mas Brent era muito mais prudente do que Jack jamais havia sido. Assim que o primeiro filho nasceu, ele adquiriu um seguro de vida por precaução, embora nenhum deles esperasse precisar dele durante muito, muito tempo.

Eles estavam errados.

Agora fazia oito meses que Brent havia morrido, vítima de um tipo violento de câncer testicular. Adrienne havia visto Amanda mergulhar em uma depressão profunda, e ontem à tarde, ao deixar seus netos depois de ter passado algum tempo com eles, ela viu as cortinas da casa fechadas, a luz da varanda ainda acesa, e Amanda sentada na sala vestindo um roupão tendo no rosto a mesma expressão vazia do dia do funeral.

Foi então que, parada ali em pé no meio da sala de Amanda, Adrienne soube que era hora de contar a sua filha sobre o passado.

Quatorze anos. Era o tempo que fazia.

Em todos esses anos, Adrienne tinha contado apenas para uma pessoa tudo o que acontecera, mas seu pai havia morrido com o segredo, incapaz de contar a alguém mesmo que quisesse.

Sua mãe havia falecido quando Adrienne tinha trinta e cinco anos, e apesar de terem um bom relacionamento, ela sempre fora mais próxima do pai. Ele era, assim pensava ainda, um dos dois homens que sempre a entenderam realmente, e sentia falta dele agora que já não estava mais com ela. Sua vida havia sido muito parecida com a de tantos outros de sua geração. Tendo aprendido uma profissão em vez de ir para a faculdade, tinha passado quarenta anos em uma fábrica de móveis trabalhando por um salário de operário que aumentava alguns centavos todo mês de janeiro. Ele usava um chapéu de feltro mesmo nos meses quentes do verão, levava seu almoço em uma marmita, e saía de casa todas as manhãs exatamente às seis horas e quarenta e cinco minutos para fazer a pé os dois quilômetros e meio até o trabalho.

De noite, após o jantar, ele usava um colete de lã e camisa de mangas compridas. Suas calças enrugadas deixavam-no com uma aparência desalinhada, que se tornou ainda mais pronunciada com o passar dos anos, principalmente depois da morte de sua mulher. Ele gostava de sentar-se na cadeira de balanço com a lâmpada amarela brilhando do lado, lendo histórias de faroeste e livros a respeito da Segunda Guerra Mundial. Nos anos que antecederam os derrames, seus óculos antiquados, sobrancelhas espessas e rosto bastante enrugado faziam com que ele se parecesse mais com um professor aposentado do que com o operário de macacão que havia sido.

Havia uma tranquilidade em seu pai que sempre desejara emular. Ela sempre achou que ele teria dado um bom padre ou reverendo, e as pessoas que o encontravam pela primeira vez sempre saíam com a sensação de que ele estava em paz consigo mesmo e com o mundo. Ele era um ótimo ouvinte; com o queixo pousado na mão, nunca desviava o olhar da pessoa com quem estava falando, sua expressão refletindo empatia e paciência, humor e tristeza. Adrienne desejou que ele estivesse ali agora para ajudar Amanda; ele também perdera a esposa, e ela pensou que Amanda o ouviria, mesmo que fosse apenas porque ele sabia o quanto era difícil.

Um mês atrás, quando Adrienne tentara falar gentilmente com Amanda sobre o que ela estava passando, ela se levantara da mesa sacudindo a cabeça irritada.

— Isso não tem nada a ver com o que aconteceu entre você e o papai — ela disse. — Vocês não conseguiam resolver seus problemas, por isso se divorciaram. Mas eu amava Brent. E vou amar pra sempre, e eu o perdi. Você não sabe o que é ter de enfrentar uma coisa desse tipo.

Adrienne ficara calada, mas quando Amanda saiu da sala, ela abaixou a cabeça e sussurrou uma única palavra.

Rodanthe.

Embora Adrienne se sentisse solidária com sua filha, estava preocupada com os filhos de Amanda. Max tinha seis anos e Greg, quatro, e nos últimos oito meses Adrienne havia percebido mudanças perceptíveis na personalidade dos meninos. Os dois haviam se tornado extremamente retraídos e quietos. Nenhum deles tinha jogado futebol no outono, e apesar de Max estar indo bem no jardim de infância, chorava todas as manhãs antes de ir. Greg tinha começado a molhar a cama de novo e perdia o controle diante da menor provocação. Algumas dessas mudanças eram resultado da perda do pai, Adrienne sabia, mas também refletiam a pessoa em que Amanda havia se transformado desde a última primavera.

Por causa do seguro, Amanda não precisava trabalhar. Contudo, durante os primeiros meses após a morte de Brent, Adrienne passou praticamente todos os dias na casa da filha, mantendo as contas em dia e preparando refeições para as crianças, enquanto Amanda dormia e chorava em seu quarto. Ela abraçava a filha sempre que esta precisava, ouvia quando Amanda queria falar e forçava-a a sair durante pelo menos uma hora ou duas todos os dias, pois acreditava que o ar puro poderia fazê-la lembrar-se de que poderia recomeçar.

Adrienne começara a achar que sua filha estava melhorando. No começo do verão, Amanda voltara a sorrir, raramente a princípio, depois com mais frequência. Arriscou ir até a cidade algumas vezes, levou as crianças para andar de patins, e aos poucos Adrienne começou a deixar de lado algumas das obrigações que assumira. Era importante, ela sabia, que Amanda assumisse a responsabilidade por sua vida novamente. Era possível encontrar conforto na rotina constante da vida, Adrienne tinha aprendido; ela tinha esperança de que, atenuando sua presença na vida da filha, Amanda fosse obrigada a perceber isso, também.

Em agosto, porém, no dia em que comemoraria o sétimo aniversário de casamento, Amanda abriu a porta do closet do dormitório principal, viu o pó acumulando nos ombros dos ternos de Brent, e sua melhora parou de repente. Não foi exatamente uma regressão — ainda havia momentos em que ela parecia a pessoa que havia sido — mas na maior parte do tempo ela parecia ter congelado em algum lugar no meio do caminho. Ela não estava deprimida nem feliz, nem agitada nem indolente, nem interessada nem chateada por qualquer coisa ao redor. Para Adrienne, parecia que Amanda havia se convencido de que se recomeçasse a vida as lembranças de Brent poderiam se apagar, e ela havia decidido não permitir que isso acontecesse. Mas isso não era justo com as crianças. Elas precisavam da orientação e do amor de Amanda, precisavam da sua atenção. Precisavam que ela lhes dissesse que iria ficar tudo bem. Já tinham perdido um dos pais, e isso era muito difícil. Entretanto, ultimamente, Adrienne tinha a impressão de que as crianças haviam perdido também a mãe.

Sob a luz suave da cozinha, Adrienne olhou para seu relógio. Atendendo a um pedido seu, Dan havia levado Max e Greg ao cinema para que ela pudesse passar a noite com Amanda. Da mesma maneira que Adrienne, seus filhos também estavam preocupados com as crianças de Amanda. Eles não apenas tinham redobrado esforços para continuar presentes na vida dos meninos, como praticamente todas as conversas que haviam tido ultimamente com Adrienne começavam ou terminavam com a mesma pergunta: *o que podemos fazer*?

Hoje, quando Dan fizera a mesma pergunta de novo, Adrienne lhe garantira que iria falar com Amanda. Apesar do ceticismo de Dan — eles já não haviam tentado tantas vezes? —, esta noite, ela sabia, seria diferente.

Adrienne não tinha muitas ilusões quanto à opinião que seus filhos tinham a seu respeito. Sim, eles a amavam e respeitavam como mãe, mas ela sabia que eles jamais a *conheceriam* de verdade. Aos olhos de seus filhos, ela era gentil, mas previsível, doce e estável, um ser amigável de outra época, que iria passar pela vida com sua visão de mundo ingênua absolutamente incólume. Ela se adequava a essa imagem, é claro — as veias começando a aparecer nas mãos, uma figura mais convencional e pouco sinuosa —, mas quando percebia que eles estavam olhando para ela com expressões que pretendiam diverti-la, ela às vezes tinha de se controlar para não cair na risada.

Parte do erro deles, ela sabia, provinha do seu desejo de vê-la sob determinado aspecto, uma imagem pré-fabricada que achavam aceitável para uma mulher da sua idade. Era mais fácil — e, francamente, mais confortável — pensar que sua mãe era mais calma que ousada, alguém meio devagar em vez de uma pessoa com experiências que poderiam surpreendê-los. E continuando a ser a mãe gentil, previsível, doce e estável que era, ela não tinha vontade alguma de fazê-los mudar de opinião.

Sabendo que Amanda chegaria a qualquer minuto, Adrienne foi até a geladeira pegar uma garrafa de *pinot grigio* para colocar na mesa. A casa havia esfriado desde o cair da tarde, então ela mexeu no termostato a caminho do quarto para aumentar a temperatura.

O quarto que havia dividido com Jack era seu agora, redecorado duas vezes desde o divórcio. Adrienne foi até a cama com quatro colunas que sempre quis ter desde que era jovem. Encostada na parede debaixo da cama havia uma caixa de papéis, e Adrienne colocou-a sobre o travesseiro ao seu lado.

Dentro estavam as coisas que ela havia guardado: o bilhete que ele havia deixado na pousada, uma foto que alguém havia tirado dele no consultório e a carta que ela recebera algumas semanas antes do Natal. Embaixo dessas coisas havia dois maços de papéis, cartas trocadas por eles, que prendiam uma concha que haviam encontrado uma vez na praia.

Adrienne deixou o bilhete de lado e puxou um envelope de um dos maços, lembrando-se de como havia se sentido quando o lera pela primeira vez, então passou a mão pela folha. Parecia mais fina e frágil, e embora a tinta tivesse ficado mais apagada com o correr dos anos desde que tinha sido escrita, as palavras ainda eram claras.

Querida Adrienne,

Nunca escrevi cartas muito bem, por isso espero que me perdoe se eu não conseguir me fazer entender com clareza.

Cheguei nesta manhã em cima de um burro, acredite se quiser, e descobri o lugar em que passaria meus dias durante algum tempo. Gostaria de poder lhe dizer que era melhor do que eu havia imaginado que seria, mas, sinceramente, não posso. A clínica não tem praticamente nada — remédios, equipamento e os leitos necessários —, mas falei com o diretor e acho que conseguirei resolver pelo menos uma parte do problema. Apesar de terem um gerador para fornecer eletricidade, não há telefones, por isso não vou poder telefonar até ir para Esmeraldas. Fica a alguns dias de viagem, e a próxima entrega de suprimentos ainda vai demorar algumas semanas. Sinto muito por isso, mas acho que ambos suspeitávamos que isso poderia acontecer.

Ainda não encontrei Mark. Ele está em uma clínica de difícil acesso nas montanhas e só vai voltar bem à noite. Eu vou contar como foi, mas não estou esperando muita coisa a princípio. Como você disse, acho que precisamos passar mais tempo juntos para nos conhecermos antes de podermos resolver os problemas que temos um com o outro.

Não dá nem pra começar a contar quantos pacientes atendi hoje. Mais de cem, eu acho. Há muito tempo eu não via os pacientes desse jeito, com esse tipo de problema, mas a enfermeira ajudou bastante, até quando eu parecia perdido. Acho que ela se sentia agradecida pelo simples fato de eu estar ali.

Tenho pensado muito em você desde que parti, imaginando por que a jornada que comecei parecia passar por você. Sei que minha jornada ainda não chegou ao fim, e que a vida é um caminho sinuoso, mas só posso esperar que ela dê uma volta em direção ao lugar a que pertenço.

É isso o que estou pensando agora. Eu pertenço a você. Enquanto estava dirigindo, e de novo quando o avião estava no ar, imaginei que quando chegasse a Quito, eu veria você no meio da multidão acenando para mim. Eu sabia que isso seria impossível, mas por algum motivo, isso fez com que deixar você fosse um pouco mais fácil. Era quase como se parte de você tivesse vindo comigo.

Quero acreditar que é verdade. Não, mude isso — eu sei que é verdade. Antes de nos conhecermos, eu não poderia estar mais perdido, e mesmo assim você viu em mim alguma coisa que me fez encontrar o rumo de novo. Nós dois sabemos o motivo pelo qual fui para Rodanthe, mas não consigo parar de pensar que havia forças maiores em funcionamento. Fui lá para encerrar um capítulo de minha vida, esperando que isso me ajudasse a encontrar meu caminho. Mas era você, eu acho, que eu estava procurando todo esse tempo. E é você que está comigo agora.

Nós dois sabemos que vou ter de ficar por aqui durante algum tempo. Não tenho certeza sobre quando vou voltar, e apesar de não fazer muito tempo, percebo que sinto mais saudade de você do que jamais senti de alguém. Parte de mim deseja imensamente entrar em um avião e ver você, mas se isso for tão verdadeiro quanto acho que é, tenho certeza de que vamos conseguir. E eu vou voltar, prometo. Durante o pouco tempo que passamos juntos, tivemos o que a maioria das pessoas apenas sonha, e estou contando os dias até poder ver você de novo. Nunca se esqueça do quanto eu te amo.

Paul

Quando terminou de ler, Adrienne colocou a carta de lado e pegou a concha que aparecera no caminho deles muito tempo atrás em uma tarde de domingo. Ela ainda recendia a sal, a eternidade, ao odor primordial da própria vida. Tinha um tamanho médio, formato perfeito, sem rachaduras, algo quase impossível de encontrar na arrebentação áspera da região de Outer Banks depois de uma tempestade. Um presságio, ela pensou então, e se lembrou de que a aproximou do ouvido dizendo que podia ouvir o barulho do oceano. Paul achou graça disso e disse que ela estava ouvindo o oceano. Ele colocou os braços em volta dela e então sussurrou:

— A maré está alta, ou você não percebeu?

Adrienne remexeu nas outras coisas, pegando o que precisava para sua conversa com Amanda, desejando poder ter mais tempo para olhar o resto. Talvez mais tarde, pensou. Colocou as outras coisas na última gaveta, sabendo que Amanda não precisava vê-las. Pegando a caixa, ela ficou em pé e alisou a saia.

Sua filha chegaria logo.